NIVEAU B2.2

SICHER!

AKTUELL

DEUTSCH ALS FREMDSPRACHE
KURSBUCH UND ARBEITSBUCH

LEKTION 7–12

Michaela Perlmann-Balme
Susanne Schwalb
Magdalena Matussek

Hueber Verlag

Für die hilfreichen Hinweise danken wir:
Marija Francetić, Zagreb; Anja Geisler, Aranjuez; Tünde Salakta, Budapest;
Ludwig Hoffmann und Birgit Kneiert, Frankfurt / Main; Lukas Mayrhofer, Wien;
Esther Haertl, Nürnberg; Gunda Heck, Wilnsdorf; Susanne Kalender, Hamminkeln;
Alexander Oertel, Weimar.

Interaktive Übungen:
Christine Schlotter, Nürnberg

3. 2. 1. | Die letzten Ziffern
2023 22 21 20 19 | bezeichnen Zahl und Jahr des Druckes.
Alle Drucke dieser Auflage können, da unverändert,
nebeneinander benutzt werden.
1. Auflage

Redaktion: Juliane Beck, Karin Ritter, Isabel Krämer-Kienle, Felix Steffan und Ingo Heyse,
alle Hueber Verlag GmbH & Co. KG, München
Umschlaggestaltung, Layout und Satz: Sieveking · Agentur für Kommunikation, München
Druck und Bindung: Westermann Druck GmbH, Braunschweig
Printed in Germany
ISBN 978–3–19–621207–5

Art. 530_25296_001_01

INHALT KURSBUCH

KURSPROGRAMM

LEKTION	LESEN	HÖREN	SCHREIBEN
7 **BEZIEHUNGEN** KB 89–102	1 Auszug aus einem Roman lesen **KB 94** 2 Einem Zeitungsartikel Überschriften zuordnen **KB 98**	1 Eine Radioreportage abschnittsweise hören und verstehen **KB 90** 2 Zwei Paargespräche hören und ergänzen **KB 97**	Einen Forumsbeitrag schreiben **KB 96**
8 **ERNÄHRUNG** KB 103–116	1 Einem Artikel Informationen entnehmen **KB 104** 2 Einen Zeitungsbericht lesen und verstehen **KB 112**	Gespräche und Äußerungen aus dem Alltag hören und verstehen **KB 106**	Einen Beschwerdebrief schreiben **KB 110**
9 **AN DER UNI** KB 117–130	Einer Infobroschüre Informationen entnehmen **KB 120**	Einen Vortrag abschnittsweise hören und verstehen **KB 126**	Ein Motivationsschreiben verfassen **KB 124**
10 **SERVICE** KB 131–142	1 Fragen zu einem Zeitungsartikel beantworten **KB 136** 2 Die Struktur einer Benutzerordnung erfassen **KB 139**	1 Eine Gesprächsrunde hören und Aussagen zuordnen **KB 134** 2 Eine Glosse abschnittsweise hören und verstehen **KB 140**	Einen Text zusammenfassen **KB 138**

KURSPROGRAMM

SPRECHEN	SEHEN UND HÖREN	WORTSCHATZ	GRAMMATIK
Über ein Thema diskutieren **KB 100**	Ein Poetry-Slam-Video ansehen **KB 101**	Statistiken in Worte fassen **KB 92**	Nomen mit Präposition; Indirekte Rede; Generalisierende Relativsätze; Vergleichssätze **KB 102**
1 Über regionale Gerichte sprechen **KB 107** **2** Ein Projekt planen und vorstellen **KB 114**	Einer Fernsehreportage Informationen entnehmen **KB 115**	Werbetexte verstehen **KB 108**	Subjektive Bedeutung des Modalverbs *sollen*; Wortbildung: Nominalisierung von Verben; Konditionale Zusammenhänge; Konzessive Zusammenhänge **KB 116**
1 Eine Diskussion führen **KB 123** **2** Erfahrungen austauschen **KB 128**	Einen non-verbalen Film ansehen **KB 129**	Über ein Studium sprechen **KB 118**	Konsekutive Zusammenhänge; Feste Verbindung von Nomen mit Verben; Wortbildung: Negation durch Vor- und Nachsilben bei Adjektiven **KB 130**
Ideen sammeln und überzeugend präsentieren **KB 133**	Eine Foto-Reportage ansehen und verstehen **KB 141**	Werbesprüche zu Dienstleistungen verstehen und formulieren **KB 132**	Alternativen zum Passiv; Subjektlose Passivsätze **KB 142**

KURSPROGRAMM

LEKTION	LESEN	HÖREN	SCHREIBEN
11 GESUNDHEIT KB 143–154	1 Einen Zeitungsartikel lesen und mündlich zusammenfassen **KB 144** 2 Einen Fachartikel lesen und ergänzen **KB 151**	Ein Interview hören und verstehen **KB 145**	Eine formelle E-Mail verfassen **KB 148**
12 SPRACHE UND REGIONEN KB 155–168	Einem Beitrag in einem Magazin Überschriften zuordnen **KB 162**	1 Einer Radioreportage Informationen entnehmen **KB 156** 2 Drei Aussagen hören und verstehen **KB 166**	Eine Stellungnahme schreiben **KB 164**

SPRECHEN	SEHEN UND HÖREN	WORTSCHATZ	GRAMMATIK
1 Ein Arztgespräch führen **KB 147** 2 Über Stellungnahmen diskutieren **KB 150**	Einen Informationsfilm verstehen und beschreiben **KB 153**	Über eine Reiseapotheke sprechen **KB 146**	Indefinitpronomen; Modale Zusammenhänge **KB 154**
Ein Reiseangebot planen und präsentieren **KB 158**	Eine Reportage ansehen und verstehen **KB 167**	Fremdwörter erkennen und verstehen **KB 160**	Erweitertes Partizip; Adversativsätze; Partizipien als Nomen; Wortbildung: Fugenelement *-s-* bei Nomen **KB 168**

INHALT ARBEITSBUCH

INHALT ARBEITSBUCH

INHALT ARBEITSBUCH

Verweise und Piktogramme im Kursbuch

2 🔊 6

Dieses Symbol verweist auf einen Hörtext auf den Kursbuch-CDs
aus dem Medienpaket (ISBN: 978-3-19-331207-5), hier auf CD 2, Track 6.

DVD

Dieses Symbol verweist auf einen Film(abschnitt) auf der DVD aus dem
Medienpaket (ISBN: 978-3-19-331207-5), hier auf Film 4.

→ AB 110/Ü8

Solch ein Hinweis neben den Aufgaben im Kursbuch verweist auf eine
dazugehörige Übung im Arbeitsbuch, hier auf Seite AB 110, Übung 8.

GRAMMATIK
Übersicht → KB 116/1

Solch ein Hinweis führt Sie zur Grammatik-Übersichtsseite
am Ende der Lektion, hier auf Seite 116, Abschnitt 1.

⇤ KB 105/2

Solch ein Hinweis auf den Grammatik-Übersichtsseiten verweist auf
die Seite und Aufgabe im Kursbuch, auf / in denen das Thema behandelt wird,
hier auf Seite 105, Aufgabe 2.

Verweise und Piktogramme im Arbeitsbuch

AB 🔊 43

Dieses Symbol verweist auf einen Hörtext auf der eingelegten
Arbeitsbuch-CD (Format: MP3), hier auf Track 43.

zu Hören, KB 106, Aufgabe 2

Solch ein Hinweis verweist auf die dazugehörige Aufgabe im Kursbuch,
hier auf die Seite Hören, KB 106, Aufgabe 2.

ÜBUNG 4

Dieses Symbol verweist auf wiederholende oder vertiefende interaktive
Übungen im Internet unter www.hueber.de/sicher. Die Übungen decken die Kategorien
Wortschatz, Grammatik und Kommunikation ab.

Unter www.hueber.de/sicher finden Sie die Lösungen zu den Übungen im Arbeitsbuch.

VORWORT

Liebe Leserinnen und Leser,

das Lehrwerk **SICHER!** führt zum Abschluss der Stufen **B1+**, **B2** oder **C1** des **Gemeinsamen Europäischen Referenzrahmens** für Sprachen. Es richtet sich an fortgeschrittene erwachsene Deutschlernende ab 16 Jahren.

SICHER! AKTUELL B2 ist eine überarbeitete Fassung des Lehrwerks **SICHER! B2**. Es bereitet auf alle gängigen B2-Prüfungen vor, darunter das Goethe-Zertifikat B2 und das ÖSD-Zertifikat B2 sowie die telc-Prüfungen Deutsch B2 und Deutsch B1-B2 Beruf. Jedes Aufgabenformat der genannten Prüfungen wird mindestens einmal im Lehrwerk geübt. Eine Auflistung der Prüfungsformate im Lehrwerk finden Sie im Anhang (AB 211–212).

Die Lektionen sind in die Bausteine **LESEN** – **HÖREN** – **SCHREIBEN** – **SPRECHEN** – **WORTSCHATZ** – **SEHEN UND HÖREN** gegliedert.
Am Ende jeder Lektion befindet sich eine kompakte und übersichtliche Darstellung des jeweiligen Grammatikstoffs.

In verschiedenen Kursen kann das Lernprogramm je nach Bedarf, Interesse und Zeitrahmen individuell zusammengestellt werden. Die Lektionen enthalten aktuelle, authentische Lernmaterialien zu Alltag, Beruf, Studium und Ausbildung. Es findet sich ein breites Spektrum an aktuellen alltags- und berufsrelevanten Textsorten wie z. B. Zeitungsartikel, Blogs, Prospekte und Diskussionsbeiträge. Dazu gibt es abwechslungsreiches Aufgaben- und Übungsmaterial, das Rezeption und handlungsorientierte Produktion gleichermaßen fördert.

In der Rubrik „Wussten Sie schon?“ wird modernes landeskundliches Wissen über die deutschsprachigen Länder vermittelt und damit der Blick für interkulturelle Themen und Fragestellungen geschärft.

Um individuellen Bedürfnissen gerecht zu werden, können Lernende auf die vertiefenden Übungen im Arbeitsbuch sowie auf das Angebot unter www.hueber.de/sicher zurückgreifen. Dort findet sich auch eine Vielzahl von Anregungen und Materialien für Lehrende.

Die Grammatik, der Wortschatz und die Redemittel verbinden durch „zyklisches Lernen“ Bekanntes mit Neuem. Dadurch können die Lernenden ihre Kenntnisse systematisch auf- und ausbauen.

Strategien zum Lernen werden durch gezielte Aufgaben und praxisnahe Tipps gefördert. Mit der Selbstevaluation am Ende jedes Bausteins können die Lernenden ihre Lernfortschritte selbst kontrollieren und dokumentieren. Im Arbeitsbuch steht darüber hinaus noch ein Selbsttest am Ende der einzelnen Lektionen zur Verfügung. Der Portfoliogedanke wird unter anderem durch die Rubrik „Mein Dossier“ im Arbeitsbuch aufgegriffen.

Das **SICHER! AKTUELL B2** Medienpaket umfasst die Höraufnahmen zum Kursbuch sowie die Filme zum Baustein **SEHEN UND HÖREN**.

Viel Spaß mit **SICHER!** wünschen Ihnen
Autorinnen und Verlag

7 BEZIEHUNGEN

1 Familiäre Beziehungen

a **Sehen Sie die Personen auf dem Bild an. Wie wirkt diese Familie auf Sie?**

b **Was meinen Sie?**

- Wer ist mit wem verheiratet? Wer ist der Exgatte von wem?
- Wer ist wessen leibliches Kind, wer ist wessen Stieftochter oder Stiefsohn?

2 Familienkonstellationen → AB 107/U2

Wie leben Sie und Ihre Familie? Welche Familienkonstellation gibt es bei Ihnen? Berichten Sie.

über Familienkonstellationen sprechen

„*Zu meiner Familie gehören ...*
Ich lebe mit meiner / meinem / meinen ... in ...
Das ist in meinem Heimatland ganz normal / etwas ungewöhnlich / ...
Aber im Haushalt meiner / meines ... zum Beispiel wohnen nicht nur ..., sondern auch ...
Außerdem kenne ich ein Paar, das ...“

HÖREN 1

1 Bilderrätsel

Sehen Sie das Bild an. Welche Familienform wird dargestellt? Markieren Sie.

- ☐ eine multikulturelle Kleinfamilie mit Eltern aus verschiedenen Kulturen
- ☐ eine Großfamilie mit Mitgliedern aus vier Generationen
- ☐ eine „Patchwork-Familie", zusammengesetzt aus Mitgliedern verschiedener Familien

2 Eine Radioreportage über Familien in Deutschland

Hören Sie die Reportage in Abschnitten. Welche Aussagen sind jeweils richtig? Markieren Sie.

Richtig hören – vor dem Hören
Lesen Sie die Aussagen zu jedem Abschnitt vor dem Hören aufmerksam durch. Markieren Sie Schlüsselwörter. Konzentrieren Sie sich beim Hören darauf, was zu den markierten Wörtern gesagt wird und entscheiden Sie dann, welche Aussage richtig ist.

2 ◀)) 1 **Abschnitt 1**

1. Viele Ehepaare lassen sich nach einem Jahr wieder scheiden.
2. Nach einer Scheidung finden viele bald wieder einen neuen Partner.
3. ✓ Es gibt unterschiedliche Möglichkeiten der Zusammensetzung von Patchwork-Familien.

2 ◀)) 2 **Abschnitt 2**

1. ✓ Früher heiratete man vor allem dann wieder, wenn der Ehepartner verstorben war.
2. Heutzutage ist die finanzielle Absicherung kein alleiniger Grund mehr für eine Wiederheirat.
3. Der Wunsch nach finanzieller Sicherheit ist immer noch genauso wichtig wie der Wunsch nach einer glücklichen Partnerschaft.

2 ◀)) 3 **Abschnitt 3**

1. Viele Eltern denken, dass ihre Kinder den neuen Partner schnell akzeptieren.
2. Kinder wünschen sich meist einen Ersatz für den Elternteil, der nicht mit ihnen lebt.
3. ✓ Stiefvater oder -mutter wird man oft plötzlich, sodass die neue Rolle schwierig sein kann.
4. In Zukunft wird es nicht mehr so viele Patchwork-Familien wie zurzeit geben.

Wussten Sie schon? → AB 108/Ü3
*Die Bezeichnung **Stief-** in Wörtern wie Stiefmutter, Stiefvater, Stiefsohn oder -tochter ruft leider manchmal noch negative Assoziationen hervor. Der Grund dafür ist in zahlreichen bekannten Märchen zu finden, wie z. B. Aschenputtel, Frau Holle, Schneewittchen. Darin gibt es das Stereotyp der „bösen Stiefmutter", die als lieblose Nachfolgerin der leiblichen Mutter charakterisiert wird. Deshalb bezeichnet man heutzutage eine Stieftochter oder einen Stiefsohn auch häufig als „Tochter oder Sohn meiner Partnerin / meines Partners".*

3 Diskussion

a **Welche Chancen und möglichen Probleme sehen Sie in der Familienform Patchwork-Familie? Arbeiten Sie zu viert. Zwei Personen ergänzen Chancen, die anderen beiden mögliche Probleme.**

Chancen	Mögliche Probleme
Man weiß, was in der ersten Ehe / Beziehung nicht geklappt hat.	Man hat keine enge Beziehung zu den Kindern des Partners.

b **Diskutieren Sie nun mithilfe der Redemittel zu viert über das Thema.**

über Chancen sprechen

„Ein Vorteil dieser Familienform ist auf jeden Fall, dass ...
Das Gute ist, dass man bereits ...
Natürlich müssen die Familienmitglieder (sich) erst einmal ...“

über mögliche Probleme sprechen

„Möglicherweise hat man auch nicht genug Verständnis für ...
Problematisch könnte es werden, wenn ...
Nicht so einfach scheint mir ...“

4 Nomen mit Präposition → AB 108–109/Ü4–7

GRAMMATIK
Übersicht → KB 102/1

2 🔊 4 a **Hören Sie einige Sätze aus der Reportage noch einmal und ergänzen Sie die Nomen mit Präposition.**

1 Der Hauptgrund für eine Wiederheirat ist heute meist nicht mehr das Bedürfnis nach sozialer und finanzieller Absicherung.
2 Es besteht jedoch bei vielen Eltern weiterhin der ______ ______ einer „heilen" Familie und ______ einer glücklichen Partnerschaft.
3 Das gilt besonders dann, wenn ihnen dieser neue Partner als ______ ______ den Vater oder die Mutter präsentiert wird.
4 Viele haben ______ ______ ihrer neuen Rolle, besonders dann, wenn sie bisher keine ______ ______ Kindererziehung hatten.
5 Oft haben die Jugendlichen dadurch sogar flexiblere ______ ______ den Rollen, die man als Mann und Frau zu erfüllen hat, als Kinder aus traditionellen Familien.

b **Ordnen Sie die Nomen aus 4a den Präpositionen zu. Notieren Sie jeweils neue Ergänzungen.**

das Bedürfnis	nach (+ Dativ)	mehr Freiheit, einem sorglosen Leben, ...
	nach (+ Dativ)	
	für (+ Akk.)	
	vor (+ Dativ)	
	in (+ Dativ)	
	von (+ Dativ)	

c **Ergänzen Sie passende Nomen mit Präposition und Artikel aus b.**

1 Mit Anfang 20 wird bei jungen Menschen ______ einem selbstständigen Leben häufig sehr stark.
2 Für kinderlose Ehepaare ist ein Hund, um den sie sich intensiv kümmern können, häufig ______ ein Kind.
3 Partner haben manchmal unterschiedliche ______ Zusammenleben.
4 Meine Nachbarin hat seit einem halben Jahr einen neuen Partner mit zwei kleinen Kindern. Sie hat aber noch nicht so viel ______ Umgang mit ihnen.

Ich kann jetzt ...
- einer Radioreportage zu neuen Familienformen wichtige Informationen entnehmen.
- meine Meinung zu Chancen und möglichen Problemen von neuen Familienformen äußern.
- Nomen mit Präposition anwenden.

WORTSCHATZ

1 Beziehungs- und Lebensformen

a Was bedeuten die Begriffe links? Ordnen Sie zu.

1 die Kleinfamilie
2 die Ein-Eltern-Familie
3 die Patchwork-Familie
4 die (nichteheliche) Lebensgemeinschaft — B
5 der Single
6 die Wohngemeinschaft

A Paar mit gemeinsamen Kindern und / oder Kindern aus vorherigen Beziehungen
B das Zusammenleben ohne Trauschein
C die / der Alleinerziehende mit Kind / ern
D das Zusammenleben mit anderen
E die / der Alleinstehende
F Vater, Mutter und Kind

b Sehen Sie die Klingelschilder an. Welche Lebensformen aus a sind das wohl? Sprechen Sie.

Im Erdgeschoss wohnen Paula Weninger und Markus Jochim. Das könnte wegen der verschiedenen Nachnamen eine Wohngemeinschaft sein. Oder ...

c Wie sehen Klingelschilder in Ihrem Land aus? Was verraten sie über die Bewohner? Berichten Sie.

2 Statistiken in Worte fassen → AB 110/Ü8–9

a Mengenverhältnisse beschreiben. Wie kann man noch sagen? Ordnen Sie die Ausdrücke den Prozentzahlen zu.

fast die Hälfte • ~~knapp ein Drittel~~ • doppelt so viele • gut ein Viertel • dreimal so viele

26 % = ______
90 % im Vergleich zu 30 % = ______
47 % = ______
32 % = knapp ein Drittel
70 % im Vergleich zu 35 % = ______

b Veränderungen beschreiben. Was drücken die Verben aus? Ordnen Sie zu.

~~abnehmen~~ • zunehmen • sich erhöhen • stagnieren • sinken • steigen • sich verringern • gleich bleiben

etwas wird weniger	etwas ist unverändert	etwas wird mehr
abnehmen		

c Wie kann man noch sagen? Ergänzen Sie passende Verben aus 2b in der richtigen Form.

1 Vor hundert Jahren gab es sehr viele Familien mit drei oder mehr Kindern. Heute gibt es das kaum noch. Die Zahl der kinderreichen Familien hat abgenommen / hat sich ______ / ist ______.

2 Dagegen lebt in fast 40 % der Haushalte nur noch eine Person. Die Anzahl der Ein-Personen-Haushalte hat sich ______ / hat ______ / ist ______.

3 In den letzten 10 Jahren ist die Zahl der Lebensgemeinschaften fast ______ / hat die Zahl der Lebensgemeinschaften fast ______.

4 Wenn die Zahl der Geburten weiter ______ / ______, kann sich das negativ auf das Wirtschaftswachstum auswirken.

5 Da sich Ehepaare heutzutage häufiger trennen, wird (sich) die Zahl der Ein-Eltern-Familien ______ / ______ / ______.

> ***Informationen auf Schaubildern beschreiben***
> *Geben Sie bei der Beschreibung eines Schaubilds oder einer Grafik zunächst an, worüber die Zahlen informieren, z. B. über Geldmengen, eine Anzahl von Menschen oder Ähnliches. Zu beachten ist, ob die Angaben als Prozentzahl oder z. B. in Tausender-Einheiten zu lesen sind. Häufig zeigt eine Grafik auch Zahlen aus verschiedenen Jahren. Achten Sie darauf, die Zahlen zu vergleichen und auf Veränderungen hinzuweisen.*

d Arbeiten Sie zu viert. Je zwei Personen sehen sich eine Statistik näher an. Formulieren Sie mithilfe der Redemittel die Hauptaussagen Ihrer Statistik und beschreiben Sie sie dem anderen Team.

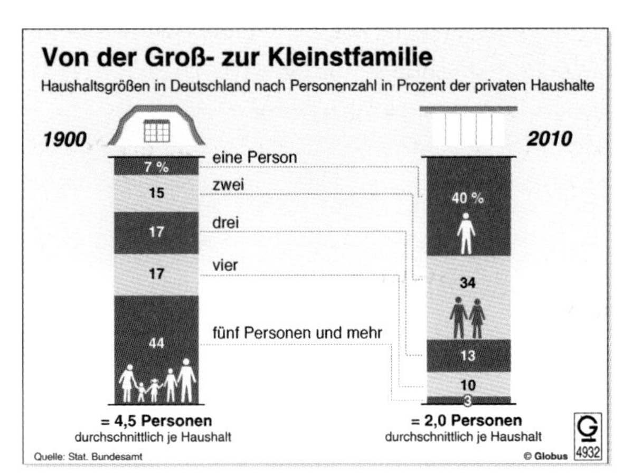

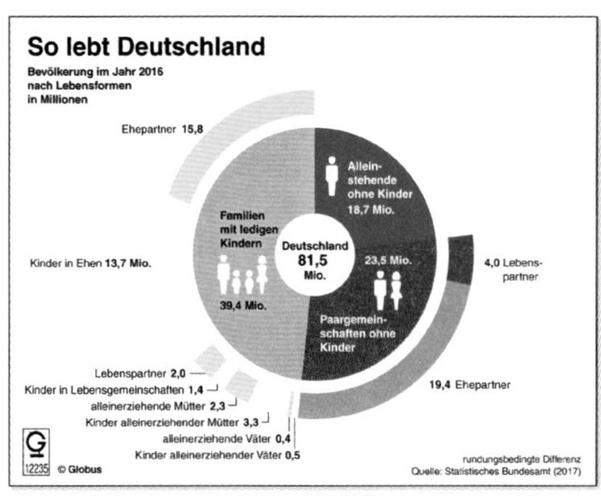

eine Statistik beschreiben

„Die Statistik gibt Auskunft über …
Sie informiert darüber, wie viel …
Das Schaubild stellt dar, wie viele …
In der Grafik / Im Schaubild wird … mit … verglichen.
Die Zahl der Ein- / Zwei- / Drei Personen-Haushalte ist …
Dagegen hat … (deutlich) zugenommen / abgenommen.
… gab / gibt es wesentlich mehr / weniger … als …
Dafür gibt es doppelt / fünfmal so viele … wie …"

Ich kann jetzt …

	☺	😐	☹
▪ verschiedene Beziehungs- und Lebensformen benennen.	☐	☐	☐
▪ Informationen aus Statistiken in Worte fassen.	☐	☐	☐

7

1 Stimmen zum Erstlingsroman „Das Blütenstaubzimmer"

a **Lesen Sie die Kommentare. Welche Aussage passt? Markieren Sie.**

- ☐ Die Kritiker sind unterschiedlicher Meinung über die Qualität des Romans.
- ☐ Alle Kritiker äußern großes Lob.
- ☐ Nach Meinung der Kritiker erkennt man, dass es ein Erstlingsroman ist.

„Eine so gelungene erste Erzählung habe ich lange nicht mehr gelesen." DIE ZEIT

„Ein fulminanter Erstlingsroman. Das Blütenstaubzimmer wird schnell mehr als eine Kindheitsgeschichte – es ist einer der ersten und radikalsten Romane der Technogeneration, adressiert in aller Härte an die 68er-Eltern." FACTS

„Mit ihrem ersten Roman traf Zoë Jenny eine ganze Generation mitten ins Herz!" STERN

Zoë Jenny
Das Blütenstaubzimmer
Roman

b **Was erfährt man über die Autorin und die Leser, die hauptsächlich angesprochen sind?**

2 Auszug aus dem Roman „Das Blütenstaubzimmer" → AB 111/Ü10–11

Lesen Sie einen Auszug aus dem Roman in Abschnitten und beantworten Sie die Fragen.

Abschnitt 1:
1 Wo befinden sich die Erzählerin und Lucy und was machen sie gerade?
2 In welcher Beziehung stehen sie wohl zueinander?
3 Was erfährt man über den Nachbarn Giuseppe?

Obwohl erst früh am Morgen, ist es im Garten schon sehr warm. Lucy liest im Schatten der Palme eine Zeitung. Ihr Haar ist hochgesteckt, das Gesicht zugedeckt mit einer nach Gurke riechenden Schönheitsmaske. Sie läßt[1] die Zeitung sinken, als ich mich zu ihr an den Tisch setze. Um die Augen ist die Maske ausgespart, aus den hautfarbenen Kreisen blicken mich ihre blauen Augen an.

5 „Ich habe heute Abend einen Freund eingeladen. Vito; er wird dir gefallen."

Dann nimmt sie die Zeitung wieder auf.

„Möchte wissen, was du hier die ganze Zeit tust, wenn ich nicht da bin", sagt sie beiläufig, aber die Neugier in ihrer Stimme ist nicht zu überhören.

„Lesen. Ich habe einen ganzen Stapel Bücher in meinem Zimmer. Ich habe gestern bis spät in die Nacht 10 hinein gelesen", sage ich, und es klingt wie eine Rechtfertigung.

Ich gehe hinein, um das Frühstück zu holen, und als ich mit einem Tablett mit Brot, Käse und Honig wieder in den Garten trete, höre ich in Giuseppes Keller die Vögel kreischen. Bevor seine Frau an einem Schlaganfall starb, sah man abends ihre Schatten hinter den Fenstern, und man hörte, wie er seine Frau anschrie. Jetzt hört man nur noch die Vögel in seinem Keller kreischen, wenn er hinuntergeht, um sich einen 15 zum Essen zu fangen. Lucy behauptet, er sei verrückt geworden.

Abschnitt 2:
1 War Ihre Vermutung zur Beziehung zwischen Lucy und der Ich-Erzählerin Jo richtig?
2 Was schlägt Lucy Jo vor? Warum?
3 Wie wird Jo wohl darauf reagieren?

Ich stelle das Tablett auf den Tisch. Lucy blickt angestrengt, das Kinn auf die Hand gestützt, zu dem Kloster hinüber.

„Hör mal, Jo, ich habe Vito gegenüber nichts von dir erwähnt, ich meine, er hat keine Ahnung, daß ich eine Tochter habe. Ich dachte, wir sagen der Einfachheit halber, du seist meine jüngere Schwester."

---

1 Da der Roman 1997, d. h. vor der Rechtschreibreform im Jahre 2006 erschien, wurden die Änderungen in der Orthografie hier nicht vorgenommen, z. B. folgt nach kurzem Vokal hier weiterhin „ß" statt heute „ss". Auch in den Beispielsätzen aus dem Text in Aufgabe 3 wird diese Schreibweise beibehalten.

Abschnitt 3: 1 Ist Jos spontane Reaktion aus Ihrer Sicht verständlich?
2 Was sagen Lucys Verhalten, ihre Kleidung und ihre Frisur über sie aus?
3 Wie verhält sich Jo gegenüber Lucy?

20 „Klar", sage ich trocken, so schnell und selbstverständlich, als hätte ich für diesen Moment jahrelang geübt. Sie fährt sich mit der Hand schwungvoll und erleichtert durchs Haar. Die Maske auf ihrer Haut ist mittlerweile getrocknet und fest geworden. Sie redet mit einer hellen, unbekümmerten Stimme, aber ich höre ihr kaum zu, bewege mich kein Stück, nicke nur gelegentlich und fixiere die eingetrocknete Gurkenmaske, die langsam von ihrem Gesicht bröckelt. Immer größere Stücke beginnen sich von der Haut zu lösen
25 und abzufallen; sie preßt die Hände aufs Gesicht, als wolle sie es zusammenhalten, damit es nicht vollständig auseinanderbricht, entschuldigt sich und eilt ins Bad. Sie verbringt fast den ganzen Tag dort. Auf dem Sofa im Eßzimmer halte ich ein aufgeschlagenes Buch auf den Knien, vor mir die Wörter, die für mich nutzlos geworden sind, und denke an Alois, der tot unter den Pappeln liegt und immer toter wird. Lucy kommt in einem langen schwarzen Rock zurück, der unten glockig auseinanderschwingt. Dazu trägt sie eine hellblaue
30 Bluse. Als sie hereinkommt und sich an den Tisch setzt, rieche ich den sauberen Duft ihres Parfums. Aus den Augenwinkeln sehe ich ihr Profil. Die frisch gewaschenen Haare sind mädchenhaft hinter die Ohren gelegt.

Abschnitt 4: 1 Welche Fragen würde Jo ihrer Mutter gern stellen?
2 Was meinen Sie: Warum tut sie es nicht?
3 Was wird Jo nach dieser Erfahrung machen? Diskutieren Sie.

Eine dunkle Ahnung steigt in mir hoch, und plötzlich drängt es mich, sie zu fragen, ob sie ganz sicher sei, daß sie damals meinen Vater verlassen habe und ins Flugzeug gestiegen sei. Oder ob nicht vielleicht alles ganz anders gewesen war; und ob sie denn wirklich ganz sicher sei, daß ich aus ihr herausgekommen bin.
35 Denn das scheint mir in diesem Moment vollkommen unmöglich. Sie blickt zu mir herüber, und ich blättere schnell die Seite um.

7

3 Indirekte Rede → AB 112–114/Ü12–15

GRAMMATIK
Übersicht → KB 102/2

a **Lesen Sie die folgenden Sätze aus dem Text noch einmal. Welche Aussage stimmt? Markieren Sie.**

1 Lucy behauptet, *er sei verrückt geworden.*
2 Wir sagen der Einfachheit halber, *du seist meine jüngere Schwester.*

Die Sätze ...
☐ drücken eine Überzeugung aus.
☐ geben die Aussage einer Person wieder.
☐ drücken Wünsche aus.

b **An welchen Verben erkennt man das? Markieren Sie.**

c **Welche der kursiv gedruckten Satzteile in a geben eine Aussage in der Gegenwart wieder, welche eine Aussage in der Vergangenheit?**

d **Formen Sie die Aussagen in die direkte Rede um.**

1 Lucy behauptet: „Er ist ______"
2 ______

Ich kann jetzt ...
- einen literarischen Textauszug verstehen. ☐ ☐ ☐
- Vermutungen über Gefühle und Beweggründe literarischer Figuren anstellen. ☐ ☐ ☐
- Formen der indirekten Rede verstehen. ☐ ☐ ☐

1 Ehe auf Zeit

Lesen Sie die Zeitungsmeldung. Über welchen Vorschlag wird hier berichtet und wie begründet die Befürworterin des Vorschlags die Idee?

„Bis dass der Tod euch scheidet" – schon lange ein Märchen

Vergangene Woche schlug eine Politikerin vor, Ehen zeitlich auf sieben Jahre zu befristen. Falls die Beziehung dann doch scheitern sollte, könnten hohe Scheidungskosten gespart werden, so die Befürworterin der „Ehe auf Zeit". Das heißt auch: Wer sich nicht trennen
5 will, kann zu einer Verlängerung der Ehe aktiv „Ja" sagen. So kann es durchaus auch viele lebenslange Ehen geben. Der Vorschlag stieß in vielen Kreisen auf Unverständnis, obwohl die Idee keineswegs so neu ist. In islamischen Ländern oder im alten Japan waren zeitlich begrenzte Ehen früher schon üblich und auch Goethe beschrieb in seinem Roman „Die Wahlverwandtschaften" das Angebot einer Ehe auf fünf Jahre.
10 Wem es also nicht gefällt oder nicht gelingt, sein ganzes Leben an der Seite eines Partners zu verbringen, der könnte mit der „Ehe auf Zeit" glücklich werden.

2 Ein Forumsbeitrag → AB 114/Ü16

a **Sie sollen einen Forumsbeitrag mit mindestens 150 Wörtern zum Thema Ehe schreiben. Lesen Sie die folgenden vier Punkte und überlegen Sie sich, was Sie zu jedem Punkt schreiben wollen. Notieren Sie Stichpunkte.**

- Äußern Sie Ihre Meinung zum Thema Ehe.
- Nennen Sie Gründe, warum Menschen heiraten.
- Nennen Sie andere Möglichkeiten des Zusammenlebens.
- Nennen Sie Vor- / Nachteile von anderen Formen des Zusammenlebens.

b **Formulieren Sie einen Forumsbeitrag mithilfe der Redemittel. Orientieren Sie sich an den vier Inhaltspunkten und denken Sie an eine Einleitung und an einen Schluss.**

zu einem Thema schriftlich Stellung nehmen

„ *In Ihrer Zeitungsmeldung berichten Sie über ...*
Zu ... möchte ich Stellung nehmen.
Ich persönlich halte von ... nichts / viel.
Die Bedeutung ... wird überbewertet / unterschätzt.
Meiner Meinung nach sollte / müsste man ...
... wäre keine / doch eine gute Idee. "

Richtig schreiben – einen Text prüfen
Prüfen Sie am Ende, ob Ihr Schreiben die folgenden Elemente enthält: Bezug auf die Zeitungsmeldung, Stellungnahme zu allen Punkten, eigenes Fazit. Ist die Argumentation logisch aufgebaut? Haben Sie Konnektoren zur Verknüpfung der Sätze verwendet? Wird Ihre Meinung deutlich?

3 Generalisierende Relativsätze → AB 115/Ü17–19

GRAMMATIK
Übersicht → KB 102/3

Lesen Sie die Sätze und ihre Umformungen. Markieren Sie das richtige Pronomen.

1 ***Wer*** *sich nicht trennen will, (der) kann zu einer Verlängerung der Ehe aktiv „Ja" sagen.*
→ Eine Person, ☐ die ☐ was ☐ wer sich nicht trennen will, kann (...)

2 ***Wem*** *das lebenslange Eheleben nicht gefällt, der könnte mit der „Ehe auf Zeit" glücklich werden.*
→ Ein Mensch, ☐ wem ☐ dem ☐ der das lebenslange Eheleben nicht gefällt, der (...)

Ich kann jetzt ...	😊	😐	☹
■ eine Zeitungsmeldung zum Thema „Ehe auf Zeit" verstehen.	☐	☐	☐
■ meine Meinung zur befristeten Ehe schriftlich formulieren.	☐	☐	☐
■ generalisierende Relativsätze erkennen und verstehen.	☐	☐	☐

1 Mini-Gespräche

Sehen Sie das Paar auf dem Foto an. Worüber könnten sie diskutieren? Überlegen Sie sich zu zweit ein Mini-Gespräch und spielen Sie es vor.

2 Zwei Paargespräche → AB 116/Ü20

Gespräch 1: „Blau oder Braun?"

a **Hören Sie das erste Gespräch in Abschnitten. Ergänzen Sie die Aussagen und beantworten Sie die Fragen.**

2 ◀)) 5 **Abschnitt 1**
- Die Frau möchte von ihrem Mann wissen, welches Kleid ______.
- Er findet, dass ______.
- Wie könnte das Gespräch weitergehen? Sammeln Sie Ideen.

2 ◀)) 6 **Abschnitt 2**
- Warum ist **sie** mit **seinen** Antworten nicht zufrieden?
- Was macht sie am Ende? Warum?

b **Arbeiten Sie zu zweit und ordnen Sie die Sätze des Mannes denen der Frau zu.**

~~Hm, das Braune.~~ • Nein. • Das seh' ich sofort – das Braune! • Beides. • Doch! Aber das Braune steht dir besser! • Nein! • Steht dir einfach besser. • Was fragst du mich denn dann? • Das hab' ich nicht gesagt! Du hast mich gefragt, welches dir besser steht und ich habe gesagt „das Braune".

Frau	Mann
● Was findest du besser – das Blaue oder das Braune?	◆ Hm, das Braune.
● Du hast ja gar nicht richtig hingeschaut!	◆ ______
● Und warum?	◆ ______
● Du findest, das Blaue steht mir nicht?	◆ ______
● Wegen der Farbe oder wegen der Form?	◆ ______
● Du meinst, das Blaue steht mir nicht, weil es zu eng ist?	◆ ______
● Findest du mich zu dick für das Blaue?	◆ ______
● Wirklich nicht?	◆ ______
● Gut. Dann nehm' ich das Blaue.	◆ ______
● Ich wollte nur sichergehen.	

2 ◀)) 7 c **Hören Sie nun das erste Gespräch noch einmal und vergleichen Sie.**

Gespräch 2: „Endspiel"

2 ◀)) 8 d **Hören Sie den Anfang des zweiten Gesprächs. Worum geht es?**

e **Schreiben Sie zu zweit eine Fortsetzung des Gesprächs und lesen Sie sie im Kurs vor.**

2 ◀)) 9 f **Hören Sie nun das ganze Gespräch. Warum ist der Mann am Ende genervt? Wie würden Sie in dieser Situation reagieren?**

3 Klischee oder Realität?

Sind die beiden Gespräche realistisch? Warum (nicht)? Diskutieren Sie.

Ich kann jetzt ...
- private Paargespräche verstehen.
- ein angefangenes Paargespräch zu Ende schreiben.

1 Bedeutung gesucht! → AB 116/Ü21

Lesen Sie die Wörter mit *Fern-*. Was bedeuten sie wohl? Überlegen Sie mit Ihrer Lernpartnerin / Ihrem Lernpartner und vergleichen Sie mit der Erklärung im Wörterbuch.

Fern- seher, reise, verkehr, ziel, weh, studium, bedienung, fahrer, beziehung

2 Fernbeziehungen

a **Hatten Sie selbst schon einmal eine Fernbeziehung oder kennen Sie jemanden, der in so einer Beziehung lebt? Wie sieht wohl eine typische Woche in so einer Beziehung aus? Was meinen Sie?**

b **Überfliegen Sie den Text unten. Was erfahren Sie darin? Markieren Sie.**

- ☐ Warum Menschen heutzutage gern in Fernbeziehungen leben.
- ☐ Welche konkreten Erfahrungen Paare in einer Fernbeziehung machen.
- ☐ Worauf man in einer Fernbeziehung achten sollte.

c **Lesen Sie den Text noch einmal. Welche Überschrift passt zu welchem Abschnitt? Ordnen Sie zu.**

- ☐ Zeigen Sie sich, dass Sie auch getrennt „ein Team" sind.
- ☐ Kommunikation ist alles!
- ☐ „Verschonen" Sie Ihren Partner nicht.
- ☐ Gönnen Sie sich Zeit für Spontaneität und bloßes Nichtstun.
- ☐ Genießen Sie auch die Zeit allein.
- ☐ Achten Sie auf sich selbst.
- ☐ Sorgen Sie für gemeinsame Perspektiven.

Wenn die Liebe pendeln muss – Fernbeziehung: So gelingt die Liebe auf Distanz

Andreas studiert in Kiel, Katrin arbeitet in Stuttgart. Verena wohnt in Berlin, Jakobs neuer Job ist in Frankfurt ... Während Fernbeziehungen vor kaum zwanzig Jahren noch bedauernswerte Ausnahmen waren, sind sie heute längst Alltagsrealität. Schließlich leben wir in modernen Zeiten. Und die erfordern eben nicht nur auf dem Arbeitsmarkt, sondern auch in der Liebe Flexibilität. Damit so eine Fernbeziehung gelingt, sollte man folgende Tipps beachten:

☐ Tauschen Sie sich mit Ihrem Partner über Ihre Gedanken, Gefühle, Erwartungen und Ängste aus. Je mehr Sie vom Innenleben Ihres Partners wissen, desto sicherer können Sie sein, dass beim Wiedersehen nicht plötzlich ein Fremder vor Ihnen steht. Einen besonderen Zauber haben übrigens immer noch altmodisch-romantische Liebesbriefe. Etwas Handgeschriebenes, das von Herzen kommt, bringt Sie Ihrem Partner näher als jede E-Mail.

☐ Überfrachten Sie die knappe gemeinsame Zeit nicht mit zu vielen Erwartungen und Plänen! Lassen Sie es auch mal auf sich zukommen, was das gemeinsame Wochenende für Sie beide bringen wird. Je entspannter Sie miteinander umgehen, umso wohler fühlen Sie sich.

☐ Sie gehören sowohl in der gemeinsamen als auch in der getrennten Zeit als Paar zusammen! Beweisen Sie das Ihrem Partner immer mal wieder durch kleine Gesten, nette Anrufe oder ein „Mitbringsel".

☐ Nur wer sich selbst pflegt und innerlich ausgeglichen ist, kann sowohl die getrennte als auch die gemeinsame Zeit in vollen Zügen genießen. Je attraktiver Sie sich selbst fühlen, desto besser gefallen Sie auch Ihrer / Ihrem Liebsten.

5 Fernbeziehungen lassen besonderen Raum für Aktivitäten, für die sich in der „Nahbeziehung" selten Platz findet. Je interessanter Sie die Tage „dazwischen" für sich gestalten, umso rascher verfliegt die Zeit bis zum Wiedersehen.

6 Weder ungelöste Konflikte noch Befürchtungen und Ängste sollten unter den Teppich gekehrt werden. Auch wenn Sie noch so sehr auf Harmonie aus sind: Auf Dauer entfremden Sie sich dadurch von Ihrem Partner. Deshalb gilt die Devise: Je ehrlicher Sie zueinander sind, umso näher bleiben Sie sich gefühlsmäßig. 25

7 Tauschen Sie sich immer wieder neu über Ihre Zukunftsvorstellungen, Sehnsüchte, Hoffnungen und Träume aus – und entwickeln Sie zusammen Bilder einer gemeinsamen Zukunft, auf die Sie sich freuen können. 30

d **Diskutieren Sie mit Ihrer Lernpartnerin / Ihrem Lernpartner über den Inhalt des Textes. Was ist Ihre Meinung? Notieren Sie zunächst einige Stichpunkte mithilfe der Redemittel. Begründen Sie Ihre Argumente.**

- gemeinsame Zeit nicht total verplanen
- Ruhe und Zeit füreinander wichtig
- ...

„Ein brauchbarer Tipp ist meiner Meinung nach ...
Der Tipp ... scheint mir eher unrealistisch.
Besonders hilfreich finde ich den Vorschlag, ...
Man müsste gleich von Anfang an darauf achten, ..."

3 Vergleichssätze → AB 117–118/Ü22–24

GRAMMATIK
Übersicht → KB 102/4

a **Lesen Sie die beiden Sätze. Welches Wort steht am Satzanfang, welches direkt nach dem Komma? Markieren Sie im Text weitere Sätze mit dieser Struktur.**

- Je mehr Sie vom Innenleben Ihres Partners wissen, desto sicherer können Sie sein, dass ...
- Je entspannter Sie miteinander umgehen, umso wohler fühlen Sie sich.

b **Wo steht das Verb im Satz mit *je*, wo im Satz mit *desto / umso*?**

c **Ergänzen Sie.**

Komparativ • Komparativ • Nebensatz • Komparativ

______		Hauptsatz	
je + ______		*desto* / *umso* } + ______	
Je mehr	Sie vom Innenleben Ihres Partners wissen,	*desto* sicherer	können Sie sein, ...
Je entspannter	Sie miteinander umgehen,	*umso* wohler	fühlen Sie sich.

d **Bilden Sie aus je zwei Sätzen einen Vergleichssatz mit *je ..., desto / umso ...***

1 Sie sehen Ihren Partner lange nicht. / Die Freude auf das Wiedersehen ist groß.

Je länger ______,
desto größer ______

2 Man kennt sich gut. / Man kann leicht in einer Fernbeziehung leben.

______

______

Ich kann jetzt ...
- Wörter mit *Fern-* erklären.
- über verschiedene Aspekte des Begriffs „Fernbeziehung" sprechen.
- Ratschläge zum Thema „Fernbeziehung" verstehen und bewerten.
- Vergleichssätze mit *je ..., desto / umso ...* verstehen und anwenden.

SPRECHEN

1 Bikulturelle Beziehungen

Kennen Sie Paare, die aus zwei unterschiedlichen Kulturen stammen? Unterscheiden sie sich von anderen Paaren? Wenn ja, in welcher Hinsicht? Berichten Sie.

Die Frau meines Bruders kommt ursprünglich aus Kroatien. Ihre zwei Kinder wachsen mit zwei Sprachen auf. Zu Hause sprechen sie ...

2 In zwei Kulturen aufwachsen → AB 118/Ü25

a **Lesen Sie den kurzen Infotext und sprechen Sie im Kurs.**

- Was erfahren Sie über die Herkunft einiger Menschen in Deutschland?
- Was könnte im Leben dieser Menschen besonders sein? Sammeln Sie Punkte.

11% aller Kinder in Deutschland wachsen in binationalen Familien auf. Das bedeutet: Jedes 9. in Deutschland geborene Kind hat Eltern, die aus zwei verschiedenen Kulturen stammen. Doch was bedeutet das für die Erziehung des Kindes? Eltern aus verschiedenen Kulturen zu haben heißt oftmals, mit mehreren Sprachen aufzuwachsen. Doch nicht nur die unterschiedlichen Sprachen sind eine Herausforderung. Auch andere Lebensbereiche unterscheiden sich von Kultur zu Kultur stark, wie etwa bestimmte Verhaltensweisen. In manchen Kulturen gilt es zum Beispiel als unhöflich, wenn man beim Essen laut schmatzt oder wenn der Fuß beim Sitzen auf eine Person zeigt – in anderen Kulturen ist das ganz normal! Auch Begrüßungsrituale unterscheiden sich von Kultur zu Kultur manchmal sehr voneinander. Durch die verschiedenen Kulturen lernen bikulturell erzogene Menschen also auch mehrere Perspektiven kennen.

b **Sie nehmen an einer Diskussionsrunde teil und diskutieren über die aktuelle Frage: „Wie kann bikulturelle Erziehung funktionieren?" Arbeiten Sie in Gruppen. Tauschen Sie Ihren Standpunkt und Ihre Argumente aus. Reagieren Sie dann auf die Argumente der anderen Diskussionsteilnehmer/innen. Fassen Sie am Ende Ihr Ergebnis zusammen. Sie können die Stichpunkte zu Hilfe nehmen.**

- Werte und Vorstellungen der Eltern
- Mehrere Identitäten
- Sprachliche Entwicklung des Kindes
- Chancengleichheit

eine Meinung äußern

„Meiner Ansicht nach ist ...
Wichtig finde ich vor allem ...
Vermutlich ist es für ... einfacher / schwieriger, ...
Eine große Chance für diese Menschen besteht darin, ...“

jemandem widersprechen

„Da bin ich nicht ganz deiner Meinung. Ich finde eher, dass ...
Das sehe ich anders: Ich kenne jemanden, der ...
Was du sagst, stimmt schon, allerdings ...“

etwas zusammenfassen

„Lasst uns also festhalten: ...
... kann also sowohl Vor- als auch Nachteile haben: ...
Wir sind uns einig, dass ...“

Ich kann jetzt ...	☺	😐	☹
■ über bikulturelle Beziehungen sprechen.	□	□	□
■ einen Infotext über bikulturelle Herkunft verstehen.	□	□	□
■ über Chancen und Risiken bikultureller Erziehung diskutieren.	□	□	□

1 Du baust einen Tisch

19 DVD

a **Sehen Sie einen Teil des Videos ohne Ton an. Sprechen Sie.**

- Wo ist die Frau? Woran erkennen Sie das?
- Was macht man an diesem Ort normalerweise?
- Was macht die Frau dort? Warum wohl?

20 DVD

b **Sehen Sie das Video mit Ton einmal ganz an.
Wie wirkt es auf Sie?**

c **Sehen Sie das Video nun in Abschnitten.**

21 DVD

Abschnitt 1

1 Welche Aussage passt? Markieren Sie.
Die Frau ...
- ☐ trägt ein modernes Gedicht vor.
- ☐ schickt ihrem Freund eine Videobotschaft.

2 Worum geht es wohl in dem Text?

22 DVD

Abschnitt 2

1 Lesen Sie einzelne Textzeilen. Was hat die Frau wirklich gesehen, was stellt sie sich vermutlich nur vor?

**Ich hab dich Bretter über eine
Kreuzung tragen sehen**

**Tisch für vier Ellbogen
Vier Füße
Vier Unterarme
Zwei Töpfe**

Einen Tisch baust du

**Einen Tisch für euch zwei
Unter den ihr eure Füße streckt**

2 Wofür stehen die genannten Dinge und Zahlen? Warum werden sie mehrmals wiederholt?
3 Wie ist die Stimmung der Frau? Woran merkt man das?

23 DVD

Abschnitt 3

1 Worüber ärgert sich die Frau? Markieren Sie.
- ☐ Darüber, dass sie keinen selbst gebauten Tisch hat.
- ☐ Darüber, dass sie im Leben dieses Mannes keine Rolle mehr spielt.
- ☐ Darüber, dass er mit seiner neuen Freundin schlecht über sie spricht.

2 Welchen Wunsch deutet sie am Ende an?

Wussten Sie schon? → AB 118/Ü26
Ein Poetry Slam ist eine Art „Dichterwettstreit". Mehrere, meist junge Poeten tragen in einer festgelegten Zeit einem Publikum selbst geschriebene Texte vor. Anschließend wählen die Zuhörer, meist durch Intensität und Dauer ihres Applauses, den Sieger. Die ursprünglich aus den USA (Chicago) stammende Kunst- und Veranstaltungsform ist in den deutschsprachigen Ländern äußerst beliebt.

Ich kann jetzt ...
- ein modernes Gedicht im Detail verstehen. ☐ ☐ ☐
- verstehen, was ein Autor indirekt sagen will. ☐ ☐ ☐

1 Nomen mit Präposition ⇤ KB 91/4

Neben Verben und Adjektiven gibt es Nomen, die mit Präpositionen fest verbunden sind, z. B.

Nomen + Präposition + Dativ Das Bedürfnis **nach** sozialer und finanzieller Absicherung ist groß.
Die Vorstellung **von** der Verantwortung macht Partnern oft Angst.

Nomen + Präposition + Akkusativ Die Erinnerung **an** das Zusammenleben mit beiden Eltern bleibt.
Einige Kinder haben kein Verständnis **für** die neue Situation.

2 Indirekte Rede ⇤ KB 95/3

a Funktion

In der indirekten Rede gibt man wieder, was jemand geäußert hat.
Sie wird häufig in Nachrichten- oder Pressetexten verwendet.

direkte Rede Lucy sagt: „Jo ist meine jüngere Schwester."
indirekte Rede Lucy sagt, Jo sei ihre jüngere Schwester.

b Formen

Für die indirekte Rede wird normalerweise der **Konjunktiv I** verwendet.
Häufig wird der Konjunktiv I aber durch den ***Konjunktiv II*** ersetzt, besonders dann, wenn der Konjunktiv I nicht vom Indikativ unterscheidbar ist.

	sein	*haben*	Modalverben	andere Verben
ich	sei / *wäre*	habe / *hätte*	wolle / *wollte*	gehe / *ginge*
du	seist / *wär(e)st*	habest / *hättest*	wollest / *wolltest*	gehest / *ging(e)st*
er/sie/es	sei / *wäre*	habe / *hätte*	wolle / *wollte*	gehe / *ginge*
wir	seien / *wären*	haben / *hätten*	wollen / *wollten*	gehen / *gingen*
ihr	sei(e)t / *wär(e)t*	habet / *hättet*	wollet / *wolltet*	gehet / *ging(e)t*
sie/Sie	seien / *wären*	haben / *hätten*	wollen / *wollten*	gehen / *gingen*

Es gibt in der indirekten Rede nur eine Vergangenheit. Man bildet sie durch *haben / sein* im Konjunktiv I bzw. II + Partizip Perfekt.

Verben mit *haben*-Perfekt Sie habe ihn verlassen. / Die Leute hätten das nicht verstanden.
Verben mit *sein*-Perfekt Sie sei ins Flugzeug gestiegen. / Sie seien bald zurückgekommen.

3 Generalisierende Relativsätze ⇤ KB 96/3

Mit Relativsätzen mit *wer, wen* oder *wem* formuliert man eine allgemein gültige Aussage. Der nachfolgende Hauptsatz beginnt mit einem Demonstrativpronomen, z. B. *der, die, das*. Sind Relativ- und Demonstrativpronomen im gleichen Kasus, kann das Demonstrativpronomen wegfallen.

Relativsatz	Hauptsatz
Wer sich nicht trennen will,	(der) kann zu einer Verlängerung der Ehe „ja" sagen.
Wem das Eheleben nicht gefällt,	der könnte mit der „Ehe auf Zeit" glücklich werden.

4 Vergleichssätze ⇤ KB 99/3

Mit *je ..., desto ...* vergleicht man zwei Aussagen.

je + Komparativ	*desto / umso* + Komparativ
Je entspannter Sie miteinander umgehen,	**umso** wohler fühlen Sie sich.
Je mehr* Sie mit Ihrem Partner telefonieren,	**desto** besser kennen Sie sich.

* Bei Sätzen ohne Adjektiv verwendet man *mehr* als Komparativ.

8 ERNÄHRUNG

1 Kaum zu glauben – aber wahr!

a **Was meinen Sie? Wie viel von jedem Lebensmittel konsumiert der Durchschnittsbürger in seinem Leben? Ordnen Sie die fehlenden Zahlen zu.**

33 Stück • 32 536 Liter • 1226 kg • 3 233 Liter • 720 Stück • 392 kg • 912 kg

Lebensmittel	Wie viel davon?	Lebensmittel	Wie viel davon?
Bier	4 161 Liter	Reis	
Wasser		Rinder	8 Stück
Butter und Margarine	710 kg	Schokolade	
Hühner		Schweine	
Käse		Tomaten	1968 kg
Kartoffeln	2 355 kg	Milch	

b **Sprechen Sie über Ihre Zuordnungen und vergleichen Sie dann mit den Lösungen (AB 210).**

c **Wie würde so eine Statistik in Ihrem Heimatland vermutlich aussehen? Berichten Sie.**

1 Du bist, was du isst → AB 123/Ü2–3

a **Sehen Sie die Bilder an und lesen Sie die Überschrift des Artikels sowie den ersten Absatz. Was erwarten Sie vom Inhalt des Artikels?**

Vom Veganer bis zum Flexitarier – Wir essen immer weniger Fleisch

Die Fleischdebatte ist in vollem Gange: Am Welt-Vegetariertag beispielsweise wird auf Probleme wie Massentierhaltung und deren negative Folgen für die Landwirtschaft in den Entwicklungsländern hingewiesen. Bei den meisten Menschen kommt natürlich immer noch Fleisch auf den Tisch, der allgemeine Verbrauch geht jedoch zurück. Vegetarier zu sein, liegt im Trend: Dass Vegetarier nicht gleich Vegetarier ist, und welche Ernährungsweisen es sonst noch gibt, zeigt diese Übersicht.

Die Fleischesser

Vor allem Männer verzichten ungern auf Fleisch und Wurst. Laut einer Studie des Ernährungsministeriums essen Männer doppelt so viel davon wie Frauen. Während der Zeit des Wirtschaftswunders in den 50er-Jahren nahm der Appetit auf Fleisch in der Bevölkerung besonders zu. Mittlerweile soll jeder über 88 Kilogramm Fleisch im Jahr verzehren. Ein Hauptargument der Fleischesser ist, Fleisch sei für den menschlichen Organismus wichtig, da es schon seit Jahrtausenden zum Speiseplan des Menschen gehöre. Außerdem liefere es Eisen, Vitamine und Mineralstoffe, ohne die der Körper Mangelerscheinungen aufweise. Die folgende Gruppierung gehört ebenfalls zu den Fleischessern – wenn auch zu den gemäßigten:

Die Flexitarier

Sie sind gegen Massentierhaltung, möchten die Umwelt schützen oder sich einfach gesünder ernähren – ganz auf Fleisch verzichten wollen Flexitarier aber nicht. Dafür achten die „Teilzeit-Vegetarier" darauf, was auf dem Teller landet. Statt industriellem Billigfleisch kommt etwa teures Bio-Steak in die Pfanne. Kritiker werfen Flexitariern vor, damit nur ihr Gewissen zu beruhigen. Diese Kritik ist vielleicht berechtigt, ernst nehmen sollte man die Gruppierung aber auf jeden Fall. In Deutschland zum Beispiel sollen schon Millionen von Menschen diesen Ernährungsstil übernommen haben.

Die Vegetarier

Ob Ex-Beatle Paul McCartney oder die Sängerin Nena – viele Prominente verzichten auf Fleisch. In Deutschland beispielsweise ernähren sich laut Vegetarierbund rund sechs Millionen Menschen vegetarisch – Tendenz steigend. Weltweit soll es eine Milliarde Vegetarier geben, davon mehr als 200 Millionen Inder. Lange Zeit erhielt die Vegetarierbewegung vor allem aus Glaubensgründen Zulauf, heute nennen viele „Fleischverweigerer" eine gesündere Lebensweise sowie den Tier- und Umweltschutz als Gründe für ihre Ernährungsweise. Studien zufolge ist der typische Vegetarier weiblich, jung und gut ausgebildet. Zu den Vegetariern zählt man auch folgende Gruppierungen:

Die Veganer

Sie meinen, erkannt zu haben, dass Tierschutz nicht beim Fleischverzicht endet und streichen alle tierischen Produkte wie Milch, Eier, Gelatine oder Honig von ihrem Speiseplan. Manche Veganer nennen sich darum Hardcore-Vegetarier. Viele verzichten sogar auf tierische Nebenprodukte wie beispielsweise Leder oder Wolle. Mediziner sorgen sich jedoch um die Gesundheit der Veganer: Wissenschaftler behaupten, dass der Verzicht auf tierische Produkte zu Nährstoffmangel führt.

Die Frutarier
Selbst viele Extrem-Veganer betrachten sie als Sonderlinge – bei Frutariern landen auf dem Tisch nur Produkte oder Früchte von Pflanzen, die bei der Ernte nicht „sterben müssen". Also etwa Obst oder
40 Nüsse. Karotten, Fenchel, Lauch und Co. sind tabu. Einige Frutarier essen gar nur Obst, das auf natürliche Weise vom Baum gefallen ist. Ihre Haltung hat ethische Beweggründe: Sie wollen der Natur keinen Schaden zufügen.

b **Hat der Artikel Ihre Vermutungen aus 1a bestätigt?**

c **Wie begründen die Anhänger der verschiedenen Ernährungsformen jeweils ihre Richtung? Ergänzen Sie Stichpunkte.**

Ernährungstypen	Gründe
Fleischesser	Fleisch ist gesund, gehört seit Jahrtausenden zur menschlichen Ernährung, ...

d **Wer isst Ihrer Meinung nach am gesündesten? Welche Ernährungsweise ist mehr, welche weniger genussorientiert? Warum?**

e **Wie ernähren Sie sich? Berichten Sie.**

2 Subjektive Bedeutung des Modalverbs *sollen* → AB 124–125/Ü4–6

GRAMMATIK
Übersicht → KB 116/1

a **Lesen Sie den folgenden Satz aus dem Text noch einmal. Was bedeutet hier *sollen*? Markieren Sie.**

Mittlerweile ***soll*** *jeder über 88 Kilogramm Fleisch im Jahr* ***verzehren***. (Z. 11)

- ☐ Es drückt eine Empfehlung aus.
  → *Es wäre gut, wenn jeder über 88 kg Fleisch verzehren würde.*
- ☐ Es gibt etwas wieder, was jemand gehört oder gelesen hat.
  → *Man sagt, / Es wird gesagt / behauptet, dass jeder über 88 kg Fleisch verzehrt.*

b **Schreiben Sie die Sätze ohne *sollen*.**

1 Weltweit *soll* es eine Milliarde Vegetarier *geben*.

2 In Deutschland *sollen* schon Millionen von Menschen diesen Ernährungsstil *übernommen haben*.

c **Bilden Sie Sätze mit *sollen*.**

1 *Laut einer Studie* essen Männer doppelt so viel Fleisch wie Frauen.

2 *Wissenschaftler behaupten, dass* der Verzicht auf tierische Produkte zu Nährstoffmangel führt.

Ich kann jetzt ...
- verstehen, worin sich verschiedene Ernährungstypen unterscheiden. ☐ ☐ ☐
- mich mit anderen über verschiedene Ernährungsweisen austauschen. ☐ ☐ ☐
- das Modalverb *sollen* in subjektiver Bedeutung verstehen und anwenden. ☐ ☐ ☐

8

1 Klassenspaziergang: Rund um die Ernährung

a **Notieren Sie zu einigen der Stichwörter Fragen, die Sie Ihren Lernpartnern stellen wollen. Schreiben Sie jede Frage auf einen Zettel.**

Fertiggerichte • Gemüse • Allergien • selbst kochen • Fleisch essen • sich vegetarisch / vegan ernähren • Süßigkeiten • essen gehen • Vollkornprodukte • Wochenmarkt • Rezepte

b **Nehmen Sie nun Ihre Zettel und stellen Sie die Fragen einer Lernpartnerin / einem Lernpartner. Beantworten Sie auch die Fragen Ihrer Lernpartnerin / Ihres Lernpartners. Tauschen Sie dann die Fragezettel aus und stellen Sie der nächsten Person Ihre „neuen" Fragen.**

Welche Fertiggerichte finde ich in deinem Kühlschrank?

Hast du schon einmal auf dem Wochenmarkt eingekauft?

2 Was haben Sie gehört? → AB 125–126 / Ü7–8

2 ◀)) 10

Hören Sie vier Gespräche und Äußerungen aus dem Alltag. Hören Sie jeden Text einmal und lösen Sie zu jedem Text zwei Aufgaben. Wählen Sie bei jeder Aufgabe die richtige Lösung.

1 Zwei Bekannte sprechen darüber, was sie am liebsten kochen. ☐ Richtig ☐ Falsch

2 Beide sagen, dass sie …
- ☐ nur Fertiggerichte essen.
- ☐ abends nicht mehr viel essen.
- ☐ gern kochen, wenn sie Zeit haben.

3 Die Frau gibt sehr spezielle Tipps zur gesunden Ernährung. ☐ Richtig ☐ Falsch

4 Sie rät dazu, …
- ☐ kein Fleisch zu essen.
- ☐ sich weniger fett zu ernähren.
- ☐ nicht zu viel zu trinken.

5 Sercan ist bei einem Freund aus dem Fußballclub eingeladen. ☐ Richtig ☐ Falsch

6 Was soll er mitbringen?
- ☐ Etwas Salziges zu essen.
- ☐ Etwas Kühles zu trinken.
- ☐ Eine süße Nachspeise.

7 Die Sprecherin berichtet, dass viele junge Leute kochen lernen. ☐ Richtig ☐ Falsch

8 Die Sprecherin meint, dass …
- ☐ viele mit ihrer Familie einen Kochkurs machen.
- ☐ junge Menschen gern für Freunde kochen.
- ☐ die meisten durch Fernsehshows kochen lernen.

Ich kann jetzt … ☺ ☺ ☹
- über verschiedene Aspekte rund um das Thema „Ernährung" sprechen. ☐ ☐ ☐
- Gespräche und Äußerungen zum Thema „Ernährung" verstehen. ☐ ☐ ☐

SPRECHEN 1

1 „Kalter Hund" & Co.

a **Kennen Sie diese Gerichte? Wie heißen sie wohl? Ordnen Sie die Fotos zu.**

☐ Kaiserschmarrn • ☐ Geschnetzeltes mit Rösti • ☐ Kalter Hund

A B C

b **Welches Gericht stammt wohl aus Deutschland, aus Österreich, aus der Schweiz? Sprechen Sie.**

c **Lesen Sie nun die folgenden Zutaten und ordnen Sie die Speisen aus 1a zu.**

1 Eier, Salz, Zucker, Milch, Mehl, Butter, Rosinen, Puderzucker / Staubzucker: ☐
2 Kartoffeln, Zwiebeln, Kalbsschnitzel, Champignons, geschlagene Sahne, Butter, Salz, Pfeffer: ☐
3 Eier, Puderzucker, Kakaopulver, Kokosfett, Rum, Butterkekse: ☐

d **Kennen Sie andere Gerichte aus den deutschsprachigen Ländern? Welche? Woher stammen sie?**

8

2 Speisen aus Ihrer Region → AB 126–127/Ü9–10

a **Schreiben Sie die Zutaten für ein typisches Gericht aus Ihrer Region auf einen Zettel.**

b **Die Zutatenzettel werden gemischt und verteilt. Nennen Sie nun reihum den Namen Ihres Gerichts. Wer glaubt, die passenden Zutaten dazu zu haben, liest sie vor. Wenn richtig geraten wurde, ist der nächste Teilnehmer an der Reihe.**

c **Arbeiten Sie zu viert. Tauschen Sie sich zu den folgenden Punkten über die Gerichte aus.**

- Genaue Herkunft
- Namensgebung
- Anlass / Gelegenheit
- Passende Getränke
- Geschmack
- Zubereitung

über ein Gericht berichten

„... ist ein typisches Gericht aus ...
Es hat seinen Namen von ...
Meist wird es zu ... gekocht / zubereitet / ...
Dazu passt am besten ...
Es schmeckt / riecht ein bisschen nach ...
Man schneidet / schält / vermischt / brät / kocht zuerst ... Dann ..."

Ich kann jetzt ... 😊 😐 ☹

- über typische Gerichte und Zutaten in deutschsprachigen Regionen sprechen. ☐ ☐ ☐
- Informationen zu Speisen / Gerichten erfragen. ☐ ☐ ☐
- über ein typisches Gericht aus meiner Heimat berichten. ☐ ☐ ☐

WORTSCHATZ

1 Ein breites Angebot

a Sehen Sie die Anzeigen an und ergänzen Sie die fehlenden Teile der Werbetexte.

~~Frisch vom Erzeuger~~ • Das absolute In-Getränk • Blitzschnelle Zubereitung • Aus rein biologischem Anbau • Neue Ernte • Geht schneller als Kuchenbacken

Frisch vom Erzeuger
Fleisch aus der Region

Leckeres junges Gemüse
für die Wok-Pfanne

prickelnd, kalorienarm und
natürlich durstlöschend

8

... und schmeckt wie
zu Omas Zeiten – „Plams"
tiefgefrorener Apfelkuchen

Zwei Minuten in die Mikrowelle – heiß auf den Tisch

Nur das Gesündeste
kommt in Ihr Gebäck!

b Welche Anzeige spricht Sie an, welche eher nicht? Warum?

2 Nominalisierung von Verben → AB 128–129/Ü11–13

GRAMMATIK
Übersicht → KB 116/2

a Ordnen Sie in der rechten Spalte die Nomen aus den Anzeigen in Aufgabe 1a zu und ergänzen Sie links die dazugehörigen Verben.

Verben	Nominalisierung der Verben ...		Beispiele
erzeugen	durch Endung -er	→ maskulin	der Erzeuger
	vom Verbstamm	→ maskulin	
	durch Vorsilbe Ge-	→ maskulin, neutral	
	vom Infinitiv	→ neutral	
	durch Endung -e	→ feminin	
	durch Endung -ung	→ feminin	

b Welches Verb passt inhaltlich? Nominalisieren Sie es und ergänzen Sie.

1 Die deutschsprachigen Länder sind bekannt für ihre Vielfalt an Gebäck. Jede Bäckerei hat eigene Spezialitäten. (backen / essen / trinken)

2 Viele Biersorten unterscheiden sich stark im ______, einige sind herber, andere süßlicher. (riechen / schmecken / verzehren)

3 Bei der ______ von Kaffee oder anderen Lebensmitteln wird sehr viel Wasser verbraucht. (herstellen / mischen / verschwenden)

4 Eine geeignete ______ der Speisen, z. B. in einer dunklen, kühlen Kammer ist wichtig, um Geschmack und Konsistenz lange zu erhalten. (aufbewahren / ernähren / kochen)

5 Beim biologischen ______ von Lebensmitteln wird auf künstliche Hilfsmittel verzichtet. (anbauen / erzeugen / verbrauchen)

6 Die Bauern hoffen im Herbst auf eine ertragreiche ______. (ernten / reiben / speisen)

3 Wissensspiel – Was uns ernährt → AB 129/Ü14

Arbeiten Sie zu viert und bilden Sie zwei Teams. Stellen Sie abwechselnd dem anderen Team eine Frage. Für jede richtige Antwort gibt es einen Punkt. Gewonnen hat das Team mit den meisten Punkten.

Fragen von Team A (Die Lösungen finden Sie auf S. AB 210)
1 Nennt drei Obstsorten, die an Bäumen wachsen.
2 Nennt zwei Gemüsesorten, die man nicht roh essen kann.
3 Welche sind die drei Hauptbestandteile von Lebensmitteln?
Eigelb – Eiweiß – Kohlenhydrate – Kohlensäure – Fett – Öl
4 Enthalten Getreideprodukte mehr Eiweiß oder Kohlenhydrate?
5 Nennt drei Lebensmittel, die besonders viel Fett enthalten.
6 Nennt drei Früchte, in denen besonders viel Vitamin C ist.

Fragen von Team B (Die Lösungen finden Sie auf S. AB 210)
1 Nennt drei Obstsorten, die an Sträuchern oder Büschen wachsen.
2 Nennt zwei Gemüsesorten, die unter der Erde wachsen.
3 Nennt drei Getreidesorten.
4 Enthalten tierische Lebensmittel mehr Eiweiß oder Kohlenhydrate?
5 Nennt drei Milchprodukte.
6 Nennt drei Zutaten, mit denen man Speisen würzen kann.

Ich kann jetzt ...

	😊	😐	☹
■ Werbetexte ergänzen und darin enthaltene Nominalisierungen erkennen.	☐	☐	☐
■ aus Verben nach verschiedenen Nominalisierungsarten Nomen bilden.	☐	☐	☐
■ Wissensfragen zu Lebensmitteln und Lebensmittelgruppen beantworten.	☐	☐	☐

SCHREIBEN

1 Eine Kundin meldet sich

Lesen Sie den Brief von Frau Abel und beantworten Sie die Fragen.

1 An wen wendet sich Frau Abel und warum?
2 Was erwartete Frau Abel von dem Produkt, das sie gekauft hatte?
3 Warum fühlt sie sich getäuscht?
4 Was soll ihrer Meinung nach getan werden?
5 Mit welchem Schritt droht sie?

An: service@zettel-gmbh.com
Datum: 12.5.20..
Betreff: Ihr Produkt „Zwei-Früchte-Frühstücksdrink Kirsche / Rote Traube“

Sehr geehrte Damen und Herren,

gestern kaufte ich den Zwei-Früchte-Frühstücksdrink Kirsche / Rote Traube (200 ml), ein Produkt Ihrer Firma. Geschmacklich war das Getränk sehr gut, aber nachdem ich auf ein Stück Birne gebissen hatte, sah ich mir die Zutaten genauer an: Fruchtsaft aus Fruchtsaftkonzentraten: Apfel 33 %, Rote Traube 12 %, Zitrone 19 %, Birnenstückchen 12 %, Sauerkirschpüree 11 %, Apfelpüree 8 %, Wasser, natürliches Aroma. Der Anteil an Kirschen und roten Trauben beträgt also weniger als ein Viertel der Zutaten!
Meines Erachtens ist dies nicht in Ordnung, da auf der Vorderseite der Flasche nicht von anderen Obstzusätzen gesprochen wird. Auch auf der Abbildung sind nur Kirschen und rote Trauben zu sehen. Das führt den Verbraucher doch in die Irre! Man müsste beim Kauf eines so teuren Produkts genau wissen, was darin enthalten ist. Man müsste also entweder Bild und Text auf der Flasche ändern oder den Anteil von Kirschen und Trauben deutlich erhöhen.
Nun würde ich Sie um eine schlüssige Erklärung für diesen Widerspruch bzw. eine Entschädigung für die Täuschung bitten. Sofern Sie an der Zufriedenheit Ihrer Kunden interessiert sind, werden Sie meiner Bitte sicher nachkommen.
Falls ich allerdings keine Reaktion von Ihnen erhalte, wende ich mich an die Verbraucherzentrale, um mich über meine Rechte als Verbraucherin zu informieren.

Mit freundlichen Grüßen
Rosetta Abel

2 Konditionale Zusammenhänge → AB 130–131/Ü15–17

GRAMMATIK
Übersicht→ KB 116/3

a **Lesen Sie die folgenden Sätze aus dem Brief noch einmal. Was bedeutet hier *sofern* bzw. *falls*? Markieren Sie.**

1 ***Sofern*** *Sie an der Zufriedenheit Ihrer Kunden interessiert sind, werden Sie meiner Bitte sicher nachkommen.*
2 ***Falls*** *ich keine Reaktion von Ihnen erhalte, wende ich mich an die Verbraucherzentrale.*

☐ als ☐ wenn ☐ da

b **Welche Varianten des folgenden Satzes sind gleichbedeutend? Markieren Sie.**

Man müsste ***beim Kauf eines so teuren Produkts*** *genau wissen, …*

☐ Variante 1: Man müsste, falls man ein so teures Produkt kauft, genau wissen, …
☐ Variante 2: Man müsste durch den Kauf eines so teuren Produkts genau wissen, …
☐ Variante 3: Man müsste, wenn man ein so teures Produkt kauft, genau wissen, …

c **Formulieren Sie um.**

1 Bei Unzufriedenheit können Verbraucher sich an den Hersteller wenden.
Sofern Verbraucher unzufrieden sind, können ...
2 Bei einer Verbraucherreklamation bieten viele Firmen Gratisprodukte an.

3 Wenn ich Fertigprodukte kaufe, achte ich immer auf die Zutaten.

3 Ihre Erfahrungen → AB 131/Ü18

a **Waren Sie schon einmal mit gekauften Lebensmitteln unzufrieden? Wenn ja, was hat Sie gestört? Markieren und berichten Sie.**

- ☐ Verhältnis von Verpackungsgröße und Inhalt
- ☐ nicht genannter Inhalt
- ☐ Frische und Qualität
- ☐ Aussehen des Lebensmittels
- ☐ Geschmack
- ☐ ...

Einmal habe ich in einem Himbeerjoghurt Nüsse gefunden.

Die Packung Chips, die ich vor Kurzem gekauft habe, war nur halbvoll – eine Frechheit!

b **Spielen Sie zu zweit ein Gespräch. Eine Person hat ein Lebensmittel gekauft, mit dem sie sehr unzufrieden ist. Die andere Person vertritt die Firma, die dieses Lebensmittel herstellt. Diskutieren Sie zwei Minuten. Spielen Sie dann einige Gespräche im Kurs vor.**

c **Verfassen Sie mithilfe der Redemittel einen Beschwerdebrief an die Firma, die diesen Artikel hergestellt hat. Orientieren Sie sich an den Fragen und dem Beschwerdeschreiben in Aufgabe 1.**

einen Beschwerdebrief formulieren

„Vor ... Tagen kaufte ich ...
Zu Hause ist mir dann aufgefallen, ...
Beim Kauf / Bei diesem Produkt hatte ich (nicht) erwartet, dass ...
Normalerweise bekommt man ... und nicht ...
Da dies nicht der Fall war, bitte ich Sie, ...
Ich gehe davon aus, dass Sie ...
Andernfalls werde ich ...“

Wussten Sie schon? → AB 132/Ü19
Auf der Verpackung von Lebensmitteln sind bestimmte Angaben Pflicht, so etwa die Bezeichnung des Lebensmittels, z. B. „Milchschokolade“. Auch die Zutaten müssen, geordnet nach ihrem Gewichtsanteil, aufgelistet sein. Sowohl Zutaten, die eventuell allergische Reaktionen hervorrufen, als auch ein Mindesthaltbarkeitsdatum müssen genannt werden. Für Fragen und Reklamationen sind auch Name und Anschrift des Herstellers oder Verkäufers anzugeben.

Ich kann jetzt ...	😊	😐	☹
▪ eine Verbraucherreklamation verstehen.	☐	☐	☐
▪ konditionale Zusammenhänge verstehen und anwenden.	☐	☐	☐
▪ eine eigene Reklamation verfassen.	☐	☐	☐

1 In meinem Kühlschrank

a **Notieren Sie kurz und tauschen Sie sich dann aus.**

- Teilen Sie Ihren Kühlschrank mit jemandem?
- Was ist alles im Kühlschrank?
- Wann und für wie viele Tage kaufen Sie in der Regel ein?
- Was kaufen Sie nach Bedarf? Und was auf Vorrat?

b **Wann werfen Sie Lebensmittel weg? Markieren Sie.**

1 Wenn das Mindesthaltbarkeitsdatum überschritten ist.
2 Wenn ich zu viel von etwas gekauft habe.
3 Immer wenn ich meinen Kühlschrank putze.
4 Wenn es nicht mehr vermeidbar ist, weil das Lebensmittel z. B. nicht mehr gut riecht.

c **Erstellen Sie eine Klassenstatistik und vergleichen Sie. Was fällt Ihnen auf?**

2 Über den Umgang mit Lebensmitteln → AB 132/Ü20

Lesen Sie den Zeitungsbericht. Wählen Sie bei jeder Aufgabe die richtige Lösung.

1 Die Lebensmittel, die die Deutschen pro Jahr wegwerfen, ...
a könnten 17 Prozent der Großverbraucher versorgen.
b stammen zu über der Hälfte von Privatpersonen.
c kosten jeden Steuerzahler 235 Euro jährlich.

2 Ein Großteil der weggeworfenen Lebensmittel ...
a müsste nicht weggeworfen werden.
b besteht aus ungenießbaren Resten wie Bananenschalen oder Knochen.
c sind z. B. Speisen, die Restaurantbesuchern nicht schmecken.

3 Das Mindesthaltbarkeitsdatum auf Lebensmitteln ist ein Problem, ...
a weil die Verbraucher dieses Datum oft ignorieren.
b weil es nichts darüber aussagt, wann ein Lebensmittel nicht mehr genießbar ist.
c weil es häufig eine zu lange Haltbarkeit angibt.

4 Wenn auf der Ware ein Verbrauchsdatum steht ...
a kann man sie eventuell auch danach noch essen.
b bedeutet es das Gleiche wie ein Mindesthaltbarkeitsdatum.
c sollte man sie vor Ablauf des Datums verzehren.

5 Das Bundesministerium für Ernährung und Landwirtschaft fordert, ...
a dass europaweit weniger genießbare Lebensmittel vernichtet werden.
b dass Kindergarten- und Schulkinder besseres Essen bekommen.
c dass Hersteller und Gastronomen die Menschen besser beraten.

Nein zur Wegwerfgesellschaft!

Jährlich landen alleine in Deutschland etwa elf Millionen Tonnen Lebensmittel auf dem Müll. Dabei wäre vieles davon noch brauchbar.

Druckstellen an Früchten, gerade überschrittenes Mindesthaltbarkeitsdatum: Viele
5 Menschen lehnen Lebensmittel ab, selbst wenn sie nur kleine Fehler haben. Im Durchschnitt wirft jeder Bundesbürger pro Jahr 81,6 Kilogramm Lebensmittel weg. Das ergab eine Studie im Auftrag des Bundesministeriums für Ernährung, Landwirtschaft und Verbraucherschutz. 61 Prozent der weggeworfenen Lebensmittel stammen aus Privathaushalten,

jeweils rund 17 Prozent aus der Industrie sowie von Großverbrauchern wie etwa Gaststätten, Schulen und Kantinen. Die übrigen 5 Prozent fallen im Einzelhandel an. Obwohl die meisten Menschen glauben, bewusst mit Lebensmitteln umzugehen, vernichten Privathaushalte somit jährlich noch genießbare Speisen im Wert von bis zu 21,6 Milliarden Euro. Pro Kopf der Bevölkerung sind das 235 Euro pro Jahr.

Die Autoren der Studie halten etwa zwei Drittel dieser Lebensmittelvernichtung für vermeidbar. Dabei unterscheiden sie zwischen vermeidbaren, teilweise vermeidbaren und unvermeidbaren Lebensmittelabfällen. Unvermeidbar sind demnach ungenießbare Reste, etwa Bananenschalen oder Knochen. Viele Abfälle wären jedoch teilweise vermeidbar, z. B. in Restaurants. Sie bieten oft viel zu große Portionen an, die von den meisten Gästen nicht aufgegessen werden können und dann im Müll landen. Vermeidbare Abfälle sind Lebensmittel, die auf jeden Fall noch genießbar wären. In Privathaushalten sind das der Studie nach vor allem Obst und Gemüse.

Das Mindesthaltbarkeitsdatum führt oft zur Verunsicherung der Verbraucher. Es ist kein Verfallsdatum, sondern eine Herstellergarantie für die Produktqualität. Bis zu dem angegebenen Datum garantiert der Hersteller, dass bestimmte Eigenschaften eines Produkts, wie etwa die Cremigkeit eines Joghurts, erhalten bleiben. Das Mindesthaltbarkeitsdatum wird vom jeweiligen Hersteller festgelegt, die Fristen variieren dabei oft stark. So etwas verwirre natürlich den Verbraucher, weshalb man sich am besten auf sein eigenes Gefühl verlassen sollte.

Leicht verderbliche Produkte wie etwa Hackfleisch haben kein Mindesthaltbarkeitsdatum, sondern ein Verbrauchsdatum. Bis zu diesem Datum sollten die Lebensmittel verbraucht werden, danach aus gesundheitlichen Gründen nicht mehr.

Auch das Bundesministerium für Ernährung und Landwirtschaft beklagt schon seit Jahren, dass in Europa insgesamt viel zu viel weggeworfen wird. Wir leben in einer Überfluss- und Wegwerfgesellschaft, obwohl wir uns das eigentlich gar nicht leisten können. Deshalb sollte es bereits im Kindergarten und in der Schule eine bessere Aufklärungsarbeit geben. Bis das jedoch soweit ist, landen auch weiterhin jährlich viele Millionen Tonnen Lebensmittel auf dem Müll.

8

3 Konzessive Zusammenhänge → AB 133–134/Ü21–23

GRAMMATIK

Übersicht → KB 116/4

a **Lesen Sie die folgenden Sätze aus dem Text.**
Was bedeutet hier *selbst wenn* bzw. *auch wenn*? Markieren Sie.

1 *Viele Menschen lehnen Lebensmittel ab,* ***selbst wenn*** *sie nur kleine Fehler haben.*
2 ***Auch wenn*** *dies nicht immer einfach scheint, sind Reste teilweise vermeidbar.*

☐ immer wenn ☐ obwohl ☐ falls

b **Lesen Sie die Sätze. Wo steht das Verb nach den Konnektoren *dennoch* und *obwohl*?**

1 *Viele Verbraucher werfen Lebensmittel nach Ablauf des Mindesthaltbarkeitsdatums weg.* ***Dennoch*** *sind diese Lebensmittel durchaus noch essbar.*
2 ***Obwohl*** *die meisten Menschen glauben, bewusst mit Lebensmitteln umzugehen, vernichten Privathaushalte jährlich noch genießbare Speisen im Wert von bis zu 21,6 Milliarden Euro.*

c **Für welchen der Konnektoren in 3b kann man *obgleich* einsetzen, für welchen *trotzdem*?**

Ich kann jetzt ...

- über den eigenen Umgang mit Lebensmitteln sprechen. ☐ ☐ ☐
- einen Bericht über die Verschwendung von Lebensmitteln im Einzelnen verstehen. ☐ ☐ ☐
- konzessive Zusammenhänge verstehen und anwenden. ☐ ☐ ☐

1 Projekte für bewusstere und bessere Ernährung

Lesen Sie die Überschriften. Welches Bild passt zu welcher Überschrift? Ordnen Sie zu.

☐ *An einem Wochentag auf Fleisch verzichten!*

☐ *Bewusst und maßvoll einkaufen – aber wie?*

☐ *Urbane Landwirtschaft – Gemeinsam gärtnern in der Stadt*

2 Einen Aktionstag planen und vorstellen → AB 134/Ü24

a **Sie arbeiten in der Kantine einer großen Metallbaufirma. Ihr Chef möchte die Mitarbeiterinnen und Mitarbeiter auf eine gesündere und bewusstere Ernährung aufmerksam machen. Ihre Aufgabe ist es, einen Aktionstag zu planen. Überlegen Sie, was Sie machen möchten und warum. Machen Sie sich Notizen. Die folgenden Stichpunkte können Ihnen bei der Planung helfen.**

- Aktionsstand einrichten?
- Material: Plakate und Dekoration
- Wer soll angesprochen werden?
- Speisekarte und Einkaufsliste
- Wer bereitet was vor?
- Kosten
- ...

b **Arbeiten Sie zu zweit. Tragen Sie Ihre Ideen vor und begründen Sie sie. Reagieren Sie auch auf die Ideen Ihrer Lernpartnerin / Ihres Lernpartners.**

eine Projektidee vorstellen

„Die Idee des Projektes ist, ...
Für die Umsetzung meines Projektes plane ich ...
Meiner Meinung nach ...
Für ... hätte ich auch schon eine Idee: Ich möchte ...“

sich über Ideen austauschen

„Das klingt spannend!
Du musst aber auch, bedenken dass ...
Hinsichtlich des Kostenrahmens ist wichtig, ...
Für ... solltest du auf jeden Fall weitere Helfer einplanen.“

sich auf etwas einigen

„Wir sollten auch auf jeden Fall ... vorbereiten.
Das kommt gut bei den Leuten an.
Ich schlage vor, wir ...
Was meinst du, wie lange wir brauchen, um ...“

c **Einigen Sie sich auf einen gemeinsamen Vorschlag und präsentieren Sie Ihre Ergebnisse im Kurs.**

Ich kann jetzt ...	😊	🙂	☹
■ einen Aktionstag für bessere und bewusstere Ernährung planen.	☐	☐	☐
■ über konkrete Projektideen diskutieren.	☐	☐	☐
■ einen gemeinsamen Projektvorschlag präsentieren.	☐	☐	☐

1 Bildgeschichte

**Sehen Sie die Fotos an. Überlegen Sie sich zu zweit eine Geschichte dazu.
Erzählen Sie einige Geschichten im Kurs.**

2 Umgang mit Nahrungsmitteln

Sehen Sie eine Reportage in Abschnitten.

24 DVD

Abschnitt 1

1 Wo sind die jungen Männer unterwegs und was machen sie da?
2 Was passiert wohl weiter?

25 DVD

Abschnitt 2

1 Was ist richtig? Markieren Sie.
- a Danny und sein Freund holen nur aus Not Lebensmittel aus dem Müll.
- b Die Protestbewegung „Containern" ist gegen das Wegwerfen von Lebensmitteln.
- c Die beiden finden ihr Essen in den Abfalltonnen von verschiedenen Supermärkten.
- d Der Lebensmittelhändler wirft jährlich Nahrungsmittel im Wert von 3 000 Euro weg.
- e Er überlässt die aussortierten Lebensmittel gern Menschen, die sie noch brauchen können.
- f Der Lebensmittelhändler versteht, dass seine Kunden nur Gemüse kaufen, das schön aussieht.

2 Was glauben Sie? Wie wird Danny seine Aktionen begründen?

26 DVD

Abschnitt 3

1 Waren Ihre Vermutungen richtig?
2 Was meint Thorsten Lampe zum Wegwerfen von genießbaren Nahrungsmitteln?
3 Was können Supermärkte tun, um nicht so viele Lebensmittel zu vernichten? Markieren Sie.
Sie können ...
- ☐ an eine Tafel schreiben, was jeden Tag übrig ist.
- ☐ sie einer sozialen Einrichtung, genannt „Tafel", zur Verfügung stellen.
- ☐ das Essen selbst an bedürftige Menschen verteilen.

27 DVD

Abschnitt 4

1 Was macht Danny mit den „illegal" erbeuteten Lebensmitteln?
2 Was wünscht er sich in Bezug auf den Umgang mit Nahrungsmitteln?

3 Ihre Meinung → AB 135/Ü25

28 DVD

**Sehen Sie den Film, den Kieler Studierende gemacht haben, noch einmal ganz an.
Wie finden Sie die Idee des Containerns? Diskutieren Sie.**

Ich kann jetzt ...

- eine sozialkritische Reportage verstehen.
- die Ansichten und Argumente der Personen im Detail verstehen.
- meine Meinung zu einer Reportage äußern.

1 Subjektive Bedeutung des Modalverbs *sollen* ⇤ KB 105/2

sollen drückt in dieser Bedeutung aus, dass man wiedergibt oder zitiert, was man gehört / gelesen hat.

	Beispiel	Bedeutung
Gegenwart	Mittlerweile soll jeder über 88 kg Fleisch im Jahr verzehren.	Laut einer Studie verzehrt jeder über 88 kg Fleisch im Jahr.
Vergangenheit	Millionen von Menschen sollen diesen Ernährungsstil übernommen haben.	Es heißt, dass Millionen von Menschen diesen Ernährungsstil übernommen haben.

2 Wortbildung: Nominalisierung von Verben ⇤ KB 108/2

Aus Verben lassen sich verschiedene Typen von Nomen ableiten.

Verb	Nominalisierung ...	Nomen
erzeugen	durch Endung **-er** (maskulin)	der Erzeug**er**
anbauen	vom Verbstamm (maskulin)	der Anbau
schmecken, trinken	durch Vorsilbe **Ge-** (maskulin, neutral)	der **Ge**schmack, das **Ge**tränk
essen	vom Infinitiv (neutral)	das Essen
ernten	durch Endung **-e** (feminin)	die Ernt**e**
zubereiten	durch Endung **-ung** (feminin)	die Zubereit**ung**

3 Konditionale Zusammenhänge ⇤ KB 110/2

Konditionale Konnektoren und Präpositionen drücken Bedingungen aus.
Konditionalsätze können verbal mit Konnektoren oder nominal mit Präpositionen gebildet werden.
Nominale Ausdrücke mit Präpositionen sind typisch für die Schriftsprache.

Verbal	
Konnektor	**Beispiel**
wenn	**Wenn** man ein Produkt teuer verkauft, muss das Etikett stimmen.
falls	**Falls** man unzufrieden ist, sollte man das Produkt reklamieren.
sofern	**Sofern** Sie daran interessiert sind, erhalten Sie weitere Informationen.

Nominal	
Präposition	**Beispiel**
bei + Dativ	**Beim Verkauf** eines teuren Produkts muss das Etikett stimmen.
	Bei Unzufriedenheit sollte man das Produkt reklamieren.
	Bei Interesse erhalten Sie weitere Informationen.

4 Konzessive Zusammenhänge ⇤ KB 113/3

Konzessive Konnektoren und Präpositionen drücken Kontroverses aus.
Konzessivsätze können verbal mit Konnektoren oder nominal mit Präpositionen gebildet werden.
Nominale Ausdrücke mit Präpositionen sind typisch für die Schriftsprache.

Verbal	
Konnektor	**Beispiel**
obwohl	Bei Reis unterscheiden sich die Haltbarkeitsdaten sehr stark, **obwohl** die Qualität gleich ist.
selbst / auch wenn	Viele werfen Obst weg, **selbst wenn** es nur kleine Makel aufweist.
trotzdem / dennoch	Viele Abfälle sind vermeidbar. **Dennoch** landen viele Lebensmittel im Müll.

Nominal	
Präposition	**Beispiel**
trotz + Genitiv*	Bei Reis unterscheiden sich die Haltbarkeitsdaten **trotz** gleicher Qualität sehr stark.
selbst / auch bei + Dativ	**Selbst** bei nur kleinen Makeln werfen viele älteres Obst weg.

* *trotz* wird vor allem in der gesprochenen Sprache immer öfter mit Dativ benutzt.

9 AN DER UNI

1 Im Studium

a **Sehen Sie das Foto an. Was meinen Sie?**
- Wo befindet sich der junge Mann?
- Was macht er wohl gerade?

b **Um was für ein Fach könnte es hier gehen? Um ein ...**

geisteswissenschaftliches • ingenieurwissenschaftliches • naturwissenschaftliches • wirtschafts- und sozialwissenschaftliches • medizinisches • rechtswissenschaftliches • ...

c **Erklären Sie, warum Sie das glauben.**

2 Ein Neustart

Stellen Sie sich vor, Sie könnten (noch einmal) studieren. Was würden Sie gern tun? Überlegen Sie und sprechen Sie im Kurs.

- Was würden Sie gern studieren?
- Wo würden Sie gern studieren?
- Warum würden Sie diesen Studiengang und Studienort wählen?

1 Von der Schule zur Uni

a **Sehen Sie die beiden Fotos an. Welche Bildunterschrift passt zu welchem Foto? Woran erkennen Sie das?**

Schüler in einem Klassenzimmer

Studierende in einer Vorlesung

A

B

b **Wie heißen diese aus der Schule bekannten Wörter an der Uni? Ergänzen Sie die Tabelle.**

das Examen • das Studienfach, der Studiengang • die Klausur • die Seminararbeit, die Hausarbeit • das Semester • ~~die / der Studierende~~ • die Mensa • ~~die Kommilitonin / der Kommilitone~~ • die Vorlesung, das Seminar, die Übung • der / die Dozent / in, der / die Professor / in • der Hörsaal

in der Schule	an der Uni
die Mitschülerin / der Mitschüler	die Kommilitonin / der Kommilitone
die Schülerin / der Schüler	
die Unterrichtsstunde	
die Abschlussprüfung	
die Lehrerin / der Lehrer	
die Prüfung	
die Kantine	
das Schulhalbjahr	
der Aufsatz / die Facharbeit	
das Klassenzimmer	
das Schulfach	

2 Richtig studieren → AB 139–140/Ü2–5

a **Sehen Sie die Fotos an. Was machen die Studierenden wohl? Sprechen Sie.**

1

2

3

b **Was passt? Ordnen Sie auf der folgenden Seite (KB 119) zu. Manche Verben passen mehrmals.**

ablegen • absolvieren • ~~auswählen~~ • besuchen • bewerben • einschreiben (= immatrikulieren) • erhalten / bekommen • machen • halten • schreiben • suchen • teilnehmen • verfassen • zusammenstellen • lesen • finden

WORTSCHATZ

1 sich um einen Studienplatz ______
2 sich an einer Universität ______
3 im Vorlesungsverzeichnis Lehrveranstaltungen ______
4 seinen Stundenplan ______
5 ein Seminar / eine Vorlesung / eine Übung ______
6 eine Seminararbeit / eine Hausarbeit / eine Abschlussarbeit ______
7 ein Referat / einen Vortrag ______
8 eine Klausur ______
9 ein Auslandssemester / ein Praktikum ______
10 eine Präsentation ______
11 Fachliteratur ______
12 an Projekten / an einer Exkursion ______
13 Prüfungen ______
14 einen akademischen Grad / Titel ______

c **Wie verläuft ein Studium? Erzählen Sie.**

Bevor man mit dem Studium anfangen kann, muss man sich an manchen Unis um einen Studienplatz bewerben.

d **Sie sollen eine Seminararbeit verfassen. Bringen Sie die Arbeitsschritte in eine sinnvolle Reihenfolge und erklären Sie dann, was man genau macht.**

Schritt ___ : den Text formulieren
Schritt ___ : die Arbeit Korrektur lesen
Schritt ___ : Fachliteratur zum Thema finden und lesen
Schritt ___ : die Seminararbeit abgeben
Schritt ___ : eine Gliederung entwerfen
Schritt ___ : wichtige Informationen und Ideen zusammenfassen und kommentieren

Zuerst müssen Studierende Fachliteratur zum Thema finden und lesen. Als Nächstes müssen sie ...

9

3 Ein Spiel

Schreiben Sie einen Begriff aus Aufgabe 1 oder 2 auf einen Zettel. Schreiben Sie eine Definition auf die Rückseite. Falten Sie den Zettel so, dass der Begriff innen ist. Sammeln Sie dann alle Zettel ein und verteilen Sie sie neu. Lesen Sie Ihre Definition vor, die anderen raten den gesuchten Begriff.

Bücher und Zeitschriften zu bestimmten Fachgebieten. Wissenschaftliche Theorien und Ergebnisse werden dargestellt und näher analysiert. Die Texte sind reich an fachsprachlichen Ausdrücken. Dazu zählen auch Nachschlagewerke wie Lexika.

Fachliteratur

Wussten Sie schon? → AB 141/Ü6
Damit man sich in Europa Studienleistungen aus anderen Ländern anrechnen lassen kann, gibt es das System der ECTS-Punkte (European Credit Transfer System). Studierende sollen in der Regel 60 Punkte pro Jahr oder 30 im Semester sammeln. Für jede besuchte und bestandene Lehrveranstaltung gibt es eine bestimmte Anzahl von Punkten. 1 ECTS-Punkt entspricht einem Arbeitsaufwand von 25 bis 30 Arbeitsstunden. Studierende müssen sich also auch außerhalb der Lehrveranstaltungen vieles erarbeiten. Für einen Abschluss braucht man eine festgelegte Gesamtpunktzahl, zum Beispiel 180 bei einem 3-jährigen Bachelorstudium.

Ich kann jetzt ...
- Wörter zum Wortfeld „Schule und Universität" verwenden. ☐ ☐ ☐
- über den Verlauf eines Studiums und Tätigkeiten im Studium sprechen. ☐ ☐ ☐
- universitäre Begriffe definieren. ☐ ☐ ☐

1 Die Ruhr-Universität Bochum

a **Sehen Sie die Fotos in der Infobroschüre an. An wen richtet sich die Broschüre wohl?**

b **Lesen Sie die Zwischenüberschriften. Welcher Absatz interessiert Sie am meisten? Warum?**

c **Lesen Sie nun den Text. Unter welcher Überschrift finden Sie Informationen zu ... ?**

1 Akademische Perspektiven ______ Forschung und Lehre
2 Anlaufstelle für ausländische Studierende ______
3 Freizeitangebote ______
4 Größe der Universität ______
5 Hilfe für Studierende mit Fragen und Problemen ______
6 Gebühren für das Studium ______

Porträt

Mitten in der dynamischen, gastfreundlichen Metropolregion Ruhrgebiet im Herzen Europas liegt die Ruhr-Universität Bochum (RUB). Sie ist Heimat von 5 600 Beschäftigten und circa 38 600 Studierenden aus 130 Ländern. Alle großen wissenschaftlichen Disziplinen sind auf einem kompakten Campus vereint. 20 Fakultäten bieten ein großes Spektrum an Studienfächern.

Forschung und Lehre

Die Ruhr-Universität ist auf dem Weg, eine der führenden europäischen Hochschulen des 21. Jahrhunderts zu werden. Fast alle Studiengänge werden als Bachelor-Master-Programme angeboten. Untereinander national und international stark vernetzte, fakultäts- und fachübergreifende Forschungsabteilungen (Research Departments) schärfen das Profil der RUB. Hinzu kommt ein bewährtes Programm zur Förderung von wissenschaftlichem Nachwuchs sowie eine hervorragende wissenschaftliche Infrastruktur. All das macht die RUB zum Anziehungspunkt für Menschen aus aller Welt. Schon vom ersten Semester an sollen Studierende erfahren, was Forschung bedeutet. Das beginnt in den Bachelorstudiengängen, setzt sich im Masterstudium fort und soll bei den Studierenden die Lust wecken, eine Karriere in der Forschung einzuschlagen. Denn die Studierenden von heute sind die Spitzenforscher von morgen.

Wer sich dafür entscheidet, nach dem Masterabschluss weiter in der Wissenschaft zu arbeiten, findet an der RUB beste Bedingungen vor: Unter Betreuung exzellenter Wissenschaftler promovieren die Doktoranden an der RUB in der Research School auf internationalem Niveau.

Studienbeitrag

Das Sommersemester 2011 war das letzte, in dem Studienbeiträge in Höhe von 480 Euro pro Semester erhoben wurden. Inzwischen sind die Studienbeiträge in ganz Nordrhein-Westfalen abgeschafft. Nichtsdestotrotz wird ein Sozialbeitrag von über 300 Euro für das Akademische Förderungswerk (AKAFÖ), die Studierendenschaft (ASTA) und das Semesterticket erhoben.

Zentrale Studienberatung

Die Zentrale Studienberatung (ZSB) berät und unterstützt Studierende beim Übergang von der Schule zur Universität (Studienwahl, Bewerbung, Studienvorbereitung) und während ihres Studiums – auch mit psychologischer Beratung. Die ZSB bietet Hilfe bei individuellen Problemlösungen.

35 **Das International Office**

Das International Office (IO) koordiniert die internationalen Beziehungen der Universität. Zu seinen Zuständigkeiten gehören die Beratung und Betreuung von ausländischen Studierenden sowie die Information von RUB-Studierenden zu Auslandsaufenthalten.

Zahlen und Fakten

40
- ca. 43 000 Studierende
- ca. 2 400 Doktorandinnen und Doktoranden
- ca. 5 800 ausländische Studierende
- ca. 2 000 Studierende mit Zuwanderungsgeschichte
- ca. 830 internationale Promovierende und Gastwissenschaftler/innen

45 **Campus und Kultur**

Direkt im Süden der RUB öffnet sich das grüne Ruhrtal mit dem Kemnader See. Auch sonst gibt es für die Freizeit viele Angebote: Hochschulsport, Uni-Chor und Musikorchester, Kunst- und Fotokurse bieten jedem die Möglichkeit, sich 50 auszuleben. Theateraufführungen und Konzerte runden das Angebot ab.

Metropole Ruhr

Bochum, eine lebendige Universitätsstadt mit 370 000 Einwohnern, liegt im Herzen der Metropole Ruhr, die mit ihren 5 Millionen Einwohnern die größte Wirtschaftsregion Europas ist.
55 Ihre vielen Theater, Konzerthallen, Kinos und Museen machen die Metropole Ruhr zu Europas dichtester Kulturlandschaft. Allein in Bochum bieten mehr als 40 Theaterbühnen den Rahmen für die Abendgestaltung. Im „Bermuda3Eck", der größten Kneipenmeile des Ruhrgebiets, laden über 75 Kneipen, Bars und Restaurants zum Verweilen ein.

d **Ergänzen Sie die Informationen in der Tabelle mit Stichworten.**

1 geografische Lage	
2 Einwohnerzahl der Stadt	
3 Studienangebot	20 Fakultäten
4 mögliche Abschlüsse des Studiums	
5 Zahl der Studierenden	
6 Freizeitangebote der Stadt	

2 Internationalismen → AB 142/Ü7

Was bedeuten diese Wörter? Ordnen Sie zu.

1 die Universität
2 die Fakultät
3 der Campus
4 der Bachelor
5 der Master
6 die Dissertation
7 das Research Department
8 das International Office

A das Büro für Studierende aus anderen Ländern
B die Doktorarbeit
C der erste Studienabschluss
D der Fachbereich
E die Forschungsabteilung
F der zweite Studienabschluss
G das Gelände mit den Universitätsgebäuden
H die Hochschule

9

3 Konsekutive Zusammenhänge → AB 142–143/Ü8–10

GRAMMATIK
Übersicht → KB 130/1

a **Lesen und markieren Sie, was Studierenden bei der Wahl einer Universität wichtig ist.**

Anton
„Ich komme aus Potsdam. Dort habe ich gerade als Praktikant an einer Filmproduktion mitgearbeitet. Tolle Erfahrung! Jetzt möchte ich was mit Medien studieren."

Sophie
„Ich habe gerade meinen Bachelor in Biochemie abgeschlossen. Jetzt suche ich eine Uni, an der ich meinen Master machen kann."

Juhani
„Ich komme aus Finnland und möchte jetzt ein Auslandssemester machen. Ich möchte während des Auslandsaufenthalts möglichst viel vom Kulturangebot nutzen."

Sara
„Ich habe an der Uni in Berlin sehr volle Hörsäle erlebt. Darum will ich jetzt die Uni wechseln. Mir ist eine gute Betreuung durch die Dozenten sehr wichtig."

b **Lesen Sie die Zusammenfassung. Welche Wörter drücken eine Folge aus? Markieren Sie.**

Junge Leute berichten, welche Erfahrungen sie gemacht haben und welche Folge das für ihren Studienwunsch hat.
Da ist zunächst Anton. Er war von einem Praktikum bei einer Produktionsfirma sehr begeistert. Infolgedessen möchte er nun einen Medienstudiengang belegen. Eine andere Motivation hat Sophie. Sie hat ihr Bachelorstudium bald abgeschlossen, sodass sie jetzt eine neue Uni sucht, an der sie ihren Master machen kann. Juhani ist kulturell sehr interessiert. Folglich möchte er gern in einer Region mit entsprechenden Angeboten studieren. Und schließlich Sara. Infolge ihrer schlechten Erfahrungen an einer Uni mit vollen Hörsälen sucht sie nun eine kleinere Uni, an der Studierende gut betreut werden.

c **Sehen Sie sich die markierten Sätze in 3b noch einmal an. Ergänzen Sie die Tabelle.**

Konnektor	Präposition	Adverb
	infolge	

4 Wie ist das in Ihrem Heimatland?

Arbeiten Sie zu zweit und vergleichen Sie: Welche Studienwünsche haben junge Menschen bei Ihnen?

Bei uns wollen auch viele, so wie Anton, Medienwissenschaften studieren. Folglich sind diese Studiengänge sehr gefragt.

„Bei uns wollen auch viele, so wie Anton / Sophie / ..., ... studieren.
Folglich / Infolgedessen sind / gibt es / ist es ...
Sie haben oft schon gute / schlechte Erfahrungen mit ... gemacht, sodass sie ... möchten / suchen.
Infolge guter / schlechter Erfahrungen ... suchen / wollen viele ..."

Ich kann jetzt ...

	☺	😐	☹
▪ Hauptinformationen aus einer Universitätsbroschüre entnehmen.	☐	☐	☐
▪ die Bedeutung von Internationalismen erschließen.	☐	☐	☐
▪ in komplexen Sätzen konsekutive Zusammenhänge verstehen.	☐	☐	☐

1 Eine Uni auswählen → AB 143/Ü11

a **Welche Kriterien können bei der Wahl einer Universität eine Rolle spielen? Unterhalten Sie sich in Gruppen.**

> Unterrichtssprache • die Größe der Studiengruppen • mögliche Abschlüsse • Betreuung der Studierenden • kulturelles Angebot der Region • der Freizeitwert der Umgebung • technische Ausstattung der Räume • renommierte Wissenschaftler als Lehrende • Forschungsbedingungen • ...

b **Diskutieren Sie.**

Stellen Sie sich vor: Sie haben inzwischen gut Deutsch gelernt und überlegen, ob Sie an einer Uni im deutschsprachigen Raum ein Auslandsjahr verbringen. Diskutieren Sie über die Frage: „Sollen Studierende ein Auslandssemester machen? Warum (nicht)?"

- Tauschen Sie zuerst Ihren Standpunkt und Ihre Argumente aus.
- Reagieren Sie dann auf Argumente Ihrer Gesprächspartnerin / Ihres Gesprächspartners.
- Fassen Sie am Ende zusammen: Sind Sie dafür oder dagegen?

Sie können diese Stichpunkte zu Hilfe nehmen.

- Sprachkenntnisse werden besser / schlechter?
- Deutschsprachige Freunde?
- Studienzeit ist länger / kürzer?
- Finanzierung ist gegeben?

auf Argumente von Gesprächspartnern positiv reagieren

» *Da stimme ich dir zu.*
Ich bin ganz deiner Meinung.
... ist mir auch sehr wichtig, weil ...
Mir wäre ... auch am liebsten. «

auf Argumente von Gesprächspartnern negativ reagieren

» *In diesem Punkt kann ich (dir) leider nicht zustimmen.*
Was ... betrifft, bin ich anderer Meinung.
... ist nicht so wichtig für mich, weil ... «

beim Gesprächspartner nachfragen

» *Ich bin nicht sicher, ob ich das richtig verstanden habe.*
Kannst du das genauer erklären?
Was genau sind deine Vorstellungen in Bezug auf ...? «

Wussten Sie schon? → AB 144/Ü12
Heutzutage kann man auch außerhalb der deutschsprachigen Länder auf Deutsch studieren, z. B. in Budapest, Istanbul oder Kairo. Dafür nimmt an Universitäten in den deutschsprachigen Ländern die Anzahl der Studiengänge zu, in denen die Unterrichtssprache Englisch ist. Das war nicht immer so. An deutschen Universitäten beispielsweise wurde lange – bis ins 18. Jahrhundert hinein – auf Latein gelehrt.

Ich kann jetzt ...	😊	😐	☹
■ ein Angebot einer Hochschule bewerten.	☐	☐	☐
■ auf Bewertungen anderer reagieren.	☐	☐	☐
■ in einem Gespräch über Studienorte Fragen stellen.	☐	☐	☐

1 Bewerbung um einen Studienplatz

Kinga aus Polen studiert an der Ruhr-Universität Bochum. Sie möchte nun zwei Semester in der Schweiz verbringen und bewirbt sich um einen Studienplatz an der Universität Fribourg.

a **Was meinen Sie? Welche Unterlagen braucht Kinga für ihre Bewerbung? Markieren Sie.**

☐ Anschreiben • ☐ Arbeitszeugnisse • ☐ Ärztliches Attest • ☐ Foto • ☐ Lebenslauf • ☐ Mappe mit Arbeitsproben • ☐ Motivationsschreiben • ☐ Zeugnis des Schulabschlusses

b **Was braucht man in Ihrem Heimatland für eine solche Bewerbung?**

2 Das Motivationsschreiben → AB 145/Ü13

a **Lesen Sie Kingas Motivationsschreiben. Welche Funktionen hat es?**

b **Lesen Sie das Schreiben noch einmal. Welche Überschriften passen zu den vier Absätzen? Ordnen Sie zu.**

☐ Mein Interesse an einem Studium an Ihrem Institut • ☐ Meine beruflichen Ziele • ☐ Meine Erwartungen an das Studium in Fribourg • ☐ Meine Kenntnisse und Fähigkeiten

Meine Motivation für ein Masterstudium an der Universität Fribourg

Sehr geehrte Damen und Herren,

ich komme aus Krakau und studiere Deutsch als Fremdsprache und Französisch im fünften Semester an der Ruhr-Universität Bochum. Gerne möchte ich mich zum nächsten Semester um einen Studienplatz in einem Masterstudiengang an Ihrer Hochschule bewerben.

[1] Im vergangenen Jahr habe ich bereits die Universität Fribourg besucht, um einen persönlichen Eindruck von Ihrem Studienangebot zu gewinnen. Dabei habe ich das Institut für Mehrsprachigkeit kennengelernt. Ich war beeindruckt von der freundlichen Atmosphäre und der Aufgeschlossenheit der Lehrkräfte sowie der Studierenden.

[2] Nach mehreren Sprachkursen verfüge ich über sehr gute Deutschkenntnisse. Zurzeit vertiefe ich diese im Rahmen eines mehrmonatigen Kurses für Fortgeschrittene (Niveau C1). Überdies werde ich ab März bis Ende Mai dieses Jahres ein Praktikum an einer Grundschule in Nordrhein-Westfalen absolvieren.

[3] Von einem Studienaufenthalt in Fribourg verspreche ich mir, dass ich meine Kenntnisse im Bereich Deutsch als Fremdsprache erweitern kann. Dabei interessiert mich besonders das Thema Mehrsprachigkeit. Hier würde ich mich gern mit der neuesten Forschung vertraut machen. Ich möchte mir auch weitere theoretische Grundlagen der Fremdsprachenvermittlung aneignen. Außerdem möchte ich durch meinen Studienaufenthalt das Leben in der Schweiz kennenlernen, Kontakte knüpfen und neue Freunde gewinnen.

4 Da mein Interesse an der deutschen Literatur sehr groß ist, würde ich gern auch Germanistik als Studienfach belegen. Dadurch möchte ich meine Chancen für eine spätere Berufstätigkeit als Lehrerin in meinem Heimatland verbessern. Der Studienaufenthalt in der Schweiz wäre eine gute Vorbereitung darauf. Er würde mich auf meinem beruflichen Weg einen großen Schritt weiterbringen. 20

Mit freundlichen Grüßen 25
Kinga Wójcik

3 Feste Verbindung von Nomen mit Verben → AB 146–147/Ü14–17

GRAMMATIK
Übersicht → KB 130/2

a **Lesen Sie das Schreiben noch einmal und ordnen Sie zu. Was gehört zusammen?**

seine Chancen	absolvieren
ein Praktikum	knüpfen
einen Eindruck	aneignen
einen großen Schritt	vertraut machen
Kenntnisse	verbessern
Kontakte	verfügen
sich mit der Forschung	vertiefen
sich theoretische Grundlagen	gewinnen
über Kenntnisse	weiterbringen

b **Wie kann man die folgenden Verben sprachlich anspruchsvoller ausdrücken? Ordnen Sie zu.**

1 lösen 2 wissen 3 fragen 4 verantworten 5 meinen 6 bedeuten

☐ über Kenntnisse verfügen • 3 eine Frage stellen • ☐ eine Lösung finden • ☐ Verantwortung übernehmen • ☐ eine Bedeutung haben • ☐ eine Meinung vertreten

c **Manche Nomen bilden mit mehreren Verben eine feste Verbindung. Formulieren Sie Beispielsätze.**

einen Eindruck | bekommen von / gewinnen von / haben von / hinterlassen bei

Während eines Besuchs habe ich einen Eindruck von der Uni bekommen.

4 Ein Motivationsschreiben verfassen

Sammeln Sie Stichpunkte zu folgenden Fragen und verfassen Sie ein Motivationsschreiben.

Wo? An welche Universität schreiben Sie?
Wann? Zu welchem Zeitpunkt möchten Sie beginnen?
Wofür? Wofür bewerben Sie sich? (ein Auslandssemester/-jahr, ein Praktikum, ...)
Was? Welche Kenntnisse und Fähigkeiten bringen Sie mit? (Abschlüsse, Sprachkenntnisse, ...)
Interesse? Warum wollen Sie an dieser Uni studieren? Welches Interesse haben Sie?
Ziele? Welche beruflichen Ziele haben Sie? Was wollen Sie mit dem Studium erreichen?

Ich kann jetzt ...
- meine persönlichen Voraussetzungen für ein Auslandsstudium beschreiben. ☐ ☐ ☐
- meine Erwartungen an einen Studienplatz beschreiben. ☐ ☐ ☐
- meine persönlichen Ziele bei einer Ausbildung benennen. ☐ ☐ ☐
- feste Verbindungen von Nomen mit Verben erkennen und bilden. ☐ ☐ ☐

9

1 Wofür Studierende Geld brauchen → AB 147/Ü18

Was meinen Sie: Wofür geben Studierende das meiste Geld aus?
Ordnen Sie (1 = am wenigsten; 6 = am meisten).
Vergleichen Sie mit Ihrer Lernpartnerin / Ihrem Lernpartner.

- ☐ Lebensmittel
- ☐ Miete (mit Nebenkosten für Strom, Wasser)
- ☐ Kommunikation (Handy / Smartphone, Internet)
- ☐ Fahrtkosten / Semesterticket (Auto / öffentliche Verkehrsmittel)
- ☐ Lernmittel (Fachliteratur, Schreibwaren)
- ☐ Semesterbeitrag / Sozialbeitrag

Wussten Sie schon? → AB 148/Ü19
Durchschnittlich knapp 10 000 EURO im Jahr betragen laut Aussagen von Studierendenorganisationen die Lebenshaltungskosten für Studierende in Deutschland und Österreich, in der Schweiz müssen sie mit zwischen 21 000 und 31 000 Franken rechnen. Rund ein Viertel der Studierenden verfügt allerdings über weniger Geld. Die Ausgaben hängen davon ab, wo man studiert. In allen deutschsprachigen Ländern gibt es, je nach Region und Studienort, ziemliche Unterschiede. In kleinen Universitätsstädten ist das Wohnen billiger, dafür findet man in großen Städten leichter einen gut bezahlten Studentenjob.

9

2 Finanzierung des Studiums

2 ◀)) 11 a **Sie hören den Anfang eines Vortrags. Notieren Sie sich beim Hören Stichpunkte zu den Fragen.**

- **Wer** spricht?
- **Wo** findet der Vortrag statt?
- **Worum** geht es?

2 ◀)) 12 b **Hören Sie nun den Vortrag einmal ganz und wählen Sie bei jeder Aufgabe (KB 127) die richtige Lösung. Hören Sie ihn dann noch einmal in Abschnitten und kontrollieren Sie Ihre Lösungen.**

Richtig Hören: Schlüsselwörter
Lesen Sie vor dem Hören die Fragen und markieren Sie Wörter, die Ihnen wichtig erscheinen. Hier im Beispiel wäre „Publikum" in der Frage das Schlüsselwort. In den drei Auswahlantworten sind die Wörter „Mitarbeiter", „Schüler" und „Studierende" unterstrichen, weil sie inhaltlich zum „Publikum" gehören können.

Beispiel: Für welches Publikum ist dieser Vortrag? Für ...
- a Mitarbeiter des Studentenwerks.
- ✗ Schüler am Ende ihrer Schulzeit.
- c Studierende im ersten Semester.

2 ◀)) 13

Abschnitt 1

1 Tristan finanziert sein Studium mithilfe ...
- a seiner Eltern.
- b von mehreren Einnahmequellen.
- c eines Nebenjobs.

2 Wie viel verbraucht er für die Miete?
- a 184 Euro
- b 320 Euro
- c 920 Euro

2 ◀)) 14

Abschnitt 2

1 Katrin ist Abendaushelferin. Welche Vorteile hat sie?
- a Sie bezahlt keine Steuern.
- b Sie verdient gut – an wenigen Abenden.
- c Sie kann viele Opern kostenlos sehen.

2 Worauf soll man bei Studentenjobs besonders achten?
- a Auf die Firma, für die man arbeitet.
- b Auf den Verdienst.
- c Auf die Arbeitszeiten.

2 ◀)) 15

Abschnitt 3

1 Ein Studienkredit ist geeignet für Studierende, die ...
- a hohe Studiengebühren zahlen müssen.
- b keine Zeit für einen Studentenjob finden.
- c nach dem Studium wenig verdienen werden.

2 Wovon ist die Höhe der Rückzahlung abhängig?
- a Vom Verdienst nach dem Studium.
- b Vom Zinssatz nach dem Studium.
- c Von der Dauer des Studiums.

2 ◀)) 16

Abschnitt 4

1 Stipendien gibt es auch für ...
- a Berufstätige, die nebenbei studieren.
- b Studierende, die schon mitten im Studium sind.
- c Schüler, die danach studieren wollen.

2 Man findet Stipendiengeber am besten durch ...
- a Nachfrage beim Studentenwerk.
- b Anrufe bei Stipendienorganisationen.
- c eine Suchanzeige im Internet.

c **Welchen Tipp des Vortragenden fanden Sie am interessantesten? Warum?**

Ich kann jetzt ...
- über Lebenshaltungskosten von Studierenden sprechen.
- einem Vortrag Informationen zur Finanzierung eines Studiums entnehmen.
- Einzelheiten und praktische Informationen zur Finanzierung eines Studiums verstehen.

1 Ferien- und Aushilfstätigkeiten

a **Sprechen Sie zu zweit.**

- Welche Jobs sind in Ihrem Heimatland bei Studierenden beliebt?
- Welche sind gut bezahlt, welche nicht? Welche bieten gute Arbeitszeiten?
- Welche sind sinnvoll für die zukünftige Karriere?

b **Sehen Sie die Bilder an. Wo arbeiten diese jungen Leute? Worin besteht die Tätigkeit?**

c **Welchen Job würden Sie wählen? Sprechen Sie.**

2 Austausch → AB 148–149/Ü20–22

a **Welche Tätigkeit würden Sie gerne ausüben? Bereiten Sie einen kurzen Vortrag über verschiedene Ferien- und Aushilfstätigkeiten vor. Machen Sie sich Notizen und strukturieren Sie Ihren Vortrag mit einer Einleitung, einem Hauptteil und einem Schluss.**

- Beschreiben Sie kurz mehrere Alternativen.
- Beschreiben Sie eine Tätigkeit genauer.
- Nennen Sie Vor- und Nachteile von Ferien- und Aushilfsjobs und bewerten Sie diese.

b **Arbeiten Sie nun zu zweit. Halten Sie sich gegenseitig einen kurzen Vortrag. Ihr Gesprächspartner hört zu und stellt Ihnen anschließend Fragen.**

eine Tätigkeit beschreiben

„*Viele arbeiten als … / Wenige arbeiten als …*
Als … hat man echt viel / wenig zu tun.
Die Arbeit in … / bei … / als … ist sehr anstrengend / interessant / …“

Auskunft über Verdienstmöglichkeiten geben

„*Als … verdient man sehr gut / schlecht.*
Am besten verdient man als …
Die Tätigkeit in … / bei … / als … wird (nicht) gut bezahlt.“

c **Berichten Sie über den Vortrag Ihrer Lernpartnerin / Ihres Lernpartners im Kurs.**

Ich kann jetzt …	☺	😐	☹
■ detailliert beschreiben, aus welchen Tätigkeiten ein Aushilfsjob besteht.	☐	☐	☐
■ Auskunft über Verdienstmöglichkeiten geben.	☐	☐	☐

1 Ein Studentenleben

a **Sehen Sie das Foto an. Was denken Sie über diesen Studenten? Sprechen Sie.**

b **Hören Sie die Geräusche eines Films. Arbeiten Sie zu zweit.**

- Was haben Sie alles gehört?
- Worum geht es in dem Film wohl?

c **Sehen Sie jetzt den Film an. Sprechen Sie.**

- Welche Geräusche haben Sie richtig geraten?
- Wofür steht wohl *FHB* auf dem Ordner?

d **Sehen Sie den Film noch einmal an. Arbeiten Sie in Kleingruppen. Sammeln Sie, was der Student alles macht. Vergleichen Sie dann Ihre Ergebnisse. Gewonnen hat die Gruppe, die die meisten Aktivitäten notiert hat.**

e **Fassen Sie den Tagesablauf des Studenten mündlich zusammen.**

2 Traumstudium?

Träume nicht dein Studium, sondern studiere deinen Traum!

a **Erklären Sie das Motto.**

b **Wie zeigt der Film das Studentenleben? Sprechen Sie.**

c **Vergleichen Sie dieses Studentenleben mit dem in Ihrem Heimatland.**

3 Bewertungen

a **Der Film war Sieger in einem Filmwettbewerb für Studentenfilme. Warum wohl?**

b **Lesen Sie Kommentare aus dem Internet und schreiben Sie selbst einen Kommentar.**

Technisch möglicherweise etwas anspruchslos. Aber das mit der non-verbalen Darstellung ist eine tolle Idee, wirklich nicht uninteressant.

Ich finde die Frage der Technik echt irrelevant. Ist doch gut gemacht. Mich erinnert der Film an meine Studententage. Aber gefeiert haben wir nicht jeden Abend. Das ist hier vielleicht etwas missverständlich dargestellt.

Tagesablauf bei mir: Ausschlafen, gegen 12.00 Uhr Mittagessen in der Mensa, anschließend Vorlesung, danach ein Seminar oder gleich in die Kneipe. ☺ Ist das nicht bei allen so? Für mich zeigt dieser Film eher einen atypischen Ablauf. Oder ist bei mir da was schiefgelaufen?

Ich bin inzwischen total desillusioniert. Am Anfang gab es noch Partys. Aber seit es Richtung Prüfung geht, sitze ich fast nur noch in Lerngruppen. Aber daraus würde kein guter Film. ☺

4 Negation durch Vor- und Nachsilben bei Adjektiven

→ AB 150–151/Ü23–24 GRAMMATIK

Übersicht → KB 130/3

Markieren Sie in den Kommentaren in 3b Adjektive mit den Vorsilben *ir-*, *des-*, *miss-*, *non-* und *un-*, *a-* und der Nachsilbe *-los*. Bilden Sie Adjektive mit gegenteiliger Bedeutung, wenn möglich, z. B. *anspruchslos* – *anspruchsvoll*.

Ich kann jetzt ...

- den Inhalt eines non-verbalen Films wiedergeben.
- Adjektive mit negierenden Vor- und Nachsilben verstehen und bilden.

1 Konsekutive Zusammenhänge ⇤ KB 122/4

Konsekutive Konnektoren und Präpositionen drücken aus, welche Folge eine Situation oder Handlung hat. Konsekutivsätze können verbal mit Konnektoren oder nominal mit Präpositionen gebildet werden. Nominale Ausdrücke mit Präpositionen sind typisch für die Schriftsprache.

Verbal	
Konnektor	**Beispiel**
sodass	Sophie hat ihren Bachelor fast abgeschlossen, **sodass** sie jetzt Zeit für ein Auslandssemester hat.
so / derartig* ..., **dass**	Pias Interesse an kulturellen Dingen ist **so groß, dass** sie gern in einer Großstadt studieren möchte.
folglich / infolgedessen	Juhani studiert noch nicht lange. **Folglich** hat er erst wenige Erfahrungen an seiner Uni gemacht.

Nominal	
Präposition	**Beispiel**
infolge + Genitiv	**Infolge** ihres Bachelorabschlusses hat Sophie jetzt Zeit für ein Auslandssemester.

* *so* oder *derartig* stehen vor einem Adjektiv oder Adverb.

2 Feste Verbindung von Nomen mit Verben ⇤ KB 125/3

Ausdrücke, in denen Nomen und Verben in fester Kombination auftreten, sind in der Schriftsprache häufig. An der Stelle der festen Verbindung steht in der gesprochenen Sprache häufig nur **ein** Verb mit der gleichen oder einer ähnlichen Bedeutung.

eine Lösung finden	lösen
eine Entscheidung treffen	entscheiden
eine Frage stellen	fragen
eine Bedeutung haben	bedeuten
(s)eine Meinung vertreten	meinen
für etwas Verantwortung übernehmen	verantworten
über Kenntnisse verfügen	wissen
einen Vortrag / eine Rede halten	vortragen

Bei einigen Nomen gibt es mehrere Kombinationsmöglichkeiten.

einen Eindruck	bekommen, haben, hinterlassen, gewinnen
eine Entscheidung	treffen, fällen
infrage	stellen, kommen
Kenntnisse	vertiefen, erweitern, haben
(die) Verantwortung	haben, tragen, ablehnen, übernehmen

3 Wortbildung: Negation durch Vor- und Nachsilben bei Adjektiven ⇤ KB 129/5

Vorsilbe	Beispiel
a-	asozial
des-	desillusioniert
ir-	irrelevant
miss-	missverständlich
non-	nonverbal
un-	uninteressant

Nachsilbe	Beispiel
-los	anspruchslos

10 SERVICE

1 Service im Alltag

a **Sehen Sie das Foto an. Welcher Service wird hier wohl dargestellt? Markieren Sie.**

- ☐ eine nette Begleitung für einen Fahrradausflug
- ☐ die Erledigung des täglichen Lebensmitteleinkaufs
- ☐ der schnelle Transport von Briefen oder kleinen Päckchen

b **Haben Sie so einen Service schon einmal in Anspruch genommen? Warum (nicht)?**

2 Deutschlern-Service gesucht! → AB 155/Ü2

Welchen Service beim Deutschlernen würden Sie gern einmal in Anspruch nehmen? Schreiben Sie Ihren Wunsch und Ihren Namen auf einen Zettel. Lesen Sie die Wünsche der anderen. Erklären Sie, wem Sie welchen Service anbieten könnten.

Wörterbuchservice gesucht! Wer schlägt für mich die vielen unbekannten Wörter nach?
Bassam

Ich könnte Bassam den Wörterbuchservice anbieten. Ich habe da eine gute App.

1 Alles ist machbar! → AB 156/Ü3

a Sehen Sie die Bilder an. Welche Dienstleistungen werden hier angeboten? Ordnen Sie zu. Zwei passen nicht.

- ☐ schneller Transport kleinerer Dinge
- ☐ günstiger Einkauf gebrauchter Waren
- ☐ privater Zusatzunterricht für Schüler
- ☐ Unterbringungsmöglichkeit für Haustiere
- ☐ Reinigungshilfe
- ☐ Fahrradreparaturservice
- ☐ Bücherbestellservice
- ☐ Pizzalieferservice
- ☐ Tierarztpraxis
- ☐ Schlüsseldienst

1 2 3 4

5 6 7 8

10

b Ordnen Sie nun die Bilder den Werbesprüchen zu.

- ☐ Frisch aus dem Steinbackofen – jederzeit lieferbar!
- 2 Schnell wie der Blitz: In der Innenstadt sind wir unschlagbar.
- ☐ Bei uns ist alles Gedruckte erhältlich oder innerhalb von 24 Stunden bestellbar!
- ☐ Optimale Versorgung Ihres geliebten Vierbeiners – unbezahlbar? Keineswegs!
- ☐ Wir kümmern uns um Ihre Wohnung und machen uns unersetzlich!
- ☐ Bald sind knifflige Matheaufgaben auch für Ihr Kind lösbar!
- ☐ Bringen Sie uns Ihre gebrauchte Ware – unverkäuflich gibt's bei uns nicht.
- ☐ Ausgeschlossen? Keine Sorge! Wir sind rund um die Uhr erreichbar.

c In welchen Situationen werden diese Dienstleistungen in Anspruch genommen? Erklären Sie.

2 Alternativen zum Passiv (I) → AB 157–158/Ü4–7

GRAMMATIK
Übersicht → KB 142/1a

a Unterstreichen Sie in den Werbesprüchen in 1b alle Adjektive mit den Endungen *-bar* und *-lich*.

b Was bedeutet *lieferbar*? Markieren Sie.

☐ kann geliefert werden ☐ ist geliefert worden ☐ muss geliefert werden

c Umschreiben Sie auch die anderen Adjektive auf *-bar* und *-lich* in den Werbesprüchen.

„Die Matheaufgaben sind lösbar." Das bedeutet, die Matheaufgaben können gelöst werden.

3 Werbesprüche formulieren

Arbeiten Sie in Kleingruppen. Formulieren Sie einen Werbespruch zu einem Service Ihrer Wahl. Die anderen raten.

Ich kann jetzt ...

- die Absicht von Werbesprüchen verstehen. ☐ ☐ ☐
- Adjektive auf *-bar* und *-lich* als Alternative zum Passiv anwenden. ☐ ☐ ☐
- eigene Werbesprüche formulieren. ☐ ☐ ☐

1 Dienstleistungen in meinem Alltag → AB 159/Ü8

Schreiben Sie eine Liste mit allen Dienstleistungen, die Sie im Alltag in Anspruch nehmen. Notieren Sie auch alle Tätigkeiten, für die es Dienstleister gibt, die Sie aber selbst erledigen. Sprechen Sie anschließend in Kleingruppen darüber.

Art der Tätigkeit	lasse ich machen	mache ich selbst	Grund
bügeln	☒	☐	Das dauert bei mir zu lange und sieht nicht schön aus.
Wäsche waschen	☐	☐	

Also meine Wäsche wasche ich selbst, aber meine Hemden lasse ich bügeln. Wenn ich bügle, dauert das viel zu lange und wirklich schön sieht es auch nicht aus.

2 Total verrückte Dienstleistungen

Stellen Sie sich vor: Sie können sich eine außergewöhnliche Dienstleistung wünschen – was wäre das zum Beispiel? Unterhalten Sie sich zu zweit.

3 Ideenbörse → AB 159/Ü9

a **Bieten Sie jetzt einen eigenen Service an! Was brauchen Sie zur Umsetzung Ihrer Idee an Kenntnissen, Kontakten, Personal, Investitionen, Zeit, ...? Notieren Sie.**

b **Gestalten Sie einen Flyer für Ihren Service: Schreiben Sie einen Werbespruch darauf und zeichnen Sie eventuell ein kleines Logo.**

c **Stellen Sie nun einem anderen Team Ihren Service vor und überzeugen Sie es von Ihrem Angebot. Die anderen fragen nach. Verwenden Sie dabei die folgenden Redemittel.**

einen Service anbieten

„*Wir können euch etwas ganz Einmaliges anbieten, nämlich ...*
So etwas bekommt ihr sonst nirgendwo.
... ist eine unglaubliche Erleichterung im Alltag. Man muss nie mehr ...“

kritisch nachfragen

„*Wie soll das Ganze funktionieren?*
Ich kann mir noch nicht so richtig vorstellen, ...
Ist ... auch/dabei inbegriffen?
Das klingt schon recht verlockend, aber ...
Ich bin mir nicht sicher, ob ...“

Ich kann jetzt ...	😊	😐	☹
▪ über Dienstleistungen reden und begründen, warum ich sie (nicht) in Anspruch nehme.	☐	☐	☐
▪ eine eigene Geschäftsidee anbieten.	☐	☐	☐
▪ kritische Fragen zu Geschäftsideen anderer stellen.	☐	☐	☐

1 Schnäppchen jagen – ein neues Hobby

a **Was ist ein „Schnäppchen"? Markieren Sie.**

- ☐ ein besonderer Artikel, den es nur wenige Male gibt
- ☐ ein Artikel, der zu einem besonders günstigen Preis angeboten wird

b **Wie könnte Ihrer Meinung nach Schnäppchen-Jagd im Internet funktionieren?**

c **Sehen Sie die Internetanzeige an. Welche Informationen erhält man? Markieren Sie.**

- ☐ Man bekommt ein Angebot zu einem extrem günstigen Preis.
- ☐ Das Angebot ist fast ausverkauft.
- ☐ Man spart fast ⅔ des ursprünglichen Preises.
- ☐ Das Angebot gibt es nur für eine limitierte Zeit.

~~133,– Euro~~

ab **39,90 Euro**

Bereits 23 verkauft.
Deal findet statt!

Highlights
Der Wellness-Urlaub für den ganzen Körper!

Konditionen
Gilt für ein umfangreiches Pflege-Beauty-Package inklusive einer Massage.

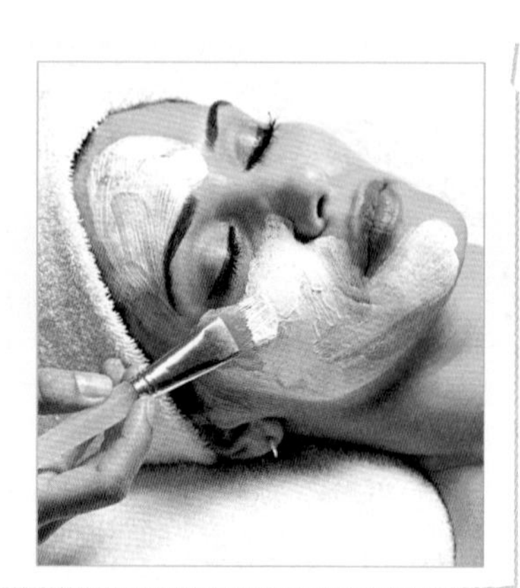

Angebot läuft noch: 12:54:35

10

2 Ein Internetservice → AB 160/U10

2 🔊 17

Hören Sie ein Gespräch mit mehreren Personen. Die Personen sprechen über Schnäppchen-Angebote im Internet. Hören Sie den Text einmal und wählen Sie bei jeder Aufgabe: Wer sagt das?

a Nutzerin
Alice Frey

b Marketing-Experte
Hendrik Furler

c Restaurantbesitzerin
Nadja Becker

1 Bei „Sei dabei!" erhält man online täglich mehrere sehr günstige Angebote.
a Nutzerin | b Marketing-Experte | c Restaurantbesitzerin

2 Mit den meisten Schnäppchen war sie / er sehr zufrieden.
a Nutzerin | b Marketing-Experte | c Restaurantbesitzerin

3 Der Anteil vom Verkaufspreis für das Internetportal ist zu hoch.
a Nutzerin | b Marketing-Experte | c Restaurantbesitzerin

4 Anbieter möchten über das Portal neue Kunden gewinnen.
a Nutzerin | b Marketing-Experte | c Restaurantbesitzerin

5 Die Anbieter sollten für die kostenlose Werbung auch etwas tun.
- a Nutzerin
- b Marketing-Experte
- c Restaurantbesitzerin

6 Bestimmte Angebote können die Nutzer sogar auf neue Hobbys bringen.
- a Nutzerin
- b Marketing-Experte
- c Restaurantbesitzerin

3 Ihre Meinung

a **Wie finden Sie die Schnäppchen-Jagd über Internetportale wie „Sei dabei!"?**

b **Würden Sie selbst einmal dort einkaufen oder einen Service anbieten? Sprechen Sie.**

4 Alternativen zum Passiv (II) → AB 161–162/Ü12–14

GRAMMATIK
Übersicht → KB 142/1b

a **Lesen Sie folgenden Satz aus dem Hörtext noch einmal.
Was bedeutet er? Markieren Sie.**

*Der Gutschein **ist** innerhalb einer bestimmten Zeit **einzulösen**.*

- ☐ Der Gutschein wird innerhalb einer bestimmten Zeit eingelöst.
- ☐ Der Gutschein muss innerhalb einer bestimmten Zeit eingelöst werden.

b **Schreiben Sie die folgenden Sätze im Passiv mit *müssen* oder *können*.**

1 Meistens war dafür weniger als die Hälfte vom Normalpreis zu bezahlen.
Meistens musste dafür ______________________

2 Aber dann war klar, dass die Gäste nicht mehr zufriedenzustellen waren.
Aber dann war klar, dass ______________________

10

c **Welcher Satz bedeutet nicht das Gleiche wie folgender Satz aus dem Hörtext?**

*Ein 3-Gänge-Menü **lässt sich** für 10 Euro wirklich nicht **machen**.*

- ☐ Ein 3-Gänge-Menü kann für 10 Euro wirklich nicht gemacht werden.
- ☐ Ein 3-Gänge-Menü ist für 10 Euro wirklich nicht machbar.
- ☐ Ein 3-Gänge-Menü wird für 10 Euro wirklich nicht gemacht.
- ☐ Ein 3-Gänge-Menü ist für 10 Euro wirklich nicht zu machen.
- ☐ Ein 3-Gänge-Menü kann man für 10 Euro wirklich nicht machen.

d **Schreiben Sie für den folgenden Satz vier passende Varianten wie in Aufgabe 4c.**

Wie lässt sich das erklären?

1 ______________________
2 ______________________
3 ______________________
4 ______________________

Wussten Sie schon? → AB 160/Ü11
Inzwischen kommt es häufig vor, dass Kunden sich vor dem Kauf von teureren Gegenständen, wie Elektrogeräten, Autos etc., im Einzelhandel sachkundig beraten lassen, aber dann günstiger im Internet kaufen. Viele nutzen dabei sogenannte „Preisvergleichsportale" im Internet, z. B. www.billiger.de, www.geizhals.at oder www.toppreise.ch. Dort erhält man Preisangebote von verschiedenen Anbietern im Internet. Der Kundenrückgang führt in vielen Städten zu einem langsamen „Sterben" des Einzelhandels.

Ich kann jetzt ...

	😊	😐	☹
■ verstehen, nach welchem Prinzip eine Internetrabattseite funktioniert.	☐	☐	☐
■ verstehen, wer in einer Gesprächsrunde was sagt.	☐	☐	☐
■ Alternativen zum Passiv verwenden.	☐	☐	☐

1 Mit oder ohne Service?

a **In welchen alltäglichen Situationen kann man sich normalerweise selbst bedienen, wo wird man bedient? Ergänzen Sie SB (für Selbstbedienung) oder S (für Service). Sprechen Sie darüber.**

- ☐ im Discounter
- ☐ am Wühltisch im Kaufhaus
- ☐ in der Apotheke
- ☐ im Restaurant
- ☐ in einer Kneipe / Bar
- ☐ in der Mensa
- ☐ im Drogeriemarkt
- ☐ im Feinkostladen
- ☐ im Blumenladen
- ☐ in der Boutique

Am Wühltisch im Kaufhaus muss man alles durchsehen und oft lange „wühlen", bis man etwas Passendes findet.

b **In welchem Fall bevorzugen Sie es, bedient zu werden, in welchem nicht? Sprechen Sie in kleinen Gruppen.**

2 Auf dem Blumenfeld → AB 162/U15

a **Sehen Sie die beiden Fotos an. Was macht die Person? Was sieht man auf dem rechten Foto?**

A

B

b **Lesen Sie den Artikel. Beantworten Sie die Fragen in Stichpunkten.**

1 Was ist das Besondere an diesen Blumenfeldern?
2 Warum liegen Blumenfelder so im Trend?
3 Welche Vorteile gegenüber dem Einkauf im Laden werden genannt?
4 Wie beurteilen die Grundstücksbesitzer die Geschäftsidee mit dem Blumenfeld?
5 Wie funktioniert die Bezahlung?

Sonnenhut und Tausendschön

Das Geschäft mit Blumen in freier Natur läuft rund um die Uhr. Und alles in Selbstbedienung. Ein Besuch auf zwei Blumenfeldern am Stadtrand.

„Papa, die da drüben", ruft die kleine Greta ihrem Vater zu und deutet mit ihrem Finger auf eine knall-
5 rote Blume am Rande des Feldes: eine Dahlie. Dass im Sommer Blumenzeit ist, wird von sehr vielen Autofahrern und Spaziergängern genutzt. Sie finden es schön, ihren Liebsten eine kleine Freude mit einem bunten Blumenstrauß zu bereiten: frisch vom Feld und selbst gepflückt natürlich.
In Bottrop gibt es Felder mit der Aufschrift „Blumen zum Selberpflücken" schon seit mehreren Jahren. Und sie liegen noch immer voll im Trend, ebenso wie Erdbeerpflückfelder und Apfelbaumplantagen.
10 „Vor 10 Jahren haben wir hier unser Feld eröffnet", schildert Marita Oesterdiekhoff, „und es ist noch immer sehr gefragt. Gerade an Wochenenden halten viele Kunden auf dem Weg zu Freunden oder nach Hause mal eben am Rande des Feldes mit ihrem Auto an. Sie haben es sich zur Gewohnheit gemacht, einige Blumen als kleines Mitbringsel zu besorgen."
Auch Ulrich Kückelmann und seine zwei Töchter Greta (7) und Carlotta (2) sind noch mal schnell
15 zum Blumenfeld rübergeflitzt, um ein paar Blümchen für Omas Geburtstag zu schneiden. „Es ist praktisch, dass sich das Feld direkt um die Ecke befindet und rund um die Uhr geöffnet ist", so Papa Kückelmann, „nicht nur das Verschenken der Sträuße macht Spaß, sondern auch das Schneiden wird zu einem Erlebnis, gerade mit Kindern." Neben Sonnenblumen und Dahlien finden sie auch Sonnenhut und Tausendschön.
20 „Da fällt die Wahl nicht leicht", zwinkert Marita Oesterdiekhoff, „unser Sortiment variiert ständig. Mein Mann Heino liebt es zu experimentieren." Über den Zukauf weiterer Felder ist im Hause Oesterdiekhoff bereits nachgedacht worden.

Auch Georg Berger probiert auf seinem Feld an der Feldhausener Straße stetig neue Kombinationen von Blumen und Pflanzen. Letztes Jahr testete er sogar einen kleinen Kräutergarten, aber der kam
25 bei den Kunden nicht so gut an. Dafür seien die Blumenfelder mit Sonnenblumen und Tulpen ein Dauerbrenner.
Und das Gute: Die Blumenfelder machen nur am Saisonanfang viel Arbeit. Mit den Vorbereitungen wird oft schon im Februar begonnen. Doch im Frühling und Sommer reicht es, die Felder zu bewässern und ab und zu nach dem Rechten zu sehen. Und das ist gut so für die Gärtner, denn im Sommer muss
30 in der Gärtnerei oft bis in den späten Abend gearbeitet werden.
Während Berger seine Idee aus einem Urlaub im Schwarzwald mitnahm, ließen sich die Oesterdiekhoffs von anderen Bauern inspirieren. „Ich bin froh, dass es solche Felder gibt", sagt Berger, „hier bekommt jeder, was er will. Und ich habe ein schönes neues Hobby gefunden."
Die Blumenfelder sind ab Juni bis Ende September 24 Stunden am Tag geöffnet. Der Preis pro Strauß
35 variiert je nach Bundgröße. Für besonders große Blumen, wie Dahlien oder Sonnenblumen, fällt ein geringer Preisaufschlag an, der jedoch insgesamt weit unter dem Preis der Supermärkte bleibt. Der Geldbetrag, den man dafür bezahlen muss, ist selbstständig in eine bereitgestellte Büchse einzuwerfen.

c **Folgende Ausdrücke aus dem Text haben die gleiche Bedeutung. Welche? Markieren Sie.**

- *Und sie liegen noch immer voll im Trend, ...* (Zeile 9)
- *... und es ist noch immer sehr gefragt.* (Zeile 10/11)
- *Dafür seien die Blumenfelder ... ein Dauerbrenner.* (Zeile 25/26)

Bedeutung
- ☐ Jemand fragt sich dauernd etwas.
- ☐ Etwas ist absolut in Mode.
- ☐ Es gibt mehrere ähnliche Trends.

d **Ihre Meinung: Würden Sie selbst gern Blumen auf einem Blumenfeld pflücken? Wie finden Sie diesen Service? Gibt es solche Blumenfelder auch in Ihrem Heimatland?**

10

3 Subjektlose Passivsätze → AB 163–164/Ü16–18

GRAMMATIK
Übersicht → KB 142/2

a **Lesen Sie die Sätze im Aktiv und finden Sie die Entsprechungen im Passiv im Text ab Zeile 21. Schreiben Sie.**

Aktiv	Passiv
1 Über den Zukauf weiterer Felder hat man im Hause Oesterdiekhoff bereits nachgedacht.	1
2 Mit den Vorbereitungen beginnt man oft schon im Februar.	2
3 ... im Sommer muss man in der Gärtnerei oft bis in den späten Abend arbeiten.	3

b **Was haben alle drei Passivsätze gemeinsam?**

c **Schreiben Sie die Passivsätze um und beginnen Sie mit *es*.**

1 Es ist im Hause Osterdiekhoff bereits über
2
3

Ich kann jetzt ...
- über Vor- und Nachteile von Selbstbedienung und Service sprechen. ☐ ☐ ☐
- einen Zeitungsartikel über einen neuen Trend verstehen. ☐ ☐ ☐
- subjektlose Passivsätze bilden und verwenden. ☐ ☐ ☐

1 Kurz und knapp

a **Lesen Sie eine Zusammenfassung des Artikels *Sonnenhut und Tausendschön* (KB 136–137). Wie viel Prozent vom Umfang des Artikels hat die Zusammenfassung?**

☐ circa die Hälfte ☐ ein Drittel bis ein Viertel ☐ circa ein Zehntel

Der Artikel berichtet über einen Trend, der schon seit einigen Jahren existiert: Blumen auf dem Feld selbst zu pflücken. Viele Menschen nutzen diese Möglichkeit, um einen Strauß selbst zu schneiden und zusammenzustellen. Die positiven Aspekte sind für Kunden der Spaß am Pflücken und die große Auswahl an Blumen. Ein selbstgepflückter Strauß ist außerdem billiger als einer aus dem Supermarkt. Die
5 Betreiber der Blumenfelder sind sehr zufrieden mit der Umsetzung dieser Idee. Dass ihre Pflückfelder seit einigen Jahren im Trend sind, freut sie. Zudem haben sie so ein neues Hobby gefunden. Sie pflanzen immer neue Kombinationen von Blumen an. Das Geld für den Strauß wirft der Kunde am Ende in eine Büchse am Feldrand. Je nach Größe kostet er unterschiedlich viel.

b **Welche Teile aus einem Text kann man in einer Zusammenfassung weglassen? Markieren Sie.**

☐ direkte Rede • ☐ informative Nomen • ☐ ausschmückende Adjektive •
☐ Verben mit den Hauptaussagen • ☐ Eigennamen • ☐ Wiederholungen

c **Formulieren Sie Fragen, auf die die Textzusammenfassung in 1a eine Antwort gibt.**

Worüber berichtet der Artikel?
Wer nutzt ______?
Was ist das Besondere an ______?
Warum ist / hat ______?
W ______?
W ______?
W ______?

d **Wie ist die Struktur der Sätze in der Zusammenfassung? Markieren Sie.**

☐ Es sind meist lange Sätze mit mehreren Nebensätzen.
☐ Die Sätze sind kurz und bestehen meist nur aus einem Hauptsatz.
☐ Meist werden ein Haupt- und ein Nebensatz oder zwei Hauptsätze kombiniert.

2 Eine eigene Zusammenfassung schreiben → AB 165/Ü19

a **Wählen Sie aus Lektion 1 bis 10 einen Text aus und markieren Sie die wichtigen Informationen.**

b **Formulieren Sie circa sieben W-Fragen zum Text. Schreiben Sie nun Ihre Textzusammenfassung. Wählen Sie eine passende Formulierung für die Einleitung.**

„*In dem Text geht es um ...*
Die Geschichte erzählt von ...
Hier erfährt man, ...“

c **Lesen Sie den Text Ihrer Lernpartnerin / Ihres Lernpartners und stellen Sie Fragen, wenn etwas unklar ist. Sie / Er korrigiert ihre / seine Zusammenfassung mithilfe Ihrer Fragen.**

Eine Textzusammenfassung schreiben
Gehen Sie bei einer Textzusammenfassung folgendermaßen vor:
- *Markieren Sie die wichtigen Informationen im Text.*
- *Formulieren Sie anschließend circa sieben W-Fragen zum Textinhalt.*
- *Antworten Sie auf jede Frage mit einer selbst verfassten Antwort, die in der Regel aus einem Haupt- und einem Nebensatz besteht. Beginnen Sie dabei auch mal mit dem Nebensatz.*
- *Wählen Sie eine passende Formulierung für die Einleitung und verbinden Sie die Sätze sinnvoll.*

Ich kann jetzt ...
- Texten mithilfe von Fragen die Hauptinformationen entnehmen. ☐ ☐ ☐
- einen längeren Text zusammenfassen. ☐ ☐ ☐

1 Erfahrungsaustausch

a **Tauschen Sie sich in Kleingruppen zu folgenden Fragen aus.**

- Haben Sie schon einmal eine Bibliothek genutzt?
- Welchen Service bietet eine Bibliothek?
- Welche Serviceleistungen haben Sie in Anspruch genommen?

b **Überfliegen Sie in Aufgabe 2a den Text. Vergleichen Sie im Kurs.**

2 Einen Bibliotheksausweis erhalten → AB 165/Ü20

a **Sie möchten eine öffentliche Bibliothek nutzen und lesen die Benutzungshinweise. Welche der Überschriften aus dem Inhaltsverzeichnis passen zu den Paragraphen? Vier Überschriften werden nicht gebraucht.**

BENUTZERORDNUNG DER STADTBIBLIOTHEK

Inhaltsverzeichnis

a Ausleihverfahren
b Anmeldeverfahren
c Sonderregelung
d Gebühren
e Bibliotheksmitarbeiter
f Abmeldung
g ~~Nutzungsberechtigte~~
h Rückerstattung

1 Nutzungsberechtigte

Die Benutzung der Stadtbibliothek ist vor Ort für alle Besucher kostenlos. Die Ausleihe von Medien ist nur mit einem Bibliotheksausweis möglich. Diesen können Sie persönlich beantragen, wenn Sie in der Stadt oder dem Landkreis wohnen, arbeiten oder studieren.

2 ....

Für die Anmeldung benötigen Sie Ihren Personalausweis und das ausgefüllte Anmeldeformular. Wenn Sie sich bei der Anmeldung mit Ihrem Reisepass ausweisen möchten, brauchen Sie zusätzlich eine Meldebestätigung des Einwohnermeldeamtes. Bei Kindern muss das Anmeldeformular auch von einer/einem Erziehungsberechtigten unterschrieben werden.

3 ....

Der Bibliotheksausweis berechtigt Sie zur gleichzeitigen Ausleihe von bis zu 25 Medien und zur Nutzung unserer elektronischen Bibliothek. Die Leihfrist der Medien beträgt 60 Tage und kann bis zu drei Mal um je 20 Tage verlängert werden. Für eine Überschreitung der Leihfrist fallen Gebühren an, die Sie unserem Gebührenkatalog entnehmen können. Bereits von anderen Nutzern entliehene Medien können Sie kostenfrei vormerken.

4 ....

Normale Ausweisgebühr (10,00 € / Jahr)

Ermäßigte Ausweisgebühr (5,00 € / Jahr)

- junge Erwachsene in der Ausbildung und Senioren
- Schwerbehinderte
- Sozialhilfeempfänger und Arbeitslose

Keine Ausweisgebühr

- Kinder und Jugendliche (bis zur Vollendung des 18. Lebensjahrs)
- Asylbewerberinnen und -bewerber

b **Lesen Sie die folgenden Aussagen zur Benutzerordnung und entscheiden Sie, ob sie richtig (= R) oder falsch (= F) sind.**

	R	F
1 Für die Bibliotheksnutzung braucht man immer einen Bibliotheksausweis.	☐	☐
2 Bei Kindern muss ein Erwachsener das Anmeldeformular unterschreiben.	☐	☐
3 Die Ausleihe ist für Menschen, die Asyl beantragt haben, kostenlos.	☐	☐

Ich kann jetzt ...

	😊	😐	☹
einem Infoblatt die Hauptidee entnehmen, wenn ich es überfliege.	☐	☐	☐
in einem Infoblatt fehlende Wörter ergänzen.	☐	☐	☐
anderen meine Einschätzung zu einem besonderen Serviceangebot mitteilen.	☐	☐	☐

10

1 Abends in der Küche

a **Sehen Sie das Bild an. Was passiert hier wohl gerade? Markieren Sie.**

☐ Der Mann unterhält sich mit einem Freund, der schlecht hört, über den Ort Prien.
☐ Der Mann streitet mit seiner Freundin, wohin sie in Urlaub fahren wollen.
☐ Der Mann erkundigt sich über ein Sprach-Dialogsystem nach einer Zugverbindung.

2 ◀)) 18 b **Hören Sie nun den Anfang der Geschichte. War Ihre Vermutung richtig?**

2 Nur eine kleine Auskunft → AB 166/Ü21

a **Hören Sie die Geschichte „Prien" nun in Abschnitten.**

2 ◀)) 19 **Abschnitt 1: Welche Aussagen sind richtig? Markieren Sie.**

Das Sprachdialogsystem ...
1 ... erkennt den Ortsnamen nicht, den der Mann nennt. ☐
2 ... beginnt eine Unterhaltung mit dem Mann. ☐
3 ... schlägt andere Städtenamen vor und der Mann reagiert genervt. ☐

2 ◀)) 20 **Abschnitt 2: Beantworten Sie die Fragen.**

1 Warum sagt der Mann „Neueingabe"?
2 Was passiert, als er einen Schluck Bier trinkt?
3 Woran erinnert ihn das Gespräch mit dem Sprachdialogsystem plötzlich?

2 ◀)) 21 **Abschnitt 3: Welche Aussagen sind richtig? Markieren Sie.**

1 Der Mann amüsiert sich, weil seine Frau oft das Telefon oder die Freisprechanlage im Auto anschreit. ☐
2 Er ruft seine Frau an und sagt ihr, dass er keine Auskunft über die Zugverbindung bekommt. ☐
3 Das Sprachdialogsystem nervt ihn zwar, es ist aber am Telefon höflicher als seine Frau. ☐

2 ◀)) 22 b **Hören Sie die Geschichte noch einmal ganz. Finden Sie sie amüsant? Warum (nicht)?**

Ich kann jetzt ...	☺	😐	☹
▪ eine literarische Geschichte zu einer Alltagssituation verstehen.	☐	☐	☐
▪ über den Humor in einer Erzählung sprechen.	☐	☐	☐

1 Eine spannende Vorlesestunde → AB 167/Ü22

a **Sehen Sie die Fotos an. Was passiert hier wohl?**

31 DVD

b **Sehen Sie nun eine Foto-Reportage zu den Bildern <u>ohne Ton</u> an. Was meinen Sie?**

1 Wo sind die Kinder und die ältere Dame?
2 Was liegt alles auf dem Tisch?
3 Wie ist die Atmosphäre?
4 In welcher Beziehung steht die Frau zu den Kindern?

c **Um was für einen „Service" handelt es sich hier wohl?**

31 DVD

d **Sehen Sie nun die Foto-Reportage <u>mit Ton</u> an. Ergänzen Sie danach sinngemäß.**

1 Juttas Alter: ______
2 Ihre aktuelle Tätigkeit: ______
3 Ihre Motivation: ______
4 Vorleseorte: ______
5 Ihre Zuhörer: ______
6 Die Tätigkeit, bevor sie vorlas: ______
7 Juttas Wunsch: ______
______

10

2 Ihre Meinung

Was denken Sie? Sprechen Sie im Kurs.

1 Warum gibt es wohl Vorlesestunden für Kinder?
2 Für welche Kinder könnte diese Vorlesestunde besonders wichtig und sinnvoll sein?
3 Wie gefällt Ihnen Juttas Engagement?
4 Könnten Sie sich auch vorstellen, ein Ehrenamt auszuüben? Wenn ja, welches?

Wussten Sie schon?
Ein Ehrenamt ist eine freiwillige Tätigkeit, die man meist in einem Verein, einer Institution oder einer Initiative regelmäßig ausübt. Man wird dafür nicht bezahlt. Es gibt zahlreiche Möglichkeiten, ehrenamtlich tätig zu werden, beispielsweise als Mitarbeiter der freiwilligen Feuerwehr, im Sportverein, bei der Unfallhilfe, in der Sozialarbeit oder in der Gemeindearbeit. Jeder Dritte engagiert sich in den deutschsprachigen Ländern in irgendeiner Weise ehrenamtlich. Bei Bewerbungen wirkt es sich oft positiv aus, wenn man sich ehrenamtlich engagiert.

Ich kann jetzt ...	☺	😐	☹
■ über Fotos frei sprechen und spekulieren.	☐	☐	☐
■ im Detail verstehen, was jemand über sein Ehrenamt erzählt.	☐	☐	☐
■ meine Meinung zu ehrenamtlichen Tätigkeiten äußern und begründen.	☐	☐	☐

1 Alternativen zum Passiv

a Adjektive auf *-bar* und *-lich* ⇤ KB 132/2

Viele Adjektive, die auf *-bar* oder *-lich* enden, sind von Verben abgeleitet.
Die Endung *-bar* bedeutet fast immer, die Endung *-lich* manchmal, dass etwas gemacht werden kann. Die Negation dieser Adjektive wird mit der Vorsilbe *un-* gebildet.

Adjektive auf	Beispiel	Bedeutung
-bar	ein realisierbares Projekt lieferbare Ware ein vorhersehbares Problem ein **un**erreichbares Ziel	ein Projekt, das realisiert werden kann Ware, die geliefert werden kann ein Problem, das vorhergesehen werden kann ein Ziel, das **nicht** erreicht werden kann
-lich	ein verständlicher Text ein **un**ersetzlicher Mensch **un**verkäufliche Muster	ein Text, der verstanden werden kann ein Mensch, der **nicht** ersetzt werden kann Muster, die **nicht** verkauft werden können

b *sich lassen* + Infinitiv; *sein* + *zu* + Infinitiv ⇤ KB 135/4

Aktivsätze mit *sich lassen* + Infinitiv bzw. *sein* + *zu* + Infinitiv ersetzen Passivsätze mit *können, müssen, sollen* oder *dürfen*.

	Beispiel	Passivsatz
***sich lassen* + Infinitiv**	Ein 3-Gänge-Menü lässt sich für 10 Euro machen.	Ein 3-Gänge-Menü kann für 10 Euro gemacht werden.
***sein* + *zu* + Infinitiv**	Die Rechnung ist noch zu bezahlen. Das Restaurant ist nicht zu verkaufen.	Die Rechnung muss / sollte noch bezahlt werden. Das Restaurant kann / darf nicht verkauft werden.

2 Subjektlose Passivsätze ⇤ KB 137/3

In Passivsätzen steht die Akkusativergänzung des Aktivsatzes im Nominativ:

Aktiv: Sie pflücken auf dem Feld einen Blumenstrauß.
Akkusativ

Passiv: Ein Blumenstrauß wird auf dem Feld gepflückt.
Nominativ

Wenn ein Aktivsatz **keine** Akkusativergänzung hat, kann der Passivsatz dazu kein Subjekt (Nominativ) haben. Wenn die Position 1 im Passivsatz nicht besetzt ist, steht an Position 1 *es*.

Aktivsatz ohne Akkusativergänzung	Subjektloser Passivsatz	Passivsatz mit *es* auf Position 1
Mit den Vorbereitungen beginnt man schon im Februar.	Mit den Vorbereitungen wird schon im Februar begonnen.	Es wird mit den Vorbereitungen schon im Februar begonnen.
Im Sommer müssen die Gärtner bis in den Abend arbeiten.	Im Sommer muss bis in den Abend gearbeitet werden.	Es muss im Sommer bis in den Abend gearbeitet werden.
Der Gärtner liefert täglich aus.	Täglich wird ausgeliefert.	Es wird täglich ausgeliefert.

11 GESUNDHEIT

1 Eine schwierige Situation

a **Sehen Sie das Bild an. Was meinen Sie: Was ist hier passiert? Woher stammt dieses Bild?**

b **Schreiben Sie zu zweit ein Gespräch zu dem Bild. Verwenden Sie darin zwei der folgenden „typischen" Sätze aus Arztserien.**

„Es spricht nichts dagegen, dass alles gut ausgeht."
„Gehen Sie bitte. Sie können jetzt nichts für ihn tun."
„Wir haben keine Zeit zu verlieren. Wir müssen sofort operieren."
„Wir werden ihn wohl über Nacht hierbehalten müssen."

c **Lesen / Spielen Sie Ihr Gespräch im Kurs vor.**

2 Über Fernsehserien sprechen

Krankenhaus- und Arztserien sind sehr beliebt. Warum wohl? Diskutieren Sie.

„Ich denke, die Menschen brauchen Filme, die ...
Oft sind die Ärzte und Ärztinnen in den Serien ...
Man identifiziert sich vielleicht mit ...“

1 Arbeitsalltag von Ärzten → AB 171/Ü2

a **Lesen Sie die Überschrift des Artikels. Was fällt Ihnen dazu ein?**

b **Lesen Sie nun den Artikel. Notieren Sie die positiven und negativen Seiten des Arztberufs.**

positiv: ______________________________

negativ: ______________________________

c **Fassen Sie den Inhalt des Artikels mithilfe der Stichpunkte aus 1b mündlich zusammen.**

Arzt – Traumberuf oder Knochenjob?

Der Beruf des Arztes ist mit hohem Prestige verbunden. Laut einer Umfrage steht er auf Platz vier der angesehensten Berufe. Entsprechend hoch sind aber auch die Ansprüche.
Thomas Lipp klingt gestresst. In seiner Sprechstunde warten noch drei Patienten, sagt der Hausarzt
5 aus Leipzig. Eigentlich schließt die Praxis in 15 Minuten. 15 Minuten Zeit für drei Patienten? „Ja, und dabei ist jetzt noch Urlaubszeit." Stress ist eine Berufskrankheit der Mediziner. Wer Arzt werden will, muss belastbar sein.
Der Lohn dafür ist ein ansehnliches Gehalt: Ein Radiologe oder ein Internist verdient rund 4800 bis 6000 Euro brutto im Monat. „Das Schöne an der Arbeit ist aber auch die Dankbarkeit, die man emp-
10 fängt", sagt Günther Jonitz vom Vorstand der Bundesärztekammer. Anderen helfen zu wollen, sei daher das Hauptmotiv für den Beruf. Ein Arzt müsse die Menschen, die er behandelt, im Blick haben und nicht nur die Krankheiten. Voraussetzung für den Beruf sei daher ein „Händchen" im Umgang mit anderen. Es sollte einem also leichtfallen, menschlich gut mit seinen Patienten umzugehen.
Aus Sicht der Mediziner wird der Beruf aber immer unattraktiver. Schuld daran ist unter anderem
15 der harte Alltag im Krankenhaus. Denn dort erwartet einen dann ein Knochenjob, der sich nur schwer mit der Familie vereinbaren lässt. „Wenn um 17.30 Uhr noch ein Unfall reinkommt, können Sie schlecht sagen: ‚Ich muss jetzt aber mein Kind abholen'", sagt Lipp. Flexibel zu sein, ist ein Muss.
Hohe Hürden gibt es auch schon vor dem Berufseinstieg: Das Studium ist lang und schwer. Vor der Approbation, also der Zulassung als Arzt, wartet dann noch das „Hammerexamen". Bis zum Facharzt
20 sind es noch einmal drei bis sechs Jahre.
Die Berufschancen für Ärzte sind jedoch so gut wie lange nicht mehr: In manchen Regionen herrscht schon jetzt akuter Ärztemangel. Außerdem benötigten viele Ärzte bald einen Nachfolger: Vier von zehn seien bereits älter als 50 Jahre. Und durch die gestiegene Lebenserwartung werde der Ärztebedarf in Zukunft noch zusätzlich wachsen.

2 Das Indefinitpronomen *man* und seine Varianten → AB 172/Ü3–4

GRAMMATIK
Übersicht → KB 154/1

a **Lesen Sie die Sätze. Durch welche Pronomen wird *ein Arzt* jeweils im Text ersetzt? Schreiben Sie.**

1 Das Schöne an der Arbeit ist aber auch die Dankbarkeit, die ein Arzt empfängt. (Zeile 9/10)
2 Es sollte einem Arzt also leichtfallen, menschlich gut mit seinen Patienten umzugehen. (Zeile 13)
3 Denn dort erwartet einen Arzt dann ein Knochenjob, (...) (Zeile 15)

1 Das Schöne an der Arbeit ist aber auch die Dankbarkeit, die man empfängt.

b **Ergänzen Sie die Pronomen in der Tabelle.**

Nominativ	Akkusativ	Dativ
man		

Ich kann jetzt ...
- einem Artikel über den Arztberuf positive und negative Aspekte entnehmen. ☐ ☐ ☐
- einen Artikel mündlich zusammenfassen. ☐ ☐ ☐
- das Indefinitpronomen *man* und seine Varianten bilden. ☐ ☐ ☐

1 Ein Job im Ausland

Was sollte man bedenken, bevor man sich für einen Arbeitsplatz im Ausland entscheidet? Diskutieren Sie.

2 Gespräch mit einer jungen Klinikärztin → AB 172–174/Ü5–6

a **Sophie Barlow aus England arbeitet in einer deutschen Klinik als Ärztin. Was meinen Sie: Warum ist sie wohl nach Deutschland gekommen?**

b **Hören Sie das Interview mit Sophie Barlow zweimal und wählen Sie bei jeder Aufgabe die richtige Lösung.**

2 ◄)) 23 **Abschnitt 1**

1 Bevor Sophie nach Deutschland kam ...
- a gefiel ihr Deutschland schon sehr gut.
- b hat sie lange mit ihrem Freund überlegt, wo sie leben wollen.
- c wollte sie, dass ihr Freund nach England zieht.

2 Wie verlief die Anerkennung ihrer beruflichen Qualifikationen?
- a Sie war völlig unproblematisch.
- b Es gab Schwierigkeiten mit ihrer Approbation.
- c Das Übersetzen ihrer Papiere dauerte einige Zeit und war kostspielig.

2 ◄)) 24 **Abschnitt 2**

3 Was versuchte Sophie, um eine Stelle zu bekommen? Sie hatte sich ...
- a um eine Stelle im Krankenhaus beworben, von der ihr jemand erzählt hatte.
- b übers Internet beworben, bekam aber nur Absagen.
- c sowohl um eine Hospitation als auch um einen festen Arbeitsplatz beworben.

2 ◄)) 25 **Abschnitt 3**

4 Welche sprachlichen Herausforderungen gibt es in Sophies Berufsalltag immer noch?
- a Es fällt ihr immer noch schwer, grammatikalisch richtig zu sprechen und zu schreiben.
- b Sie hat Schwierigkeiten, den Dialekt mancher Patienten zu verstehen.
- c Sie lässt ihre Kolleginnen Arztbriefe schreiben, weil das schwierig für sie ist.

5 Was erfährt man über die tägliche Arbeit in der Klinik?
- a Die Abläufe in der Klinik sind in Deutschland und England gleich.
- b Die Ärzte machen vormittags oder nachmittags Visite bei ihren Patienten.
- c Im Arztzimmer besprechen alle Ärzte gemeinsam die weitere Behandlung der Patienten.

2 ◄)) 26 **Abschnitt 4**

6 Menschen, die im Ausland arbeiten möchten, sollten ihren künftigen Arbeitsplatz ...
- a durch eine unbezahlte Tätigkeit vorher kennenlernen.
- b mit Arbeitsplätzen im Heimatland vergleichen.
- c über eine ausführliche Recherche im Internet kennenlernen.

c **Vergleichen Sie. War Ihre Vermutung aus 2a richtig?**

Wussten Sie schon? → AB 174/Ü7

Tausende von Ärzten üben ihren Beruf nicht in ihrem Heimatland aus. Dabei arbeiten beispielsweise deutsche Ärzte vorzugsweise in der Schweiz, Österreich, den USA und Großbritannien. Im Gegenzug gibt es immer mehr ausländische Mediziner in Kliniken und Praxen hier. Bessere Bezahlung und bessere Arbeitsbedingungen sind die Hauptgründe für die Migration.

Ich kann jetzt ...
- Vermutungen über berufliche Entscheidungen einer Person anstellen.
- Hauptaussagen und Details in einem Interview mit einer ausländischen Ärztin verstehen.

1 Gesundheit auf Reisen

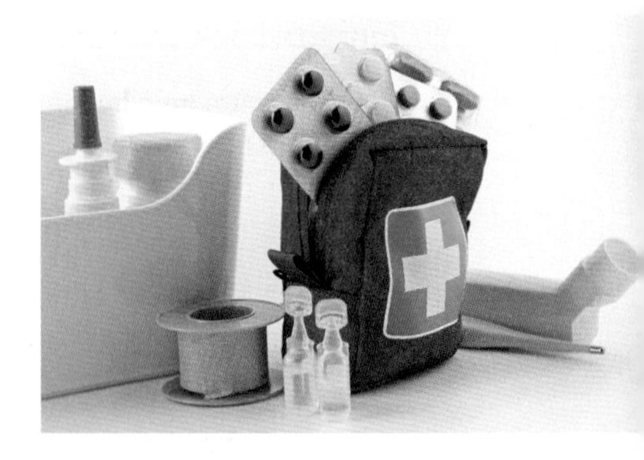

Sehen Sie das Foto an.
Was versteht man unter einer Reiseapotheke?
Was gehört hinein? Machen Sie zu zweit eine Liste.
Vergleichen Sie dann Ihre Listen im Kurs.

2 Die Reiseapotheke → AB 175–176/Ü8–10

a **Wann und wozu braucht man diese Mittel? Erklären Sie. Es gibt mehrere richtige Lösungen.**

Mittel

die Brandsalbe • das Pflaster • das Desinfektions-Spray • der Verband • die Spritze • die Tabletten (Pl.) • die Augentropfen (Pl.) • das Fieberzäpfchen

Beschwerden

die Allergie • der Ausschlag auf der Haut • der Bluthochdruck • der Durchfall • die Entzündung / Infektion • der Insektenstich • die Übelkeit / das Erbrechen • der Sonnenbrand • die Wunde • die Verletzung

Man sollte immer ein Desinfektions-Spray mitnehmen. Auf Reisen bekommt man doch öfters kleine Wunden. Zum Beispiel wenn man...

b **Was aus Ihrer Reiseapotheke brauchen Sie fast immer, nie oder nur ganz selten?**

3 Indefinitpronomen → AB 176–177/Ü11–12

GRAMMATIK
Übersicht → KB 154/1

Sehen Sie die Bilder an und ergänzen Sie die Dialoge.

irgendjemand • keine • niemand • welche • ~~irgendetwas~~ • nichts

1

- ● Schau mal, ich bin hier ganz rot. Hast du vielleicht *irgendetwas* gegen Sonnenbrand dabei?
- ■ Nein, tut mir leid, ich habe leider __________ dabei, nur meine Brotzeit.

2

- ◆ __________ hat eine Flasche ins Meer geworfen.
- ● Das glaube ich nicht. Hier wirft doch __________ Flaschen ins Meer!

3

- ■ Oje! Ich habe meine Kopfschmerztabletten vergessen. Hast du vielleicht __________ dabei?
- ● Nein, ich habe __________ dabei. Ich nehme grundsätzlich nie Tabletten.

Ich kann jetzt ...

- ■ Mittel für eine Reiseapotheke zusammenstellen. ☐ ☐ ☐
- ■ Beschwerden und Heilmittel benennen. ☐ ☐ ☐
- ■ Indefinitpronomen verstehen und anwenden. ☐ ☐ ☐

1 Hilfe bei gesundheitlichen Problemen

a **Sehen Sie die Bilder an. Welche gesundheitlichen Probleme haben diese beiden Personen?**

b **Bei wem würden Sie in diesen Fällen Hilfe suchen?**

- ☐ bei einem Arzt
- ☐ bei einem Heilpraktiker
- ☐ in einer Apotheke
- ☐ in einer Klinik

1

2

2 Rollenspiel: Beim Arzt → AB 177/Ü13

Arbeiten Sie zu zweit. Eine/r spielt die Ärztin / den Arzt, eine/r die Patientin / den Patienten. Spielen Sie mithilfe der Redemittel ein Gespräch.

Ärztin / Arzt
Fragen Sie nach den Beschwerden und möglichen Ursachen. Erklären Sie Ursache und Therapie. Geben Sie Anweisungen, was zu tun ist.

Patientin / Patient
Überlegen Sie sich ein gesundheitliches Problem und beschreiben Sie Ihre Beschwerden. Beantworten Sie die Fragen der Ärztin / des Arztes.

Fragen nach Beschwerden stellen

„*Wo tut es Ihnen denn weh?*
Was für eine Art Schmerz ist es denn?
Wie lange haben Sie das schon?
Haben andere in Ihrer Familie das auch?“

nach möglichen Ursachen fragen

„*Woher könnten Ihre Probleme kommen?*
Welchen Beruf üben Sie aus?“

Ursachen und Therapie erklären

„*Das kommt vom vielen Sitzen / von der Bildschirmarbeit / ...*
Das ist eine Allergie/Virus-Infektion / ...
Die Ursache für diese Schmerzen ist der Knochen / der Nerv / der Muskel /...
Sie bekommen / Ich gebe Ihnen ein/e Spritze / Schmerzmittel / Rezept.“

Anweisungen geben

„*Am besten machen Sie das so: ...*
Nehmen Sie die Tabletten ...
Reiben Sie die Stellen ... mit der Salbe ein.
Vermeiden Sie ... / Sorgen Sie für ...“

Beschwerden beschreiben

„*Hier habe ich einen Ausschlag / rote Flecken / mehrere Insektenstiche / ...*
Ich leide an Appetitlosigkeit.
Ich habe das / Man sieht das am ganzen Körper / im Gesicht / hier oben / unten / ...
Es ist ein dumpfer / stechender / pochender / intensiver / ziehender Schmerz.
Das / Diese Schmerzen habe ich erst seit kurzer Zeit / schon lange / seit ...“

Fragen nach Ursachen beantworten

„*Ich habe mich wohl in der Schule / in den öffentlichen Verkehrsmitteln / ... angesteckt.*
Meine Schwester / ... hat(te) das auch (schon).
Zurzeit habe ich viel Stress im Beruf.
Ich sitze den ganzen Tag am PC.
Wahrscheinlich habe ich beim Sport übertrieben. / Ich habe mich beim Sport verletzt.“

Ich kann jetzt ...	☺	😐	☹
■ Symptome sowie verschiedene Arten von Schmerzen beschreiben.	☐	☐	☐
■ Fragen zu körperlichen Beschwerden stellen.	☐	☐	☐
■ Anweisungen zur Therapie geben.	☐	☐	☐

1 Forumsbeiträge

a **Sehen Sie die drei Fotos an. In welchem Zusammenhang stehen sie wohl mit dem Thema „Krankenversicherung"?**

A 

B 

C 

b **Lesen Sie in einem Internetforum Meinungsäußerungen zu „Risikokunden von Krankenkassen". Welche Äußerung passt zu welcher Überschrift? Eine Äußerung passt nicht. Ordnen Sie zu.**

- ☐ Verhaltensänderungen lassen sich nicht mit Druck erzwingen
- ☐ Menschen mit Suchtverhalten die Krankenversicherung kündigen
- ☐ Kritik ändert die Risikofreude mancher Menschen nicht
- ☐ Bewegung kann Übergewicht abbauen
- ☐ Gesundheit von Kindern durch verpflichtende Beratung der Eltern schützen
- ☐ Höhere Versicherungsbeiträge für Risikokunden
- ☐ Kranke Raucher aus der Klinik entfernen

11

Pommes, Paffen, Paragliding: Sollten Versicherungen Risikokunden endlich ausschließen?

a Ich habe gelesen, dass in Halle eine Rentnerin schon zum zweiten Mal in eine Klinik eingeliefert wurde. Beim Aufnahmegespräch im Krankenhaus gab sie an, täglich 30 Zigaretten zu rauchen. Ich finde das skandalös. Sie sollte ihr Bett im Krankenhaus räumen! *TheBastian_73*

b In einer Fernsehdokumentation wurde ein übergewichtiger Zehnjähriger gezeigt. Seine Mutter wollte, dass die Versicherung für einen Rollstuhl bezahlt, um ihren Sohn damit zur Schule zu fahren. Aber das wäre doch kontraproduktiv. Der Junge soll sich lieber mehr bewegen, denn dadurch würde sich seine Situation automatisch verbessern. *RobertFalkenstein49*

c Was sollen Eltern denn noch alles leisten? Unsere Kinder kommen zwangsläufig mit anderen zusammen. So sehen sie bei ihren Freunden halt Süßigkeiten, Softdrinks und schlechte Gewohnheiten. Man ändert doch die Menschen nicht, indem man ihnen immer mehr Druck macht. *Wolf D.*

d Ich verfolge regelmäßig die Beiträge auf diskussion.net. Neulich las ich da etwas über einen Mann, der in seiner Freizeit passionierter Fallschirmspringer ist. Dabei hat er sich den rechten Arm gebrochen und konnte zwei Monate nicht arbeiten. Dummer Leichtsinn! *XXMAS_65*

e Ich bin Fan von Sportarten wie Kitesurfen und Paragliding. Für mich bedeutet es Freiheit, wenn ich durch die Luft gezogen werde. Natürlich ist das alles nicht ungefährlich. Aber dadurch, dass man ständig von der Unfallgefahr spricht, kann man mich nicht davon abhalten. *Susanne S.*

f Offenbar denken viele nicht an die möglichen Konsequenzen ihres Verhaltens. Wäre es deshalb nicht angemessen, wenn Extremsportler und Raucher mehr für ihre Krankenversicherung bezahlen müssten? Vielleicht bewegt man sie so ja auch zum Umdenken. *klausdieter_321*

g Obwohl es zum Beispiel Nikotin-Pflaster gibt, die man sich auf den Arm klebt, denken starke Raucher nicht ans Aufhören, denn sie sind süchtig und können deshalb nicht aufhören. Sollte man solche Personen nicht aus der Krankenversicherung ausschließen? *Helga R.*

h Einige Eltern sind unvernünftig. Das zeigt sich zum Beispiel an den schlechten Zähnen vieler Kleinkinder, die oft gesüßte Getränke zu sich nehmen. Wäre es nicht sinnvoll, Beratungstermine für solche Eltern verpflichtend zu machen? *Goldfux*

2 Modalsätze mit *dadurch, dass*, *indem* und *durch* → AB 178–179/Ü14–16

GRAMMATIK
Übersicht → KB 154/2

a **Wie könnte man Raucher zum Umdenken bewegen? Ergänzen Sie.**

dadurch, dass • durch • ~~indem~~

Indem man ihre Beiträge zur Krankenversicherung erhöht.
__________ Erhöhung ihrer Versicherungsbeiträge.
__________, __________ man sie aus der Versicherung ausschließt.

b **Unterstreichen Sie in 2a Konnektoren, Präpositionen und das Verb im Satz.**

c **Wie könnte man Eltern von falsch ernährten Kindern zum Umdenken bewegen? Verfassen Sie Tipps. Verwenden Sie *dadurch, dass*, *indem* oder *durch*.**

~~Rezepte vorschlagen~~ • Essensgutscheine ausgeben • Eltern und Kinder trainieren gemeinsam • Süßigkeiten und Softdrinks verbieten • Ernährungsseminare anbieten

Dadurch, dass man den Eltern Rezepte vorschlägt.
Indem man ihnen Rezepte vorschlägt.
Durch Rezeptvorschläge.

3 E-Mail an die Krankenkasse → AB 178–179/Ü15–16

11

a **Sie treten am 1. Juli eine Stelle bei der TEMPURUS GmbH (Sportbadstr. 3a, 40547 Düsseldorf) an. Ihr neuer Arbeitgeber verlangt von Ihnen eine schriftliche Bestätigung, dass Sie krankenversichert sind. Lesen Sie die E-Mail. Wer schreibt hier an Sie? Kreuzen Sie an.**

A der Arbeitgeber B die Krankenkasse C ein Versicherungsmitglied D ein Arbeitskollege

Von: a.baumann@zentra.de
Betreff: Ihre Anfrage: Mitgliedsbescheinigung

Sehr geehrte Kundin, sehr geehrter Kunde,

vielen Dank für Ihr Interesse. Mitgliedsbescheinigungen werden nur auf Anfrage erstellt. Sie können diese persönlich in einer unserer Filialen abholen oder per E-Mail anfordern. Teilen Sie uns dafür bitte den Beginn der neuen Beschäftigung sowie den Namen und die Anschrift des zukünftigen Arbeitsgebers mit.

Mit freundlichen Grüßen

Andreas Baumann
Kundenservice

b **Schreiben Sie Herrn Baumann und fordern Sie die Mitgliedsbescheinigung per E-Mail an. Vergessen Sie nicht den Betreff, die Anrede, eine passende Einleitung und einen passenden Schluss. Bearbeiten Sie dabei auch folgende Punkte angemessen ausführlich.**

- Grund für Ihre E-Mail
- Bearbeitungszeit?
- Direktversand an Arbeitgeber möglich?

Ich kann jetzt ...

- Meinungsäußerungen zum Thema „Krankenversicherung für Risikopatienten" verstehen. ☐ ☐ ☐
- per E-Mail etwas von der Krankenversicherung anfordern. ☐ ☐ ☐

1 Heilung für Körper und Seele → AB 179/Ü17

a **Viele Menschen suchen Hilfe bei sogenannten alternativen Heilmethoden und Therapien. Welche Methoden könnten auf den Bildern dargestellt sein? Ergänzen Sie.**

A

B
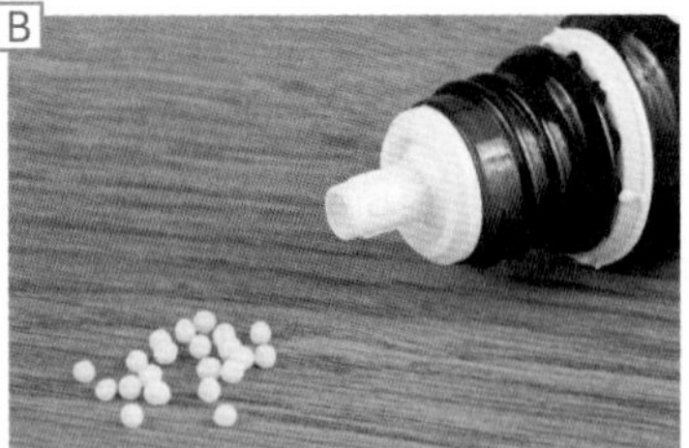

C
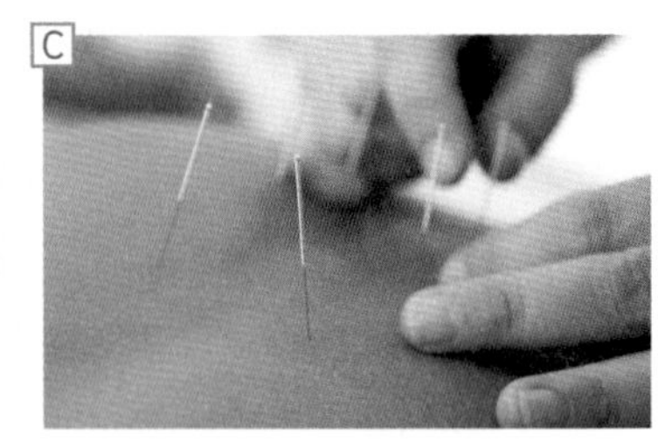

b **Lesen Sie die Definitionen und ordnen Sie sie den Methoden zu.**

☐ Akupunktur ☐ Homöopathie ☒ 4 Irisdiagnose
☐ Wärme- und Kältetherapie ☐ Pflanzenheilkunde ☐ Yoga

1 Hier werden Wirkstoffe eingesetzt, die ähnliche Symptome hervorrufen wie die Krankheiten, gegen die sie wirken sollen. Man nimmt meist stark verdünnte Lösungen oder Kügelchen ein.
2 Gehört zu den ältesten medizinischen Therapien und beschreibt die Vorbeugung und Behandlung von Krankheiten durch speziell zubereitete Pflanzen.
3 Eine Behandlungstechnik aus der Traditionellen Chinesischen Medizin, bei der man durch Einstechen von dünnen Nadeln bestimmte Punkte am Körper reizt, um damit einen blockierten Energiefluss zu regulieren und Beschwerden zu heilen.
4 Hier betrachtet man das Innere des Auges, interpretiert sein Aussehen und mögliche Veränderungen. Man schließt daraus auf den Gesundheitszustand des gesamten Körpers.
5 Ihre positiven Wirkungen bei Schmerzen und bestimmten Erkrankungen ist seit Jahrhunderten bekannt. Die sogenannte Kneipp-Therapie setzt beide Arten der Behandlung ein.
6 In der im Westen praktizierten Form ist es meist eine Technik aus Körperhaltungen und Atemübungen. Das Ziel ist Entspannung und Harmonisierung von Körper und Seele.

2 Meinungsaustausch

Lesen Sie die Stellungnahmen zum Thema „Alternative Heilmethoden – Ja oder nein?" und diskutieren Sie zu zweit. Versetzen Sie sich jeweils in die Rolle einer der beiden Personen und bringen Sie noch weitere Argumente in das Gespräch ein.

„Ich habe gute Erfahrungen mit alternativen Heilmethoden gemacht. Bei einer Erkältung habe ich nicht nur das Gefühl, dass ich mit homöopathischen Mitteln schnell wieder gesund werde, sondern auch gesund bleibe. Herkömmliche Medikamente helfen dem Körper immer nur akut. Da macht es nichts, dass alternative Heilmethoden manchmal etwas teurer sind und von der Kasse nicht bezahlt werden. Denn meine Gesundheit ist mir das Geld wert!"

Mustafa Yildirim

„Ehrlich gesagt verstehe ich nicht, warum es Menschen gibt, die immer noch an alternative Heilmethoden glauben. Ich glaube ja, dass die meisten homöopathischen Mittel nicht das bringen, was sie versprechen. Das Homöopathiezeug ist so stark verdünnt, dass es gar keine Wirkung auf den Körper haben kann! Für mich ist die Schulmedizin absolut ausreichend und ich brauche keine Alternative. Außerdem sind die Alternativen doch vollkommen überteuert."

Stefanie Rauscher

Ich kann jetzt ... 

- Definitionen alternativer Heilmethoden verstehen. ☐ ☐ ☐
- über persönliche Erfahrungen mit diesen Methoden diskutieren. ☐ ☐ ☐

1 Ein kritischer Beitrag → AB 180/Ü18

a **Der Kinderarzt und Allergologe Peter Fischer verfasste einen Artikel zum Thema „Alternative Heilmethoden".**
Sammeln Sie zu zweit Stichpunkte zu folgenden Fragen.

- An wen könnte sich dieser Artikel richten?
- Was erfahren Sie darin?

b **Lesen Sie nun den Artikel über alternative Heilmethoden. Welche der Sätze a bis h passen in die Lücken 1 bis 6? Zwei Sätze passen nicht.**

a Setzen Sie den gesunden Menschenverstand ein.
b Eine Reihe klassischer Naturheilverfahren sind also in die Schulmedizin integriert.
c Probieren Sie auf jeden Fall möglichst viele alternative Heilmethoden aus.
d Alternative Methoden können zum Beispiel fälschlicherweise nicht vorhandene Allergien diagnostizieren.
e Natürlich wollen Eltern meist alles unternehmen, um ihrem Kind zu helfen.
f Dies kann bis hin zur Mangelernährung führen.
g Vermutlich sammeln noch mehr Eltern schlechte Erfahrungen.
h Aber nicht alles, was das Etikett „natürlich" trägt, ist auch harmlos und gesund.

Alternative Heilmethoden

Erkrankungen bei Kindern und Jugendlichen, wie Allergien, Neurodermitis und Asthma, sind chronische Erkrankungen, die zu starken Belastungen führen und nicht in kurzer Zeit geheilt werden können. ______________________ (1) Dabei sehen sie sich neben der Schulmedizin auch nach alternativen Heilmethoden um. 5

Schulmedizin und Naturheilkunde entspringen beide dem verständlichen Wunsch, möglichst nebenwirkungsfrei zu heilen. Als wirksam gilt eine Heilmethode dann, wenn der Erfolg nicht nur bei einem bestimmten Menschen eintritt, sondern bei möglichst vielen Patienten überprüfbar und wiederholbar ist. Die klassischen Naturheilverfahren 10 verwenden natürliche Mittel, die sich seit Langem bewährt haben und deren Wirksamkeit von der wissenschaftlichen Medizin anerkannt ist. ______________________ (2) Sogenannte „alternative Verfahren" bedienen sich jedoch Methoden, die von der naturwissenschaftlichen Medizin abweichen. 15

Ihre Anbieter liefern oft einfache Erklärungen für Erkrankungen und versprechen schnelle und endgültige Heilung, ohne dies objektiv begründen zu können. Im Gegensatz dazu deckt die wissenschaftliche Medizin immer komplexere Ursachen auf. Die Versuchung, sich mit einfacheren Erklärungen zufriedenzugeben, liegt nahe. ______________________ (3) Man bedenke nur, dass die 20 meisten Allergieauslöser wie Pollen, Nahrungsmittel oder Insektengift keine künstlichen, sondern natürliche Stoffe sind.

Man hört oft das Argument, die Anwendung alternativer Methoden könnte ja zumindest nicht schaden. Auch dies gilt nur mit Einschränkungen. ______________________ (4) Diese werden dann angeblich 25 rasch und natürlich wieder geheilt. Oder ein Kind muss bei angeblichen Nahrungsmittel-allergien auf sehr viele Nahrungsmittel verzichten, ohne dass ihm damit geholfen wird. ______________________ (5)
Auch alternative Medikamente sind nicht grundsätzlich harmlos. Bei manchen alternativen

11

Medikamenten sind die Inhaltsstoffe unzureichend deklariert. Viele homöopathische Medikamente enthalten 40-prozentigen Alkohol, der auch in kleinen Mengen nicht an Kinder verabreicht werden sollte. 30

Bei der Suche nach der richtigen Heilmethode sollten Sie folgende Punkte berücksichtigen:

- Bewerten Sie jede Methode – ob schulmedizinisch oder alternativ – mit demselben kritischen Maßstab. 35
- Anstatt unerprobte Therapiemethoden anzuwenden, sollte man eher leichte Krankheitssymptome akzeptieren.
- Besonders kritisch sollten Sie sein, wenn eine Methode nur von wenigen Behandlern angewendet wird, wenn Sie sich ganz schnell für eine teure Therapie entscheiden sollen oder Sie aufgefordert werden, alle anderen laufenden Therapien abzubrechen. 40
- ______________________________ (6) Sonst könnte die einzige Wirkung von alternativen Diagnose- oder Heilmethoden ein leerer Geldbeutel sein.

c **Lesen Sie den Artikel noch einmal und vergleichen Sie mit Ihren Stichpunkten in 1a.**

d **Welche Meinung hat der Autor zu alternativen Heilmethoden? Was halten Sie davon? Berichten Sie.**

11

2 Modalsätze mit *ohne ... zu, ohne dass, ohne* sowie *(an)statt ... zu, (an)statt dass, (an)statt* (+ Genitiv) → AB 180–182/Ü19–21

GRAMMATIK
Übersicht → KB 154/2

a **Ergänzen Sie die beiden Varianten zu folgendem Satz.**

Ihre Anbieter versprechen schnelle Heilung, ***ohne*** *dies objektiv begründen* ***zu*** *können.* (Zeile 16/17)

1 Ihre Anbieter versprechen schnelle Heilung, **ohne dass** sie ______________________ können.
2 Ihre Anbieter versprechen schnelle Heilung **ohne** ______________________ Begründung.

b **Lesen Sie folgenden Satz aus dem Text. Was bedeutet er? Markieren Sie.**

Anstatt *unerprobte Therapiemethoden anzuwenden, sollte man eher leichte Krankheitssymptome akzeptieren.* (Zeile 38/39)

Man sollte ...
1 ruhig unerprobte Therapiemethoden anwenden, aber auch leichte Krankheitssymptome akzeptieren.
2 keine unerprobten Therapiemethoden anwenden, sondern lieber leichte Krankheitssymptome akzeptieren.

c **Ergänzen Sie die Varianten zu dem Satz in 2b.**

1 Anstatt dass man ______________________, sollte man eher leichte Krankheitssymptome akzeptieren.
2 Statt der Anwendung ______________________ sollte man eher leichte Krankheitssymptome akzeptieren.

Ich kann jetzt ...
- die Hauptpunkte eines kritischen Beitrags zu alternativen Heilmethoden verstehen.
- die Meinung des Autors zu einzelnen Aspekten des Themas erkennen.
- Modalsätze bilden.

1 Berufsvorstellung

Könnten Sie sich vorstellen, in einem medizinischen Beruf zu arbeiten? In welchem? Warum? Wo?

Ärztin / Arzt • Krankenschwester/pfleger • medizinisch-technische/r Assistent/in • Psychiater/in • Praxisassistent/in • Apotheker/in • ...

in einem Krankenhaus • in einer Praxis • in einem Labor

2 Informationsfilm „Pflege tut gut“ → AB 182/Ü22

a **Was erwarten Sie von einem Film mit diesem Titel?**

32 DVD

b **Sehen Sie den Film ohne Ton an. Bilden Sie drei Gruppen und machen Sie Notizen.**

Räume / Orte	Objekte im Krankenhaus	Tätigkeiten
der Gang / Korridor	der Wagen	Patienten wecken, waschen Werte notieren

c **Vergleichen und ergänzen Sie zunächst Ihre Notizen in Ihrer Gruppe. Tauschen Sie sich dann mit den anderen Gruppen aus und ergänzen Sie deren Notizen in der Tabelle.**

d **Sehen Sie den Film nun mit Ton in Abschnitten an.**

Abschnitt 1

1 Welchen Tagesablauf beschreibt Ina Stanger? Bilden Sie eine Reihenfolge.

- [ ] die Medikamente kontrollieren
- [ ] die Übergabe vom Nachtdienst
- [ ] die Patienten werden geweckt, manche gewaschen
- [1] Schichtbeginn um 6 Uhr
- [ ] Teambesprechung

2 Warum ist Ina Stanger Krankenschwester geworden? Notieren Sie.

Abschnitt 2

1 Welche Charaktereigenschaften sind für Pflegeberufe wichtig? Markieren Sie.

- [ ] Teamfähigkeit
- [ ] Flexibilität
- [ ] Karrierebewusstsein
- [ ] Organisationstalent

2 In welchem Verhältnis stehen Pflege und Medizin laut dem Chefarzt? Markieren Sie.

- [ ] Ärzte schätzen die Arbeit des Pflegepersonals mehr.
- [ ] Pfleger haben mehr Aufgaben als früher.
- [ ] Sowohl Pfleger als auch Ärzte arbeiten mehr als früher.

3 „Ohne die Pfleger würden die Patienten hier nicht so gut rausgehen.“ Was ist damit gemeint?

3 Pflege weltweit → AB 183/Ü23

Vergleichen Sie mit Ihrem Heimatland. Wie ist es bei Ihnen? Wo gibt es Unterschiede bei der Arbeit des Pflegepersonals in einem Krankenhaus?

Ich kann jetzt ...	😊	😐	☹
■ den Inhalt eines Informationsfilms über Pflegeberufe verstehen.	☐	☐	☐
■ Aufgaben und Tätigkeiten in einem Krankenhaus benennen.	☐	☐	☐
■ über die Arbeit von Pflegepersonal in meinem Heimatland berichten.	☐	☐	☐

1 Indefinitpronomen ⇤ KB 144/2; 146/3

a Funktion

Indefinitpronomen verwendet man, wenn man über unbestimmte oder nicht näher bekannte Sachen bzw. Personen spricht oder schreibt.

b Formen

	Singular				
Nominativ	man	(irgend)jemand	niemand	(irgend)etwas	nichts
Akkusativ	einen	(irgend)jemand(en)*	niemand(en)*		
Dativ	einem	(irgend)jemand(em)*	niemand(em)*		

	Singular	Plural
Nominativ	(irgend)einer, -e, -s	(irgend)welche
Akkusativ	(irgend)einen, -e, -s	(irgend)welche
Dativ	(irgend)einem, -er, -em	(irgend)welchen

	Singular	Plural
Nominativ	keiner, -e, -s	keine
Akkusativ	keinen, -e, -s	keine
Dativ	keinem, -er, -em	keinen

* Die Endungen bei Akkusativ und Dativ bei *(irgend)jemand* und *niemand* können weggelassen werden.
Statt des Genitivs, z. B. *irgendjemandes*, wird meist Dativ verwendet: *von irgendjemand(em)*

Indefinitpronomen werden – außer im Nominativ – dekliniert wie ein Artikel.

Wenn ihr irgendjemand**en** / ein**en** Teilnehmer aus unserem Kurs seht, gebt Bescheid.

11

2 Modale Zusammenhänge ⇤ KB 149/2, 152/2

Modale Konnektoren und Präpositionen drücken aus, auf welche Art und Weise etwas geschieht oder getan wird. Modalsätze werden verbal mit Konnektoren oder nominal mit Präpositionen gebildet. Dabei sind nominale Ausdrücke mit Präpositionen typisch für die Schriftsprache.

Verbal		Nominal	
Konnektor	**Beispiel**	**Präposition**	**Beispiel**
dadurch, dass	Man könnte Raucher vielleicht **dadurch** beeinflussen, **dass** man sie aus der Versicherung ausschließt.	**durch** + Akkusativ	**Durch** einen Ausschluss aus der Versicherung könnte man Raucher vielleicht beeinflussen.
indem*	Man kann sich das Rauchen abgewöhnen, **indem** man ein spezielles Pflaster verwendet.		**Durch** Verwendung eines speziellen Pflasters kann man sich das Rauchen abgewöhnen.
ohne dass	Die Anbieter versprechen schnelle Heilung, **ohne dass** sie dies objektiv begründen.	**ohne** + Akkusativ	Die Anbieter versprechen schnelle Heilung **ohne** objektive Begründung.
ohne ... zu	Die Anbieter versprechen schnelle Heilung, **ohne** dies objektiv **zu** begründen.		
(an)statt dass	Man sollte sich mehr bewegen, **(an)statt dass** man ständig am Computer arbeitet.	**statt** + Genitiv	**Statt** der ständigen Arbeit am Computer sollte man sich mehr bewegen.
(an)statt ... zu	Man sollte sich mehr bewegen, **(an)statt** ständig am Computer **zu** arbeiten.		

* *indem* kann nur verwendet werden, wenn die Subjekte im Haupt- und Nebensatz gleich sind.

12 SPRACHE UND REGIONEN

1 Ein Porträt → AB 187/Ü2

a **Sehen Sie das Foto an. Arbeiten Sie zu dritt. Beschreiben Sie den Mann.**

Alter • Nationalität • Wohnort • Muttersprache • Beruf • Hobby • Sport • Lebenstraum • Lebensmotto • Talent

b **Was glauben Sie, warum man über diesen Mann in der Presse berichtet? Verfassen Sie eine Bildunterschrift.**

c **Lesen Sie Ihre Bildunterschrift im Kurs vor und vergleichen Sie.**

1 Ein Fluss verbindet Länder und Regionen

a **Sehen Sie die Karte an. Wie viele Länder werden vom Rhein „berührt"?**

b **Berichten Sie.**

- Was wissen Sie über den Rhein und die Regionen, durch die er fließt?
- Waren Sie schon einmal am Rhein? Wo genau? Wie sieht die Landschaft aus?

2 Projekt „Das blaue Wunder"

2 ◀)) 27 a **Hören Sie die Einleitung einer Radioreportage. Welches Projekt wird vorgestellt?**

2 ◀)) 28 b **Hören Sie nun die Reportage. Notieren Sie Informationen und vergleichen Sie dann zu dritt.**

1 Von wo bis wo möchte Ernst Bromeis schwimmen?
2 Wie lang ist die gesamte Strecke?
3 Wie ist die Wassertemperatur?
4 Welche Ausrüstung braucht der Schwimmer?
5 Wie lang sind die täglichen Etappen?
6 Was passiert, wenn der Schwimmer eine Pause macht?

12

3 Ziel und Scheitern → AB 188/Ü3

2 ◀)) 28 a **Hören Sie die Reportage noch einmal. Worüber sprechen die Personen? Markieren Sie.**

Sie sprechen über ...

- ☐ Wasser als Ressource
- ☐ die Familie von Bromeis
- ☐ wasserscheue Menschen
- ☐ die Reaktion der Presse
- ☐ die Motive von Bromeis
- ☐ das Training als Vorbereitung
- ☐ das Team von Bromeis
- ☐ Schwimmen als Erfahrung

b **Warum hat Bromeis sein Projekt abgebrochen?**

c **Ergänzen Sie die Zusammenfassung der Reportage.**

Schwimmer • Aktion • Extremsport • Herausforderung • hinunterschwimmen • Mündung • zum Nachdenken bringen • niedrig • Wasser • Projekt

1 Der Schweizer Ernst Bromeis plante eine spektakuläre ______.
2 Er wollte den gesamten Rhein ______.
3 1200 Kilometer von der Quelle bis zur ______.
4 Das war eine große sportliche ______.
5 Leider scheiterte der ______.
6 Die Wassertemperaturen waren einfach zu ______.
7 Bromeis ging es nicht nur um den ______.
8 Wichtig war ihm auch der Respekt für das Element ______.
9 Deshalb wählte er „Das blaue Wunder" als Namen für sein ______.
10 Er wollte die Menschen ______.

4 Sprachliche Unterschiede im Deutschen

2 ◀)) 29 a **Hören Sie Auszüge aus der Reportage noch einmal. Welche Person haben Sie am besten verstanden? Vergleichen Sie die Aussprache der Sprechenden.**

b **Kennen Sie noch andere regionale Sprachvarianten des Deutschen? Nehmen Sie Personen, die Sie kennen, auf oder suchen Sie im Internet Hörbeispiele. Präsentieren Sie sie im Kurs.**

Wussten Sie schon? → AB 189/Ü4
In der Schweiz ist Deutsch neben Französisch, Italienisch und Rätoromanisch eine der vier Landessprachen. Schweizer verwenden ihre helvetische Varietät des Hochdeutschen hauptsächlich in geschriebenen Texten und z. B. auch in Informationssendungen im Fernsehen und im Radio sowie in der Kommunikation mit Ausländern. Der Uhrenkonzern Swatch betrat in dieser Hinsicht 2013 Neuland. Er veröffentlichte seinen Geschäftsbericht nicht nur auf Hochdeutsch, sondern auch auf Schweizerdeutsch. Die Präsidentin des Unternehmens bezeichnete diese Aktion als positive Provokation.

5 Erweitertes Partizip → AB 189–191/Ü5–8

GRAMMATIK
Übersicht → KB 168/1

12

a **Unterstreichen Sie die Wörter, die etwas näher beschreiben.**

Für mich ist der schnell sprechende Reporter ein echtes Problem.
Am liebsten höre ich dem langsam sprechenden Schweizer zu.
Die leicht anders klingenden Vokale finde ich sehr schön.

b **Schreiben Sie die Ausdrücke in erweiterte Partizipien um.**

1 Zuschauer, die applaudieren → applaudierende Zuschauer
2 Zuschauer, die begeistert applaudieren → ____

3 Rechnungen, die bezahlt wurden → ____
4 Rechnungen, die schon lange bezahlt wurden → ____

c **Welche Sätze aus 5b haben folgende Bedeutung? Ergänzen Sie.**

- Nicht abgeschlossen, aktive Bedeutung: Sätze ____
- Abgeschlossen, passive Bedeutung: Sätze ____

d **Sagen Sie es anders.**

1 der Junge, der ständig telefoniert — der ständig telefonierende Junge
2 das Mädchen, das Textnachrichten schreibt ____
3 E-Mails, die in Schweizerdeutsch verfasst werden ____
4 Sprecher, die Silben verschlucken ____
5 eine Sprache, die in kurzer Zeit gelernt wurde ____
6 eine Sprache, die verloren gegangen ist ____

Ich kann jetzt ...
- im Radio eine Reportage über Ziel und Erfolg eines Projekts verstehen.
- deutschsprachige Schweizer verstehen, wenn sie Hochdeutsch sprechen.
- mit Partizipien etwas präzise und knapp beschreiben.

SPRECHEN

1 Der Rhein als touristisches Ziel → AB 191–192 / Ü9–10

Stellen Sie sich vor: Sie beraten ein Tourismusunternehmen. Dabei geben Sie Anregungen, wie man das Reiseangebot auf die Bedürfnisse Ihrer Landsleute abstimmen kann. Sie sollen Ihre Ideen in einer Präsentation der Marketingabteilung vorstellen. Arbeiten Sie in Gruppen.

Schritt 1: Zielgruppe und Aktivität wählen

1 Wählen Sie eine Zielgruppe, für die Sie einen Reisevorschlag ausarbeiten.

Abenteuerlustige • Senioren • Erholungsbedürftige • Familien • historisch Interessierte • Sportbegeisterte • Singles • ...

2 Sehen Sie die Bilder an. Beschreiben Sie sie kurz.

3 Zu welcher der folgenden Touren passen die Fotos? Ordnen Sie zu.
- ☐ Wo der Rhein entspringt: der Tomasee
- ☐ Schlösser und Burgen
- ☐ Fahrradtour den Rhein entlang
- ☐ Im Kanu den Rhein hinunter
- ☐ Auf dem Schiff den Fluss entdecken

4 Wählen Sie nun für Ihre Zielgruppe einen der Vorschläge aus 3.

Schritt 2: Stoffsammlung und sprachliche Gestaltung

Recherchieren Sie zu Ihrem Reisevorschlag. Arbeiten Sie diese Teilaspekte aus:
- Aktivitäten
- Möglichkeiten zum Entspannen
- Ausrüstung: Fahrrad, Kanu, Bergsteigerausrüstung, Badekleidung, ...
- Verkehrsmittel: Zug, Schiff, Leihwagen, ...
- Verpflegung
- Übernachtung und Unterkünfte

Schritt 3: Material für die Zuhörer

Erstellen Sie ein Handout mit wichtigen Stichpunkten, das an alle Zuhörer verteilt wird. Es soll ihnen das Zuhören erleichtern und Informationen zu den Aspekten von Schritt 2 übersichtlich auflisten.

Schritt 4: Präsentation

1 Stellen Sie Ihren Reisevorschlag im Kurs vor.
2 Begründen Sie, was an dieser Reise der Höhepunkt ist und warum sie besonders interessant ist.
3 Die Zuhörer fragen nach, wenn etwas unklar ist.

eine Zielgruppe benennen und charakterisieren

„*Wir haben als Zielgruppe ... gewählt.*
In unserem Heimatland gibt es sehr viele ..., die gern einmal ...
Für sie wäre besonders wichtig, dass sie ... können.
Folgender Reisevorschlag ist für diese Zielgruppe geeignet: ..."

den Inhalt eines Reisevorschlags präsentieren

„*Es gibt eine Fülle von Aktivitäten: ...*
Täglich bieten wir ein Programm mit vielen Angeboten zum Entspannen: ...
Die Ausrüstung bringen die Gäste mit / wird gestellt.
Wir reisen hauptsächlich / ausschließlich mit ...
Frühstück gibt es ... Das Mittagessen wird ... eingenommen.
Zum Abendessen laden wir die Gäste zu ... Spezialitäten ein.
Die Gäste übernachten in einem / einer ..."

nachfragen

„*Zu einem Punkt hätte ich noch eine Frage.*
Könntet ihr bitte noch einmal sagen / erklären, ...
Einen Punkt habe ich nicht ganz verstanden. Warum ...? / Wie ...?"

12

Schritt 5: Feedback

1 Lesen Sie die Kriterien für eine Beurteilung und markieren Sie für jeden, der eine Präsentation gemacht hat, Ihre Beurteilung in der Tabelle. (☺ = super / 🙂 = gut / ☹ = nicht so gut)

Verständlichkeit	☺ 🙂 ☹
Inhalt (ausreichende Informationen)	☺ 🙂 ☹
Aufbau (Inhalt gut geordnet)	☺ 🙂 ☹
Sprache (Wörter, Sätze korrekt)	☺ 🙂 ☹
Sprechweise (Aussprache, Lautstärke, Tempo)	☺ 🙂 ☹
Körpersprache (angenehm, passend)	☺ 🙂 ☹
Medieneinsatz (Bilder, Handout, Folien)	☺ 🙂 ☹

2 Geben Sie sich gegenseitig Feedback.

Feedback geben / etwas bewerten

„*Das war eine sehr interessante Präsentation.*
Eure Präsentation hat mir ausgezeichnet gefallen.
Bei eurer Präsentation fand ich besonders ... interessant.
Wo ihr euch noch verbessern könntet, ist bei der / dem ..."

Ich kann jetzt ...	☺	🙂	☹
▪ eine Präsentation über ein touristisches Ziel erstellen und vortragen.	☐	☐	☐
▪ gezielt nachfragen.	☐	☐	☐
▪ Feedback zu einem mündlichen Vortrag geben.	☐	☐	☐

1 Wanderung von Wörtern → AB 192–194/Ü11–13

a Sehen Sie die Zeichnung an. Lesen Sie den Text und ordnen Sie die Wörter den Erklärungen zu.

der Kaffee • das Sakko • die Krawatte • ~~der Strudel~~ • der Schal • das Schlagobers • türkis

1 ______

Die Bezeichnung dieser Farbe kommt vom gleichnamigen Edelstein, der auf Französisch **turquoise** heißt, also *türkisch*. Vermutlich kamen die ersten dieser Schmucksteine aus der Türkei nach Frankreich. Von dort gelangte das Wort ins Deutsche.

2 ______

Diese Zutat zu vielen Desserts, Kuchen und Torten ist ein österreichisches Wort. In Deutschland sagt man dazu *Sahne*. Der Austriazismus ist auf dem Balkan verbreitet. In Bosnien, Kroatien und Serbien gibt es das Wort **šlag**.

3 ______

Stammt vom altfranzösischen **jacque** ab, was sich mit *Waffenrock* übersetzen lässt. Dieselbe Wurzel haben das *Jackett* und die *Jacke*.

4 ______

Der Begriff entstand, als kroatische Soldaten im Dreißigjährigen Krieg zur Unterstützung nach Paris kamen. Dort fielen sie durch ihre eleganten Halstücher auf, die bald zur Mode **à la croate** wurden.

5 der Strudel

Dieses Gericht kam vermutlich aus Asien während der türkischen Belagerung nach Wien. Der deutsche Begriff breitete sich in der gesamten österreichisch-ungarischen Monarchie aus und ist bis heute im Kroatischen als **štrudl**, **štrudla** und **štrudle**, im Bosnischen und Serbischen als **strudia** oder im Tschechischen als **strudi** verbreitet.

6 ______

Hat zwei mögliche etymologische Ursprünge: von der äthiopischen Region **kaffa**, wo die Pflanze herkommen soll, oder vom Arabischen **gahwa**, was auch Wein bezeichnete. In jedem Fall wanderte das Wort über das türkische **kahve** nach Europa ein.

7 ______

Hat seinen Namen vom persisch / arabischen **chalat**. Ursprünglich war er ein Umhang für den ganzen Körper. Erst nach seiner Ankunft in Europa schrumpfte er und wurde zum heute üblichen Accessoire.

b Welche deutschen Wörter sind in Ihre Sprache eingewandert? Sammeln Sie. Erklären Sie mögliche Bedeutungsänderungen.

Das deutsche Wort „Kindergarten" bezeichnet eine Tagesstätte für Kinder im Alter zwischen drei und sechs Jahren. Ins Englische muss es schon vor vielen Jahrzehnten eingewandert sein. Vielen ist gar nicht bewusst, dass es ein fremdes Wort ist.

2 Missverständnisse

2 ◀)) 30 **a Sehen Sie die Bilder an und hören Sie die Gespräche. In welchem Land finden diese Szenen statt? In Deutschland? In Österreich? In der Schweiz? Erklären Sie die Missverständnisse.**

1

2

3

4

Die erste Szene könnte vielleicht in Österreich spielen. Vermutlich geht es um die Sitzgelegenheit. Der einfache Holzstuhl passt für Deutsche irgendwie nicht zu dem Wort „Sessel", das Österreicher verwenden.

12

b Wie heißt das in Deutschland? Ergänzen Sie.

anfassen • die Aprikose • eventuell, möglich • ~~das Fahrrad~~ • grillen • der Junge • parken • der Quark • ~~das Rührei~~ • die Tagesordnungspunkte • die Tomate • umziehen

Österreich	Deutschland
die Eierspeis(e)	das Rührei
der Bub	
angreifen	
der Paradeiser	
die Marille	
der Topfen	

Schweiz	Deutschland
parkieren	
das Velo	das Fahrrad
zügeln	
grillieren	
die Traktanden (pl.)	
allfällig (auch österr.)	

c Kennen Sie noch weitere Beispiele für unterschiedliche Wörter mit der gleichen Bedeutung in den deutschsprachigen Ländern und Regionen? Sammeln Sie.

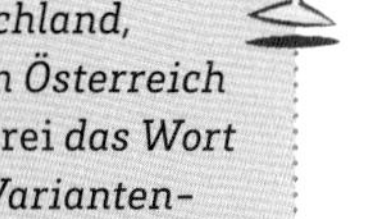

Wussten Sie schon? → AB 194/Ü14
Es gibt einige Unterschiede bei dem Wortschatz, der in Deutschland, Österreich, der Schweiz und Liechtenstein verwendet wird. In Österreich z. B. verwendet man für das in Deutschland übliche Wort Rührei *das Wort* Eierspeis(e). *In der Schweiz sagt man zum* Fahrrad Velo. *Im „Variantenwörterbuch des Deutschen" sind alle unterschiedlichen Wörter und Wendungen für die deutschsprachigen Länder aufgelistet und erklärt.*

Ich kann jetzt ...

	☺	😐	☹
■ Erklärungen zur Herkunft von Wörtern verstehen.	☐	☐	☐
■ Bedeutung und Hintergrund von Fremdwörtern in der eigenen Sprache erläutern.	☐	☐	☐
■ spezifische Wörter aus Deutschland, Österreich und der Schweiz verstehen.	☐	☐	☐

1 Sprache im Alltag – regionale Unterschiede → AB 194/Ü15

a **Lesen Sie die Aussagen von Menschen auf den Straßen von Hannover. Welche Fragen hat der Reporter den einzelnen Personen wohl gestellt?**

1

„Bei uns hier in Hannover soll man ja das beste Hochdeutsch in Deutschland sprechen. Meiner Meinung nach stimmt das auch."

2

„Ein Dialekt wird in Hannover nicht gesprochen. Aber im Umland von Hannover sprechen viele noch das niedersächsische Plattdeutsch."

3

„Sicherlich gibt es auch bei uns Dinge, die man nur in Hannover sagt. Allerdings hört man immer weniger typische regionale Besonderheiten."

4

„Wie in anderen Städten sprach man früher hier einen eigenen regionalen Dialekt. Aber die Jugend spricht nur noch Hochdeutsch. Und ‚Denglisch'!"

b **Lesen Sie nun den ersten Absatz eines Beitrags in einem Magazin für Deutschlernende. Haben Sie etwas Ähnliches auch schon erlebt? Sammeln Sie im Kurs.**

12

Hochdeutsch, was ist das eigentlich?

Wer einen Deutschkurs besucht, lernt erst einmal Hochdeutsch. Aber in Wirklichkeit spricht das kaum einer. Das merken Deutschlernende spätestens beim ersten Aufenthalt in Deutschland. Haben sie im Kurs beispielsweise „Guten Tag" gelernt, so werden sie auf der Straße ganz anders angesprochen: mit „Grüß Gott", „Moin, Moin" oder „Tach auch". Viele fragen sich daher: (5) Kann es sein, dass niemand Hochdeutsch spricht? Wurde diese Sprache vielleicht nur entwickelt, um den Deutschlernenden ein klares, einfaches Deutsch zum Lernen anzubieten?

c **Lesen Sie nun den Artikel. Ordnen Sie den Abschnitten die Überschriften zu.**

Hochdeutsch als gemeinsame Sprache — Die Entstehung des Hochdeutschen — Hochdeutsch – eine künstliche Sprache? — Die Zukunft der Dialekte

A ______________________

Was wir im Theater, Fernsehen oder Radio hören und was beispielsweise die Nachrichtensprecher sprechen, ist Hochdeutsch. Diese Sprache hat sich nicht natürlich entwickelt (10) wie die Dialekte, die auch Mundarten genannt werden. Während Dialekte über sehr lange Zeiträume gewachsen sind, wurde das Hochdeutsche als überregionale Norm geschaffen.

B ______________________

Der Entwicklungsprozess begann mit dem Reformator Martin Luther (1483–1546), der die Bibel aus dem Lateinischen ins Deutsche übersetzte. Dabei beeinflusste seine Sprache – (15) nämlich das Sächsische – die Bibelübersetzung. Ein weiterer Meilenstein für die Verbreitung des Hochdeutschen als Schriftsprache war die Erfindung des Buchdrucks durch Johannes Gutenberg (1400–1468). Die Bibel konnte so weit verbreitet werden.

In den Jahrhunderten nach Luther und Gutenberg hatte Preußen, also der Norden des heutigen Deutschlands, eine historisch wichtige Stellung. Dadurch wurden die Residenz- (20) städte des jetzigen Niedersachsens bedeutend, z. B. Hannover und Braunschweig. Das dort gesprochene Deutsch bekam Vorbildfunktion über seine Grenzen hinaus. Im Gegensatz dazu blieben die Sprachvarianten der anderen Regionen geografisch stark begrenzt.

C ______________________________

Alle Menschen im deutschsprachigen Raum mit Deutsch als Muttersprache können Hochdeutsch verstehen. Dagegen gibt es – vor allem in ländlichen Regionen – Menschen, die es nur selten oder gar nicht benutzen, da sie normalerweise ihren Dialekt sprechen. Das Hochdeutsche ist vor allem eine einheitliche Schriftsprache. Wie es richtig geschrieben werden sollte, legte Konrad Duden in seinem „Orthographischen Wörterbuch" (1880) zum ersten Mal fest. Heute bestimmt das der sogenannte „Rechtschreibrat".

D ______________________________

Die Vielfalt der Mundarten wird sicherlich weiter bestehen bleiben. Besonders in der gesprochenen Sprache. Dialekte werden als regionale Varianten vor allem auf dem Land weiter gesprochen werden.

d **Ergänzen Sie.**

1 Die Entwicklung des Hochdeutschen begann mit der Bibelübersetzung.
2 Wichtig für dessen Verbreitung war die Erfindung des Buchdrucks durch ______.
3 Die Sprache der Residenzstädte im heutigen Niedersachsen wurde zum ______.
4 Das Hochdeutsche ist das Ergebnis einer historischen ______.
5 Eine Rolle spielten auch Orthografie-Lexika wie die von ______.

2 Wie ist das in Ihrer Sprache?

Unterhalten Sie sich. Gibt es auch in Ihrer Sprache neben der schriftlichen Norm Dialekte im mündlichen Gebrauch?

3 Adversativsätze → AB 195–196/Ü16–19

GRAMMATIK
Übersicht → KB 168/2

a **Welche Bedeutung haben die Konnektoren in den folgenden Sätzen? Markieren Sie.**

☐ Alternative ☐ Gegensatz ☐ Aufzählung

- ***Während*** die regionalen Dialekte über sehr lange Zeiträume gewachsen sind, wurde das Hochdeutsche als überregionale Norm geschaffen.
- Das dort gesprochene Deutsch bekam Vorbildfunktion über Preußens Grenzen hinaus. ***Im Gegensatz*** dazu blieben die Sprachvarianten der anderen Regionen geografisch stark begrenzt.
- Alle Menschen im deutschsprachigen Raum können Hochdeutsch verstehen. ***Dagegen*** gibt es Menschen, die es nur selten oder gar nicht benutzen.

b **Schreiben Sie die Sätze anders.**

Jugendliche in deutschen Großstädten sprechen fast nur noch Hochdeutsch.
Auf dem Land wird man auch in Zukunft noch Dialekt hören.

- Jugendliche in deutschen Großstädten sprechen fast nur noch Hochdeutsch. Dagegen ...
- Während Jugendliche in deutschen Großstädten ...
- Im Gegensatz zu den Menschen auf dem Lande ...

Ich kann jetzt ...

- einem Fachartikel Informationen über die Geschichte der deutschen Sprache entnehmen. ☐ ☐ ☐
- eine Zusammenfassung eines Textes sachlich richtig ergänzen. ☐ ☐ ☐
- adversative Nebensätze verstehen und anwenden. ☐ ☐ ☐

SCHREIBEN

1 Zweisprachigkeit

a **Machen Sie eine Blitz-Umfrage im Kurs. Haben Sie Zwei- oder Mehrsprachigkeit selber erlebt?**

- Aus welcher Stadt / Region stammen Sie?
- Welche Sprache(n) sprechen Sie mit Ihren Eltern?
- Welche Sprache(n) sprechen Sie mit Ihren Freunden?
- Was wurde im Schulunterricht gesprochen?
- Was wird in den Medien gesprochen?

b **Sammeln Sie die Ergebnisse in dieser Übersicht.**

Heimatstadt / Region	Im Schulunterricht wurde ... gesprochen.	Ich spreche mit meiner Familie und mit Freunden ...	Im Radio und Fernsehen hört man ...
Barcelona / Katalonien	Katalanisch und Spanisch	Katalanisch	Katalanisch und Spanisch

12

2 Vor- und Nachteile von Zweisprachigkeit → AB 197/Ü20

Lesen Sie die Argumente von der Webseite „Bilingual erziehen". Markieren Sie Aspekte, die Sie besonders überzeugen.

BILINGUAL ERZIEHEN

Erfahrungen und Tipps

Herzlich willkommen ...
auf unserer Webseite zu Fragen rund um das Thema der mehrsprachigen Erziehung und der zweisprachigen Kinder. Hier finden Eltern aus verschiedenen Kulturen, oder Eltern, die im Ausland leben, viele Anregungen.

Vorab die meist genannten Vor- und Nachteile zweisprachiger Erziehung:

Vorteile

- Kinder, die mit zwei oder mehreren Sprachen aufwachsen, können diese so gut beherrschen wie Menschen, die mit einer Sprache aufwachsen.
- Zweisprachige Kinder haben meistens Vorteile beim Erlernen weiterer Sprachen.
- Kinder, die zweisprachig erzogen werden, können Informationen von einer Sprache auf die andere übertragen. Dadurch ist es ihnen möglich, ihr Vokabular auszubauen.
- Kinder, die zwei oder mehrere Sprachen erlernen, haben signifikante Vorteile im Wettbewerb um Stellen auf dem Arbeitsmarkt. Vor allem in Ämtern werden zunehmend zweisprachige Angestellte gesucht.
- Kinder, die mit verschiedenen Sprachen aufwachsen, haben auch als Erwachsene ein besonderes Gespür für kulturelle Unterschiede.

Nachteile

- Kinder, die zweisprachig aufwachsen, laufen Gefahr, keine Sprache richtig zu beherrschen. Damit können diese Heranwachsenden unter Umständen Probleme in der Schule bekommen.
- Kinder, die zweisprachig erzogen werden, können von einer einsprachigen Gesellschaft ausgegrenzt werden.
- Bei kleineren Kindern kommt es vor, dass sie wegen ihrer zweiten Sprache von Spielkameraden gehänselt werden. Dies kann negative Auswirkungen auf die Entwicklung des Selbstbewusstseins haben.
- Schwierigkeiten mit der Aussprache oder Grammatik können bei zweisprachig aufwachsenden Kindern noch deutlich schwieriger zu beheben sein als bei einsprachigen, da in jeder Sprache korrigiert werden muss.

3 Ihr Beitrag → AB 197/Ü21

Verfassen Sie einen Forumsbeitrag zu der Liste von Vor- und Nachteilen der Webseite „Bilingual erziehen". Denken Sie an eine Einleitung und einen Schluss. Schreiben Sie mindestens 150 Wörter.

- Äußern Sie Ihre Meinung, mit welchen Argumenten für oder gegen Zweisprachigkeit Sie einverstanden sind.
- Nennen Sie weitere Gründe, warum Sie für oder gegen eine zweisprachige Erziehung sind.
- Nennen Sie Aspekte, die bei der sprachlichen Erziehung von Kindern wichtig sind.
- Schreiben Sie, welche Rolle die Schule bei der Spracherziehung spielen sollte.

auf einen Beitrag Bezug nehmen

„*Ich habe Ihre Tipps mit großem Interesse gelesen.*
Ich möchte gern auf einen Punkt näher eingehen.
Einen Punkt finde ich besonders wichtig.
Ich würde gern noch einen anderen Punkt ansprechen / aufgreifen / hinzufügen."

den eigenen Standpunkt darlegen und begründen

„*Meiner Meinung nach spricht das Argument ... für / gegen eine zweisprachige Erziehung.*
Aus meiner Sicht sollte man das Argument ... besonders ernst nehmen.
Ich vertrete diese Meinung aus folgendem Grund: ...
Es gibt folgende gute Gründe für / gegen ..."

Argumente zurückweisen

„*Das sehe ich ganz anders.*
Das überzeugt mich nicht ganz.
Da kann ich Ihnen leider nicht zustimmen."

Einwände formulieren

„*Dagegen spricht, dass ...*
Ich verstehe Ihre Position, aber trotzdem / dennoch ...
Das ist ein Problem, weil ..."

12

4 Partizipien als Nomen → AB 197–198/Ü22–23

GRAMMATIK
Übersicht → KB 168/3

a **Ergänzen Sie.**

1 Personen, die in einer Firma oder in einem Amt angestellt sind, nennt man Ange_______.
2 Kinder und Jugendliche, die noch heranwachsen, nennt man Heranwachs_______.

b **Welche Endung passt?**

1 Mit Angestellt_____ in Ämtern kann man verschiedene Sprachen sprechen.
2 Zwei Sprachen zu beherrschen, ist für Heranwachsend_____ nicht immer leicht.

Ich kann jetzt ...

	☺	😐	☹
■ einen Beitrag zu einer Webseite schreiben.	☐	☐	☐
■ zu Aussagen anderer Stellung nehmen.	☐	☐	☐
■ Argumente für oder gegen Zweisprachigkeit formulieren.	☐	☐	☐
■ den eigenen Standpunkt begründen.	☐	☐	☐

1 Deutsch in Europa

Arbeiten Sie zu dritt. In welchen Staaten ist Deutsch Amtssprache? Markieren Sie.

☐ Österreich ☐ Dänemark ☐ Liechtenstein ☐ Deutschland ☐ Tschechien
☐ Belgien ☐ Luxemburg ☐ Italien ☐ Niederlande ☐ Schweiz

2 Dreimal Deutsch

a **Sehen Sie die Fotos an. Zu welchem gemeinsamen Thema passen sie wohl? Sprechen Sie.**

2 31–33 b **Hören Sie drei Aussagen. Welches Foto passt zu welcher Aussage? Ordnen Sie zu.**

Aussage 1: Foto ______ Aussage 2: Foto ______ Aussage 3: Foto ______

A
Altstadt
Città Vecchia

B
3 talen,
3 langues,
3 Sprachen,
1 ziel,
1 âme,
1 Seele,
een België
une Belgique
ein Belgien

C
E SCHÉINE BONJOUR VU LËTZEBUERG
EINEN SCHÖNEN GRUSS AUS LUXEMBURG
BIEN LE BONJOUR DU LUXEMBOURG

12

2 31–33 c **Hören Sie die Aussagen noch einmal. Was erfahren Sie über die Verwendung des Deutschen in Medien, öffentlichem Leben und Schulen? Ergänzen Sie.**

In Luxemburg: ______________________

In Südtirol: ______________________

In Belgien: ______________________

3 Wortbildung: Fugenelement -s- bei Nomen → AB 198/Ü24–25

GRAMMATIK
Übersicht → KB 168/4

a **Wann steht -s- zwischen den zusammengesetzten Nomen? Ergänzen Sie.**

Ankündigungstext • Diskussionsrunde • Eigentumswohnung • Tätigkeitsbereich • Dialektforschung • Freundschaftspreis • Grenzgebiet • Freiheitskampf • Mundartgedicht • Zwillingsbruder • Identitätsverlust • Nachbarregion

-s- steht nach -ung, ______________________

b **Erstellen Sie eine Übung für Ihre Lernpartnerin / Ihren Lernpartner. Schreiben Sie mindestens drei zusammengesetzte Nomen (mit oder ohne -s-) und lassen Sie in der Mitte eine Lücke. Ihre Lernpartnerin / Ihr Lernpartner ergänzt.**

Wohnung__wechsel
Literatur__preis
Aktion__tag

Ich kann jetzt ...
- benennen, wo Deutsch Amtssprache ist. ☐ ☐ ☐
- aus kurzen Aussagen die wichtigsten Informationen entnehmen. ☐ ☐ ☐
- in zusammengesetzten Nomen das Fugenelement -s- richtig anwenden. ☐ ☐ ☐

1 Ein besonderer Wettbewerb

a **Sehen Sie sich das Foto an. Welche Musikrichtung passt wohl zu dieser Band? Sprechen Sie.**

Jazz • Folk • Techno • Metal • Rap • ...

35 DVD

b **Sehen Sie jetzt einen Ausschnitt eines Films. Sprechen Sie.**

- In welcher Sprache wird hier wohl gesprochen und gesungen?
- Was davon haben Sie verstanden?
- Worum geht es in dem Film wohl?

c **Sehen Sie den Film nun in Abschnitten an.**

36 DVD

Abschnitt 1

Sprechen Sie.

- Wo spielt die Szene?
- Worüber unterhalten sich die Personen?

37 DVD

Abschnitt 2

1 Sehen Sie den Abschnitt an und lesen Sie auch die Untertitel. Sprechen Sie.

- Was für ein Wettbewerb ist „Plattsounds"?
- Warum gibt es den Wettbewerb?

2 Wie gefällt Ihnen Plattdeutsch? Sprechen Sie.

38 DVD

Abschnitt 3

Notieren Sie. Was erfahren wir über ...?

- die „Tüdelband"
- den Wettbewerb
- die Internetplattform

39 DVD

Abschnitt 4

Was meinen Sie:

- Welche Sprache spricht der Mann am liebsten?
- Warum wird am Ende das ältere Ehepaar noch einmal gezeigt?
- Was ist die Pointe des Films?

2 Diskussion → AB 199/Ü26

Lesen Sie den Anfang eines Presseberichts. Diskutieren Sie in kleinen Gruppen:

- Ist ein Musikwettbewerb eine gute Aktion, um eine regionale Sprache zu erhalten? Warum (nicht)?
- Was für andere Aktionen könnte man zu diesem Zweck anregen?

Mit dem Bandwettbewerb „Plattsounds" sollen Nachwuchs-Musiker für die niederdeutsche Sprache begeistert werden. Noch sprechen 2,6 Millionen Menschen in Norddeutschland Platt, vor 25 Jahren waren es allerdings doppelt so viele. „Sprache kann ganz schnell verloren gehen", sagte die Kultusministerin von Niedersachsen. „Wir befürchten zwar nicht, dass die niederdeutsche Sprache ausstirbt. Wir müssen aber etwas dafür tun, dass junge Leute sagen: ‚Plattdeutsch ist cool.'"

Ich kann jetzt ...

	😊	😐	☹
einen Film über eine regionale Sprache verstehen.	☐	☐	☐
über den Erhalt von regionalen Sprachen diskutieren.	☐	☐	☐

12

1 Erweitertes Partizip ⇤ KB 157/5

Das erweiterte Partizip kann wie der Relativsatz eine Person oder Sache genauer beschreiben. Es übernimmt die Funktion eines Adjektivs und wird vor allem in der Schriftsprache verwendet.

	Beispiel	Relativsatz
Partizip 1 ***nicht abgeschlossen, aktiv***	der ständig telefonierende Junge begeistert applaudierende Zuschauer	der Junge, der ständig telefoniert Zuschauer, die begeistert applaudieren
Partizip 2 ***abgeschlossen, (meist) passiv***	schon lange bezahlte Rechnungen eine in kurzer Zeit gelernte Sprache	Rechnungen, die schon lange bezahlt wurden eine Sprache, die in kurzer Zeit gelernt wurde

2 Adversativsätze ⇤ KB 163/3

Adversative Konnektoren drücken einen Gegensatz aus.

Konnektor	Beispiel
während	Auf dem Land wird man in Zukunft noch Dialekt hören, **während** Jugendliche in Städten fast nur noch Hochdeutsch sprechen.
dagegen	Jugendliche in Städten sprechen fast nur noch Hochdeutsch. **Dagegen** wird man auf dem Land in Zukunft noch Dialekt hören. / Auf dem Land wird man **dagegen** in Zukunft noch Dialekt hören.
im Gegensatz dazu	Jugendliche in Städten sprechen fast nur noch Hochdeutsch. **Im Gegensatz dazu** wird man auf dem Land in Zukunft noch Dialekt hören.

12

3 Partizipien als Nomen ⇤ KB 165/4

Sie ermöglichen eine kurze, geschlechtsneutrale Ausdrucksweise: *Liebe Studenten, liebe Studentinnen* = *Liebe Studierende*. Auch als Nomen wird das Partizip wie ein Adjektiv dekliniert.

die / der Angestellte	Tanja ist in der Stadtverwaltung angestellt.	Tanja ist Angestell**te** in der Stadtverwaltung. Mit allen Angestell**ten** kann man beide Landessprachen sprechen.
die / der Heranwachsende	Der Teenager Tim wächst heran.	Tim ist ein Heranwachsend**er**. Für Heranwachsend**e** ist Zweisprachigkeit meist kein Problem.

4 Wortbildung: Fugenelement -s- bei Nomen ⇤ KB 166/3

Das Fugenelement *-s-* verbindet die Teile eines zusammengesetzten Nomens. Es steht immer nach diesen Nachsilben.

-heit	Freiheit**s**kampf
-ion	Diskussion**s**runde
-ität	Identität**s**verlust
-keit	Tätigkeit**s**bereich
-ling	Zwilling**s**bruder
-schaft	Freundschaft**s**preis
-tum	Eigentum**s**wohnung
-ung	Ankündigung**s**text

ARBEITSBUCH

WIEDERHOLUNG WORTSCHATZ

1 Familiäre Beziehungen

Ergänzen Sie im Kreuzworträtsel. Die markierten Buchstaben ergeben das Lösungswort.

1 Wie heißt das Kindersprichwort? Verliebt, ..., verheiratet.
2 Meine Nichten sind immer höflich und benehmen sich sehr gut. Das liegt an ihrer guten ...
3 Hildegard und Erich sind seit 20 Jahren ein glückliches ...
4 Viele Kinder wachsen heute als Einzelkind ohne ... auf.
5 Claudia bekommt im September ein Baby. Sie ist jetzt im fünften Monat ...
6 Tim und Edith haben sich getrennt. Aber ihre ... ist immer noch sehr eng.
7 Wenn eine Ehe nicht mehr funktioniert, trennen sich manche Ehepaare und lassen sich ...
8 Mathilde und Franz feiern heute Goldene ... Sie sind schon seit 50 Jahren verheiratet.
9 In den westlichen Ländern gibt es immer weniger ..., dafür immer mehr ältere Menschen.

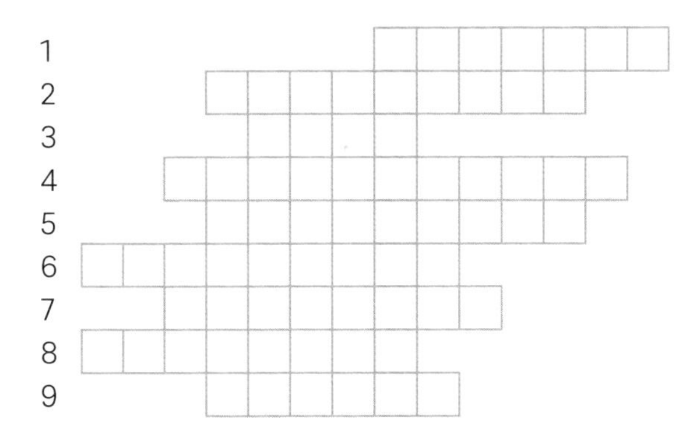

Wie heißt das Lösungswort? ______

zur Einstiegsseite, KB 89, Aufgabe 2

2 Familienrätsel ÜBUNG 1, 2, 3

HÖREN

a **Ergänzen Sie Carls Bericht über seine Familie.**

Stieftochter • leiblichen • früheren Beziehungen • im Haushalt • Ex-Frau • verheiratet • Ehe • Ehefrau • Trennung • ~~ungewöhnlich~~ • gehört • gemeinsame

„Mein Name ist Carl und ich lebe mit meiner Familie in München. Wir leben in einer Familien-Konstellation, die heutzutage nicht ungewöhnlich (1) ist. Mithilfe des Fotos kann ich das erklären. Vor mir steht meine neue Partnerin und jetzige ______ (2) Petra. Petra und ich haben zwei ______ (3) Töchter: Malina, auf dem Arm ihrer Mutter, und Johanna, vorne im Bild. Sie sind auf dem Foto ein und fünf Jahre alt. Zu meiner Familie ______ (4) aber auch mein Sohn Aaron, den man hinten in der Mitte auf dem Foto sieht. Aaron lebt aber ______ (5) seiner Mutter, Miriam, ganz rechts im Bild. Vor meiner zweiten Ehe war ich mit Miriam ______ (6). Außerdem gehört zu meiner Familie Camilla, die Petra mit in unsere ______ (7) gebracht hat. Camilla ist 12 Jahre alt und links im Bild zu sehen. Sie ist meine ______ (8) und lebt bei uns. Das heißt, in unserem Haushalt leben auch Kinder aus ______ (9). Andererseits leben nicht alle ______ (10) Kinder mit uns zusammen, wie man an meinem Sohn Aaron sieht. Miriam hat nach unserer ______ (11) auch einen neuen Partner, Danilo, gefunden. Er hat seine Tochter Leonie mitgebracht. Sie steht auf dem Foto vor meiner ______ (12)."

AB 37 b **Hören Sie und vergleichen Sie.**

zu *Wussten Sie schon?*, KB 90

3 Stiefmütter im Märchen ÜBUNG 4

LANDESKUNDE / LESEN

Was ist richtig? Markieren Sie.

Ehe*scheidungen*/*trennungen* (1) sind seit zwei *Generationen*/*Partnerschaften* (2) verbreitet. In einer *Kernfamilie*/*Patchwork-Familie* (3) bemühen sich die Erwachsenen, zu ihren „Stiefkindern" besonders fair zu sein. Sie möchten den Kindern eine *„heile"*/*gesunde* (4) Welt ermöglichen. Das Wort „Stiefmutter" weckt aber *Assoziationen*/*Erwartungen* (5) an Märchen wie „Aschenputtel" und „Schneewittchen". Als diese Märchen von den Gebrüdern Grimm aufgeschrieben wurden, gab es viele Kinder, deren *alleinerziehende*/*alleinlebende* (6) Väter eine neue Ehefrau suchten, weil ihre erste Frau *verstorben*/*verlassen* (7) war. Die *Nachfolgerin*/*Nachkommen* (8) der geliebten Mutter wurde zur ungeliebten Stiefmutter für die Kinder des Ehemanns. Die Stiefmütter wollten oft nicht *akzeptieren*/*ablehnen* (9), dass die *Stieftöchter*/*Schwiegertöchter* (10) zu jungen, hübschen Frauen wurden, während sie immer älter wurden. Viele Spielfilme beschäftigen sich mit dieser Eifersucht. Bei „Schneewittchen" haben viele *unwillkürlich*/*unwahrscheinlich* (11) den Disney-Klassiker vor Augen.

zu Hören 1, KB 91, Aufgabe 4

4 Zwischenmenschliches ÜBUNG 5

WORTSCHATZ

Was passt? Ordnen Sie zu.

Wenn man ...

1 eine Beziehung zu jemandem hat,
2 Vertrauen zu jemandem hat,
3 Verständnis für jemanden hat,
4 eine Wut auf jemanden hat,
5 Respekt vor jemandem hat,
6 Protest gegen etwas erhebt,
7 ein gutes Verhältnis zu jemandem hat,
8 eine Vorstellung von etwas hat,

A dann kann man die Person verstehen.
B dann ist man sehr ärgerlich auf diese Person.
C dann zeigt man, dass man nicht einverstanden ist.
D dann achtet und erkennt man diese Person an.
E dann erzählt man ihm Dinge, die man sonst niemandem erzählt.
F dann hat man eine positive Beziehung zu dieser Person.
G dann hat man eine (oft gefühlsmäßige) Verbindung zu der Person.
H dann macht man sich in Gedanken ein Bild von einer Sache.

WIEDERHOLUNG GRAMMATIK

zu Hören 1, KB 91, Aufgabe 4

5 Das Leben einer Patchwork-Familie

Ergänzen Sie die Verben in der richtigen Form und unterstreichen Sie die dazugehörenden Präpositionen.

~~verabreden~~ • bitten • sich freuen • sich trennen • sich unterhalten • erzählen • sich interessieren

Für unser Interview haben wir uns mit Anita Langer (35) in einem kleinen Café verabredet (1). Wir wollen ________ mit ihr über ihre Familie ________ (2). Sie lebt mit ihrem Lebensgefährten, Jochen Fischer (41), ihrem gemeinsamen Sohn Leon (5) und Jochens Eltern in einem kleinen Dorf in Sachsen. Schon freitags ________ (3) alle auf das Wochenende, denn da reisen Vera (13) und Markus (12) sowie Niko (13) an, die Kinder aus Anitas und Jochens erster Ehe. Die neue Familie hat vor acht Jahren zusammengefunden, nachdem ________ Anita und Jochen von ihren vorherigen Partnern ________ (4) hatten. Wir ________ (5) Anita darum, uns von ihrer Patchwork-Familie zu ________ (6). Wir ________ (7) besonders dafür, welches Verhältnis die Kinder zu ihren neuen „Müttern" oder „Vätern" haben.

zu Hören 1, KB 91, Aufgabe 4

6 Nomen mit Präposition

GRAMMATIK ENTDECKEN

a **Lesen Sie den Text aus 5 noch einmal und ergänzen Sie die zum Nomen gehörenden Präpositionen mit Kasus.**

die Verabredung	mit + Dativ	die Bitte	______
die Unterhaltung	______	die Erzählung	______
die Freude	______	das Interesse	______
die Trennung	______		

b **Was ist richtig? Markieren Sie.**

1 Der Wunsch ☒ nach ☐ von ☐ an einem eigenen Zimmer ist bei Kindern groß.
2 Manchmal empfinden die Kinder Wut ☐ auf ☐ nach ☐ mit den neuen Partner.
3 Das Verhältnis ☐ mit ☐ von ☐ zu den neuen „Eltern" ist nicht immer leicht.
4 Es gibt ganz unterschiedliche Vorstellungen ☐ von ☐ zu ☐ mit dem Zusammenleben in einer Familie.
5 Am Anfang fehlt den Kindern oft das Vertrauen ☐ zu ☐ bei ☐ mit dem neuen Partner.
6 Die neuen Partner sollten Verständnis ☐ auf ☐ über ☐ für die Probleme der Kinder haben.
7 Die Beziehung ☐ an ☐ zu ☐ von den Kindern des anderen Partners ist nicht immer einfach.
8 Entscheidend ist der Respekt ☐ über ☐ auf ☐ vor den Gefühlen der Kinder.

c **Markieren Sie.**

Oft – nicht immer – sind die Präpositionen bei Nomen und Verb ☐ gleich ☐ nicht gleich.
→ *sich streiten* ***mit*** *– der Streit* ***mit****; sich freuen* ***auf / über*** *– die Freude* ***auf / über***
aber: *vertrauen* ***auf*** *– das Vertrauen* ***zu****; sich interessieren* ***für*** *– das Interesse* ***an / für***

zu Hören 1, KB 91, Aufgabe 4

7 Interview mit der Mutter einer Patchwork-Familie

ÜBUNG 6, 7 GRAMMATIK

Ergänzen Sie die Präpositionen.

Interviewer: Frau Langer, wie würden Sie Ihre Beziehung zu (1) Niko, dem Sohn Ihres Partners aus erster Ehe, beschreiben?
Anita Langer: Niko hatte in der ersten Zeit eine große Wut ______ (2) mich, weil er dachte, ich will ihm seinen Vater wegnehmen. Wir haben sehr darauf geachtet, dass die neue Situation unsere Kinder nicht überfordert und die Gewöhnung ______ (3) den neuen Partner und dessen Kinder langsam passiert. Inzwischen haben die Kinder Vertrauen ______ (4) uns und zueinander.
Interviewer: Wie haben die Kinder gelernt, die neue Familie zu akzeptieren?
Anita Langer: Ich glaube, das Schlüsselerlebnis war ein Campingurlaub. Die „großen" Kinder haben zusammen in einem Zelt geschlafen. Diese Erfahrung hat bei ihnen den Wunsch ______ (5) Unabhängigkeit von den Erwachsenen ausgelöst. Sie konnten zusammen Blödsinn machen, das hat auch mal zum gemeinsamen Protest ______ (6) uns „Große" geführt. Darüber haben sie ein „Wir-Gefühl" entwickelt. Natürlich gibt es ab und zu Streit ______ (7) den Geschwistern.
Interviewer: Wie sieht die Nachbarschaft Ihre Patchwork-Familie?
Anita Langer: Die Antwort ______ (8) diese Frage ist nicht ganz einfach. Die meisten finden uns sympathisch und nehmen Anteil an unserem Alltag. Aber es gibt auch einige, die unsere Familienform seltsam finden.
Interviewer: Herzlichen Dank ______ (9) dieses interessante Gespräch, Frau Langer.

zu Wortschatz, KB 92, Aufgabe 2

8 Statistik „Haushalte & Familien" ÜBUNG 8, 9

WORTSCHATZ

a **Wie kann man die Veränderungen noch ausdrücken? Ergänzen Sie.**

~~steigen~~ • sinken • abnehmen • sich verringern • stagnieren • zunehmen

1 Die Zahl der Haushalte hat sich 2016 auf über 40 Millionen erhöht.
Die Zahl der Haushalte ist 2016 auf über 40 Millionen gestiegen.

2 Die durchschnittliche Haushaltsgröße hat sich dagegen verringert.
Die durchschnittliche Haushaltsgröße hat

3 Es gibt immer weniger Haushalte, in denen drei und mehr Generationen zusammenleben.
Die Zahl der Haushalte mit drei und mehr Generationen ist

4 29 % der Haushalte waren Zweigenerationenhaushalte. Doch auch deren Anteil an den Haushalten nimmt insgesamt ab.
Der Anteil der Haushalte mit zwei Generationen hat

5 In 30 % der Haushalte war 1991 mindestens eine Person im Seniorenalter. Dieser Anteil ist 2016 um 4 Prozentpunkte gestiegen.
Die Zahl der Haushalte mit Senioren hat seit 1991

6 Die Zahl der Geburten ist in den letzten zwei Jahrzehnten gleich geblieben.
Die Zahl der Geburten hat

b **Ergänzen Sie die Sätze durch die Redemittel aus dem Kursbuch (KB 93).**

1 Die Statistik gibt ________________ Haushalte & Familien.
2 Auf der Homepage des Statistischen Bundesamts wird darüber ________________, wie sich die Gesellschaft verändert hat.
3 Die Statistik ________ dar, wie viele Familien es 2016 in Deutschland gab.
4 Es wird erläutert, dass es 2016 wesentlich ________ Großfamilien gab, die zusammenwohnen, als früher.
5 Dagegen haben andere Formen des Zusammenlebens deutlich ________________.
6 Außerdem ist die Zahl der Senioren in den Familien ________________.

zu Wortschatz, KB 92, Aufgabe 2

9 Praktikum im Statistischen Bundesamt

SCHREIBEN

Sie machen ein Praktikum im Statistischen Bundesamt. Sie haben derzeit so viel zu tun, dass Sie Ihre Arbeit nicht mehr schaffen. Überlegen Sie sich eine passende Reihenfolge der Inhaltspunkte und schreiben Sie eine E-Mail an Ihre Vorgesetzte Frau Jansen. Schreiben Sie mindestens 100 Wörter.

Machen Sie einen Vorschlag, wie die Arbeit gemacht werden könnte.

Bitten Sie um Verständnis für Ihre Situation.

Zeigen Sie Verständnis für die Arbeitssituation im Bundesamt.

Beschreiben Sie, womit Sie beschäftigt sind.

7

zu Lesen 1, KB 94, Aufgabe 2

10 Interpretation: *Blütenstaubzimmer* ÜBUNG 10

WORTSCHATZ/SCHREIBEN

a **Lesen Sie noch einmal den Auszug aus dem Roman (KB 94–95). Was passt? Ordnen Sie zu.**

1 Lucy • 2 Vito • 3 Jo

- [1] Mutter von Jo, Mitte 40
- [ ] liest gern
- [ ] ist auf der Suche nach einem Partner
- [ ] Freund / möglicher neuer Partner von Lucy
- [ ] nimmt wenig Rücksicht auf ihre Tochter
- [ ] beobachtet genau
- [ ] legt Wert auf ihr Aussehen
- [ ] weiß nicht, dass Lucy eine Tochter hat

b **Ergänzen Sie das passende Nomen zu den Wörtern in Klammern.**

1 Die Ich-Erzählerin Jo will ihre __________ nicht zeigen und tut so, als ob sie sich nicht für das Leben ihrer Mutter interessieren würde. (neugierig)
2 Lucy hat wohl keine __________, dass ihre Tochter sie die ganze Zeit beobachtet. (ahnen)
3 Aus der __________ der Tochter benimmt sich die Mutter wie ein unreifer Teenager. (sehen)
4 Am schlimmsten ist für die Ich-Erzählerin vermutlich die __________ der Mutter, dass es einfacher sei, wenn sie sich als Schwestern ausgeben. (sich rechtfertigen)
5 In ihrem Roman klagt die Erzählerin mit aller __________ den Egoismus der 68-er-Generation an. (hart)
6 Aus den Reihen der Kritiker gab es fast nur positive __________ auf das Werk. (reagieren)

c **Wählen Sie aus und schreiben Sie über Lucy.**

Variante 1
Beschreiben Sie Lucy.
Schreiben Sie etwas über ...
- ihre körperliche Erscheinung.
- ihre familiäre Situation.
- ihren Charakter, ihr Verhalten.

Variante 2
Wie hat Lucy den Tag erlebt?
Schreiben Sie aus ihrer Sicht ...
- über ihre Aktivitäten während des Tages.
- über ihre Pläne für den Abend.
- über das Verhalten ihrer Tochter Jo.

zu Lesen 1, KB 94, Aufgabe 2

11 Adjektive

WORTSCHATZ

Ergänzen Sie in der richtigen Form.

beiläufig • intensiv • radikal • traditionell • ~~schwungvoll~~ • unbekümmert • vollständig

1 Eva bewegt sich trotz der hohen Schuhe ganz schwungvoll.
2 Eben fehlte noch jemand, jetzt ist die Gruppe __________.
3 Wir feiern unsere Hochzeit ganz __________ mit weißem Kleid.
4 Wenn man etwas erwähnt, ohne es zu betonen, sagt man es __________.
5 Die Eltern sorgen dafür, dass die Kinder ein __________ Leben haben können.
6 Durch die Scheidung hat sich das Leben meines Freundes __________ geändert.
7 Martin beschäftigt sich sehr __________ mit seinem Hobby, dem Kochen traditioneller Gerichte.

zu Lesen 1, KB 95, Aufgabe 3

12 Indirekte Rede – Gegenwart

GRAMMATIK ENTDECKEN

a **Lesen Sie den Artikel und unterstreichen Sie das, was indirekt gesagt wird.**

Fußballer-Ehe gescheitert

Wie die *Sportwoche* gestern erfahren hat, ist die Ehe des Profi-Fußballers Danny Becker gescheitert. Becker bestätigte, dass seine Ehe am Ende sei. Er sagte, seine Frau Sylvie und er würden nach zehn Jahren Ehe keine gemeinsame Zukunft mehr sehen. Becker meinte, er sei darüber unendlich traurig. Er erklärte jedoch, sie seien sich einig, dass sie Freunde bleiben wollten, Sylvie und er hätten keinen Streit. Er habe keine Ahnung, wie es weitergehe. Auf die Frage, wann er ausziehe oder ob er in der gemeinsamen Wohnung bleiben würde, antwortete Becker, er wisse es noch nicht.

b **Lesen Sie den Text in a noch einmal und ergänzen Sie den Konjunktiv I von *sein* und *haben*. Markieren Sie die Konjunktiv-I-Endungen bei *haben*.**

Konjunktiv I			
sein		***haben***	
ich sei	wir seien	ich habe	wir haben
du seist	ihr seiet	du habest	ihr habet
er / sie / es ______	sie / Sie ______	er / sie / es ______	sie / Sie haben

c **Warum steht in folgenden Sätzen der Konjunktiv II? Markieren Sie.**

... dass sie Freunde bleiben ***wollten****, Sylvie und er* ***hätten*** *keinen Streit. ...*

- ☐ Weil der Konjunktiv II eleganter ist als der Konjunktiv I.
- ☐ Weil der Konjunktiv I identisch ist mit dem Indikativ.
- ☐ Weil man den Konjunktiv I von *wollen* und *haben* nicht benutzt.

d **Lesen Sie den Text in a noch einmal und notieren Sie die Sätze, die die indirekte Rede einleiten.**

Danny Becker bestätigte, dass ... / ______

e **Das Interview mit Danny Becker. Was ändert sich in der direkten Rede? Ergänzen Sie mithilfe von a.**

Sportwoche: *Herr Becker, wir haben gestern erfahren, dass Ihre Ehe gescheitert ist. Ist es richtig, dass Sie sich von Ihrer Frau scheiden lassen?*

Becker: *Ja,* meine *Ehe ist am Ende.* (1) ______ *Frau Sylvie und* ______ ______ *nach zehn Jahren Ehe keine gemeinsame Zukunft mehr.* (2) ______ ______ *darüber unendlich traurig.* (3) *Aber* ______ ______ ______ *einig, dass* ______ *Freunde bleiben* ______. (4) *Sylvie und* ______ ______ *keinen Streit.* (5) ______ ______ *keine Ahnung, wie es* ______. (6)

Sportwoche: *Wann* ______ ______ ______? (7) *Oder* ______ ______ *in der gemeinsamen Wohnung?* (8)

Becker: ______ ______ *es noch nicht.* (9)

zu Lesen 1, KB 95, Aufgabe 3

13 Ehe-Aus ÜBUNG 11

GRAMMATIK

Schreiben Sie den Rest des Interviews in der indirekten Rede. Verwenden Sie eindeutige Formen.

Sportwoche: *Wie konnte es so weit kommen, Herr Becker?*
Becker: *Meine Frau und ich sind zu unterschiedlich, wir haben ganz andere Vorstellungen vom Leben und haben keine gemeinsame Perspektive mehr.*
Sportwoche: *Wechseln Sie nach der Trennung auch den Verein?*
Becker: *Diese Frage verstehe ich nicht. Was hat das mit der Trennung zu tun?*
Sportwoche: *Herr Becker, besuchen Sie und Ihre Frau noch einmal zusammen den Sportler-Ball?*
Becker: *Ich bitte um Verständnis, aber darauf kann ich nicht antworten.*
Sportwoche: *Herr Becker, wir danken für das Gespräch.*

Becker sagte, seine Frau und er seien zu unterschiedlich, ______ ______ ganz unterschiedliche Vorstellungen vom Leben und ______ keine gemeinsame Perspektive mehr. (1) Auf die Frage, ob ______ nach der Trennung auch den Verein ______, antwortete Becker, dass ______ diese Frage nicht ______, und was das mit der Trennung zu tun ______. (2) Die Sportwoche wollte noch wissen, ob ______ und ______ Frau noch einmal zusammen den Sportler-Ball ______ ______. (3) Becker erklärte, er ______ um Verständnis, aber darauf ______ ______ nicht antworten. (4)

zu Lesen 1, KB 95, Aufgabe 3

14 Indirekte Rede – Vergangenheit

GRAMMATIK ENTDECKEN

a **Lesen Sie das Interview und markieren Sie die Vergangenheitsformen in der direkten und indirekten Rede.**

Direkte Rede	Indirekte Rede
Sportwoche: *„Frau Becker, die Nation fühlt mit Ihnen. Sie waren das Traumpaar der letzten Jahre. Nun Ihre Trennung. Wie konnte es so weit kommen?"* Sylvie Becker: *„Aus meiner Sicht haben wir uns auseinandergelebt. Es war ein langsamer Prozess, der schon vor einiger Zeit begonnen hat. Nachdem wir das beide bemerkt hatten, haben wir uns zur Trennung entschlossen. Nur ich und Danny haben es zu verantworten, dass unsere Ehe nicht funktioniert hat. Ich bin froh, dass Danny gestern ins Trainingslager gefahren ist. So können wir beide etwas Abstand gewinnen."*	Aus ihrer Sicht hätten sie sich auseinandergelebt, sagte Sylvie Becker. Es sei ein langsamer Prozess gewesen, der schon vor einiger Zeit begonnen habe. Nachdem sie das beide bemerkt hätten, hätten sie sich zur Trennung entschlossen. Nur sie und Danny hätten es zu verantworten, dass ihre Ehe nicht funktioniert habe. Sie sei froh, dass Danny am Tag zuvor ins Trainingslager gefahren sei. So könnten sie beide etwas Abstand gewinnen.

b **Welche Form passt in der indirekten Rede? Markieren Sie.**

direkte Rede	indirekte Rede		
1 „es war"	☒ es sei gewesen	☐ es wäre gewesen	☐ es war gewesen
2 „ich hatte gehabt"	☐ sie hätte gehabt	☐ sie habe gehabt	☐ sie hatte gehabt
3 „wir haben gesehen"	☐ sie hätten gesehen	☐ sie hatten gesehen	☐ sie haben gesehen
4 „er ist gewesen"	☐ er war gewesen	☐ er sei gewesen	☐ er wäre gewesen

c **Ergänzen Sie.**

Konjunktiv I • Vergangenheitsform • *sein* • Partizip II

In der indirekten Rede gibt es nur eine ____________.
Man bildet sie mit dem ____________ oder Konjunktiv II von ____________ oder *haben* und dem ____________.

zu Lesen 1, KB 95, Aufgabe 3

15 Das Leben meines Vaters ÜBUNG 12 GRAMMATIK

a **Tom berichtet in der indirekten Rede von einem Gespräch mit seinem Vater.**

1 „Ich und mein Freund Jan haben in unserem Leben viel erlebt."
Mein Vater hat erzählt, ...
2 „Wir gingen nach Berlin und Oxford und studierten dort Philosophie."
Mein Vater hat berichtet, ...
3 „Dort lernte ich die klügsten und schönsten Frauen kennen."
Er ist der Meinung, ...
4 „Ich habe damals nur eine Frau wirklich geliebt."
Dann hat mein Vater mir verraten, dass ...
5 „Diese Frau hat meinen besten Freund Jan geheiratet."
Er hat mir auch anvertraut, ...
6 „Damals waren wir beide – Jan und ich – sehr unglücklich und hatten eine schwere Zeit."
Er hat betont, ...
7 „Ich bin dann auf einem Schiff nach Südamerika gefahren."
Außerdem hat er erzählt, dass ...

1 Mein Vater hat erzählt, er und sein Freund Jan hätten in ihrem Leben viel erlebt.

b **Wie könnte die Geschichte weitergehen? Schreiben Sie in der indirekten Rede.**

zu Schreiben, KB 96, Aufgabe 2

16 Diskutieren Sie mit! KOMMUNIKATION

a **Lesen Sie und markieren Sie, welcher Ausdruck passt.**

1 In dem Zeitungsartikel wird über den Vorschlag einer Politikerin ...
- a erklärt.
- b berichtet.
- c erwähnt.

2 Frau Scarpa möchte dazu ...
- a Besitz nehmen.
- b Stellung nehmen.
- c Rechtfertigung nehmen.

3 Sie ... hält nicht viel von einer „Ehe auf Zeit".
- a persönlich
- b allein
- c direkt

4 Sie sagt: „... sollte man die Paare ermutigen, auch schwierige Phasen gemeinsam durchzustehen."
- a Ich bin der Meinung
- b Meiner Meinung nach
- c Meine Meinung ist

5 Die Bedeutung der Ehe für die Gesellschaft wird ...
- a geäußert.
- b unterschätzt.
- c unterdrückt.

6 Ein kostenloser Eheberater wäre da doch ...
- a eine gute Absicht.
- b ein guter Eindruck.
- c eine gute Lösung.

AB 38 b **Hören Sie nun den Beitrag in einem Radiomagazin und kontrollieren Sie.**

WIEDERHOLUNG GRAMMATIK

zu Schreiben, KB 96, Aufgabe 3

17 Ehe auf Zeit oder für immer?

Lesen Sie den Eintrag einer Bloggerin und ergänzen Sie die Relativpronomen.

Die „Ehe auf Zeit" ist eine Idee, die ja gerade viel diskutiert wird. Ich vermute allerdings, dass hauptsächlich die Leute darüber diskutieren, deren (1) Ehen gescheitert sind. Sie wollen der Realität, in ______ (2) ja viele Ehen geschieden werden, etwas Neues entgegensetzen. Ein guter Freund, ______ (3) Sohn heiraten wollte, hat seinem Sohn von der Ehe abgeraten. Er hat argumentiert, es gebe zu viele Leute, bei ______ (4) die „Ehe auf Dauer" nicht funktioniert. Aber wo bleibt denn da die Romantik! Es ist doch schön, dass zwei Menschen, ______ (5) sich lieben, fest daran glauben, den Rest ihres Lebens miteinander zu verbringen! Es ist eine bewusste Entscheidung, ______ (6) sie treffen und hinter ______ (7) sie von ganzem Herzen stehen. Die Liebe, ______ (8) mit allen Regeln der Vernunft bricht, siegt in dem Moment über das Wissen, dass die Ehe scheitern könnte. Man heiratet, weil man an die Liebe glaubt.

zu Schreiben, KB 96, Aufgabe 3

18 Generalisierende Relativsätze

GRAMMATIK ENTDECKEN

Vergleichen Sie die Sätze und unterstreichen Sie die Unterschiede.

1 Alle, die in ihrer Beziehung glücklich sind, (die) müssen meiner Meinung nach nicht heiraten. Die Liebe wird durch die Ehe nicht größer.

2 Alle, die man beim Speed-Dating trifft, haben Probleme, einen Partner zu finden.

3 Menschen, die sich lieben und heiraten möchten, denen wünsche ich viel Glück!

4 Menschen, denen man nicht vertraut, die kann man auch nicht lieben.

1 Wer in seiner Beziehung glücklich ist, (der) muss meiner Meinung nach nicht heiraten. Die Liebe wird durch die Ehe nicht größer.

2 Wen man beim Speed-Dating trifft, der hat Probleme, einen Partner zu finden.

3 Wer sich liebt und heiraten möchte, dem wünsche ich viel Glück.

4 Wem man nicht vertraut, den kann man auch nicht lieben.

zu Schreiben, KB 96, Aufgabe 3

19 Liebe = Ehe? ÜBUNG 13, 14

GRAMMATIK

Formen Sie die Sätze um. Achten Sie beim Verb auf Singular und Plural.

1 Menschen, die sich lieben, brauchen keinen Trauschein, um glücklich zu sein.
2 Leute, die schon einmal verheiratet waren, werden sich eine neue Heirat besonders gut überlegen.
3 Jemand, der heiratet, dem ist Sicherheit besonders wichtig.
4 Die Person, der man sein Vertrauen schenkt, sollte man gut auswählen.
5 Menschen, die man liebt, sollte man beschützen.

1 Wer sich liebt, braucht keinen Trauschein, um glücklich zu sein.

zu Hören 2, KB 97, Aufgabe 2

20 Streitanlässe für Paare ÜBUNG 15 SCHREIBEN

a **Welche Textüberschrift passt? Lesen Sie und ordnen Sie je eine zu.**

- ☐ Tattoo aus Liebe – muss das sein?
- ☐ Soll er nicht mehr überholen?
- ☐ Warum will sie noch mehr Katzen?
- ☐ Muss er ihr Körperschmuck kaufen?
- ☐ Liebt sie ihre Katzen mehr als mich?
- ☐ Soll sie nicht mehr einsteigen?

A

Clara geht mit ihren beiden Katern um, als seien sie Menschen. Das bringt ihren Freund Lars auf die Palme. Neulich hat er eines der Tiere weggeschubst, als es ihn gekratzt hat. Da hat Clara den Kater getröstet, während ihr Lars egal war.

B

Fritz verändert seine Persönlichkeit, sobald er in seinem Sportwagen sitzt. Er rast und überholt gefährlich. Damit macht er seiner Freundin Rita Angst. Er selber findet, dass er ein guter Fahrer ist.

C

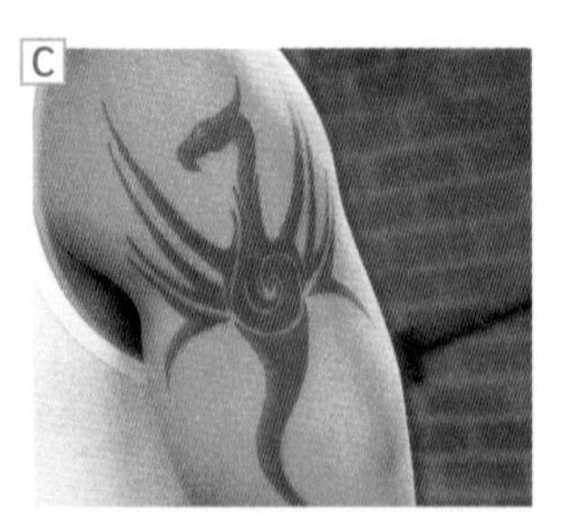

Silke schenkt ihrem Freund Thomas einen Gutschein für ein Tattoo: ein Drachenmotiv mit ihrem Namen. Thomas lehnt das Geschenk ab, weil er noch nicht weiß, ob er ewig mit Silke zusammen sein wird. Daraufhin ist Silke beleidigt.

b **Lars, Rita und Thomas sind verzweifelt und suchen Hilfe. Wählen Sie einen Fall aus und geben Sie Ratschläge.**

Lieber Lars,
hier ist mein Rat für Sie: Sie sollten Ihre Eifersucht auf Claras Katzen aufgeben. Sehen Sie ein, dass ...
Versuchen Sie auch, Claras Sicht ... Wenn Sie sich in den anderen / in Ihre Freundin hineinversetzen ...
In einem ruhigen Gespräch können Sie Ihrer Freundin vielleicht auch Ihren Standpunkt ...

zu Lesen 2, KB 98, Aufgabe 1

21 Wörter mit *Fern-*, *Nah-*, *weit-* ÜBUNG 16 WORTSCHATZ

a **Bilden Sie Nomen mit *Fern-* oder *Nah-* und ordnen Sie die Erklärungen zu.**

Fern- + | das Glas • das Licht • die Steuerung • ~~die Straße~~ • das Weh |

Nah- + | das Erholungsgebiet • die Aufnahme • der Verkehr • der Bereich |

1 breit und gut ausgebaut, verbindet entferntere Orte, ungeeignet für Fußgänger
2 Beleuchtung am Auto
3 optische Linsen, mit denen man weit entfernte Dinge sehen kann
4 setzt Spielzeugautos und -flugzeuge in Bewegung
5 wenn man Lust hat, auf Reisen zu gehen
6 zum Entspannen für die Bevölkerung in der Nähe einer Großstadt
7 Bus, Straßenbahn, U-/S-Bahn
8 ein in unmittelbarer Reichweite liegendes Gebiet
9 Format beim Foto und Film

1 die Fernstraße, 2 ...

b **Bilden Sie Wörter mit der Vorsilbe *weit-* und ergänzen Sie in der richtigen Form.**

gehend • gereist • ~~räumig~~ • reichend • sichtig • verzweigt

1 Wenn ein Unfall passiert ist, wird eine Straße oft weiträumig abgesperrt.
2 Wer ______ ist, hat viele Länder gesehen.
3 Wenn eine Entscheidung größere Änderungen bringt, spricht man von einer ______ Entscheidung.
4 Wer ______ ist, braucht eine Brille, um gut lesen zu können.
5 Größere Flüsse haben meistens ein ______ Netz von Nebenflüssen.
6 ● Wie weit bist du mit deiner Arbeit? ■ ______ fertig.

c **Schreiben Sie die Geschichte rechts weiter. Verwenden Sie mindestens sechs Wörter aus a und b.**

Unfallgefahr
Mia aus Frankfurt wollte nicht mehr mit dem Auto in die Arbeit fahren. Im Verkehrsbericht hatte sie gehört, ...

zu Lesen 2, KB 99, Aufgabe 3

22 Vergleichssätze

GRAMMATIK ENTDECKEN

a **Gute Tipps für Fernbeziehungen. Verbinden Sie die Satzteile.**

1 Je seltener Sie sich sehen,
2 Je mehr Unklarheiten Sie besprechen,
3 Je weniger Kontakt Sie haben,
4 Je kreativer und aktiver Sie auch in der Zeit ohne Ihre Partnerin / Ihren Partner sind,
5 Je romantischer ein Partner ist,

A umso wichtiger sind kleine Aufmerksamkeiten wie Blumen.
B umso schneller vergeht die Zeit ohne sie / ihn.
C desto mehr entfremden Sie sich voneinander.
D umso häufiger sollten Sie telefonieren.
E desto weniger Missverständnisse gibt es.

b **Ergänzen Sie die Sätze aus a in der Tabelle.**

Nebensatz			Hauptsatz	
je + Komparativ		Verb	*desto / umso* + Komparativ	Verb
1 Je seltener 2 ...	Sie sich	sehen,	umso häufiger	sollten Sie telefonieren.

zu Lesen 2, KB 99, Aufgabe 3

23 Meine Fernbeziehung ist klasse!

GRAMMATIK

Ergänzen Sie *je ..., desto / umso ...* sowie die Adjektivpaare in der richtigen Form.

Jeder hat seinen Freiraum und je seltener wir uns sehen, desto größer (1) ist die Sehnsucht. ______ der Alltag in eine Beziehung einkehrt, ______ (2) ist es, die Liebe zu erhalten. ______ man sich über herumliegende Socken aufregt, ______ (3) ist das für die Harmonie in der Partnerschaft. ☺ Und: Man darf nicht eifersüchtig sein! ______ man dem anderen vertraut, ______ (4) kann man die Beziehung führen. Bei uns ist es so: ______ wir uns kennen, ______ (5) sind wir. Und manchmal überlegen wir auch schon, ob wir zusammenziehen.

~~selten / groß~~
schnell / schwer
wenig / gut
viel / unbekümmert
lang / glücklich

zu Lesen 2, KB 99, Aufgabe 3

24 Fakten und Tipps ÜBUNG 17, 18, 19

GRAMMATIK

Bilden Sie Sätze mit *je ..., desto/umso ...*

1 Viele Ehen werden geschieden. Es gibt viele Patchwork-Familien.
2 Man muss flexibel auf dem Arbeitsmarkt sein. Es wird viele Fernbeziehungen geben.
3 Man wohnt weit auseinander. Die Kosten für Zug- oder Flugtickets sind hoch.
4 Man ist selbstständig. Man kann dem anderen gut seine Freiheit lassen.
5 Man bleibt bei einem Streit sachlich. Es lässt sich leicht eine Lösung für das Problem finden.

1 Je mehr Ehen geschieden werden, desto mehr Patchwork-Familien gibt es.

zu Sprechen, KB 100, Aufgabe 2

25 Binationale Familien ÜBUNG 20

SCHREIBEN

Sie haben eine Kopie des folgenden Zeitungsartikels bekommen. Leider ist der rechte Rand abgeschnitten. Rekonstruieren Sie den Text, indem Sie die fehlenden Wörter bzw. Wortteile an den rechten Rand schreiben.

Weltweit steigt ______ (a)
Zahl der binationalen Fam ______ (b)
und interkultureller Lebensfo ______ (c)
Berlin. In unserer Gesellschaft ist es inzwis ______ (1)
ganz normal, nicht in einem Land, sondern in ______ (2)
Welt zu Hause zu sein. Auch Beziehungen wer ______ (3)
durch die Globalisierung immer multikultureller. Je ______ (4)
fünfte Kind, das zurzeit in Deutschland gebo ______ (5)
wird, hat Elternteile aus verschiedenen Kultur ______ (6)
Experten zufolge liegt der Anteil weltweit no ______ (7)
höher. „Wir leben im Zeitalter der Globalisier ______ (8)
und der Mobilität", meint James Darkwin, Direk ______ (9)
des internationalen Netzwerks für multikulturel ______ (10)
Forschungen. „Das zeigt sich auch im Zusam ______ (11)
leben der Menschen." Urlaubsreisen oder Arbeit i ______ (12)
Ausland bringen Menschen aus Kulturkrei ______ (13)
zusammen, die sich früher wahrscheinlich nie getro ______ (14)
hätten. Auch in Zukunft wird die kulturelle Vielfalt i ______ (15)
der Welt wohl eher zunehmen als abnehmen.

zu *Wussten Sie schon?*, KB 101

26 Poetry Slam

LANDESKUNDE / LESEN

a **Überfliegen Sie den Text (AB 119) und ergänzen Sie eine Überschrift.**

- Sieger im Slam-Wettbewerb
- Der Dichter und der Applaus
- Freud und Leid eines Poetry Slammers

b **Lesen Sie nun den Text und ordnen Sie den Absätzen die Zwischenüberschriften zu.**

1 2 3 Wie der Alltag eines Slammers aussieht.
1 2 3 Wie ihm sein Leben als Slammer bisher gefallen hat.
1 2 3 Wie Jarawan zum Slammer wurde.

Pierre Jarawan ist Deutscher Poetry-Slam-Meister. Wie es sich mit diesem Titel lebt und was es bedeutet, vom Slammen zu leben, hat er für uns aufgeschrieben.

1 Als ich 13 war, fragte mich mein Vater, was ich einmal werden wolle. Ich antwortete, ich wolle Geschichtenerzähler werden, so wie er. Mein Vater war in Wahrheit Sozialarbeiter, aber mir erzählte er ständig Geschichten, die er sich selbst ausdachte. „Ich will vom Schreiben leben", behauptete ich dann mit 16, ohne richtig zu wissen, was das eigentlich bedeutet. Mit 20 betrat ich zum ersten Mal eine Bühne. Heute lebe ich vom Schreiben. Es ist weniger romantisch, als ich es mir mit 16 erträumt habe, aber traumhaft ist es trotzdem.

2 Ich trete also regelmäßig auf einer Bühne auf und trage meine selbst geschriebenen Texte vor. Manchmal als Ein-Mann-Show, manchmal mit anderen zusammen, manchmal hat das Ganze die Form eines Wettbewerbs, bei dem die Zuhörer einen Sieger des Abends wählen. Wenn man sich dafür entscheidet, vom Slammen zu leben, dann bedeutet das, fast alle Auftritte anzunehmen, die man kriegen kann, und viel unterwegs zu sein. Das habe ich drei Jahre lang so gemacht und es war wundervoll.

3 Doch irgendwann war ich irgendwo zwischen Kiel und Wien, zwischen Kirchheim und Wuppertal müde geworden. Das Reisen strengt an, wenn man an sechs Abenden in sechs verschiedenen Städten auftritt. Aber auf der Bühne zu stehen, das werde ich wohl niemals leid! In Kontakt mit dem Publikum zu sein, zu spüren, dass die eigenen Worte in einem fremden Menschen etwas auslösen können, das hat einen Zauber, dem man sich nur schwer entziehen kann.

c **Schreiben Sie drei Fragen zum Text. Ihre Lernpartnerin / Ihr Lernpartner beantwortet sie.**

27 Meine Familie

MEIN DOSSIER

a **Ergänzen Sie den Stammbaum mit den Namen Ihrer Familie.**

b **Schreiben Sie über sich und Ihre Familie.**

- Ihr Familienstand ...
- Mit Ihnen in einem Haushalt leben ...
- Wie viele Generationen sind das?
- Mit wem möchten Sie in zehn Jahren zusammenleben?

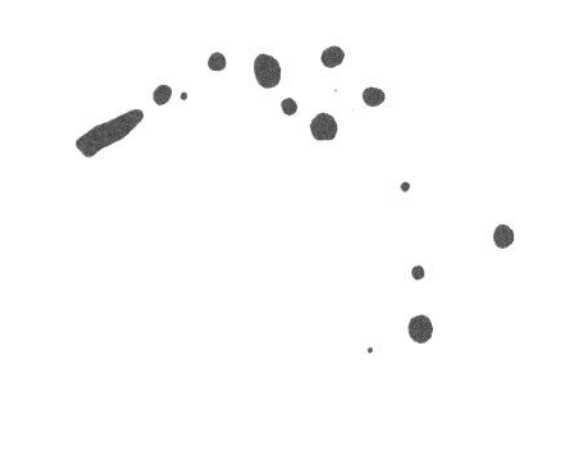

AUSSPRACHE: Prosodie

1 Poetry Slam

a Lesen Sie das Gedicht von Hellmuth Opitz. Warum gefällt es Ihnen (nicht)? Diskutieren Sie im Kurs.

Mein Toaster

Mein Toaster hält sich für was Besseres.
Wie er da steht und vornehm tut,
als sei er Unterhaltungselektronik
und nicht nur Toaster – aus Erfahrung gut.*

Ich weiß nicht, ob er sich für einen iPod hält,
so weiß gelackt mit einem Hauch von Edelstahl.
Wie jemand aus dem Music Business, so gibt er sich.
So lässig, cool – ja, fast halb illegal.

Wer kennt den Grund für seinen Größenwahn?
Er kann nicht tanzen, kann nicht singen.
Er ist kein DJ. Doch halt. Ab und zu, da lässt er schon
zwei schwarz gebrannte Scheiben springen.

Der Frühstückstisch bebt vor Erwartung.
Die Marmelade ist gut drauf.
Gleich hallt es wieder durch die Küche:
Jetzt legt MC Toaster auf!

* Aus Erfahrung gut: Werbespruch für Elektrogeräte der Firma AEG

AB 39 b Hören Sie eine Lesung des Gedichts. Wie ist die Emotion des Sprechers? Markieren Sie.

☐ belustigt ☐ ironisch ☐ froh ☐ verärgert ☐ nervös ☐ entspannt

c Sehen Sie die Zeilenenden an. Welche Wörter reimen sich? Unterstreichen Sie.

AB 39 d Hören Sie nun den Text noch einmal und markieren Sie, welche Wörter betont werden.

2 Ein Gedicht vortragen

a Arbeiten Sie in kleinen Gruppen. Üben Sie eine Strophe mit einer bestimmten Emotion. Achten Sie dabei auch auf Betonung und Pausen. Denken Sie außerdem darüber nach, an welcher Stelle Sie noch Gesten und Körpersprache einsetzen wollen.

b Jede Gruppe trägt ihre Strophe vor und die anderen raten, um welche Emotion es sich handelt.

EINSTIEGSSEITE, KB 89

die / der Ex
die Exfrau / der -mann
der Gatte, -n
die Konstellation, -en
die Stieftochter / der -sohn

leiblich

HÖREN 1, KB 90–91

die Assoziation, -en
das Bedürfnis, -se
die Generation, -en
die Patchwork-Familie, -n
der Protest, -e
der Respekt (Sg.)*
das Verhältnis, -se
die Wut (Sg.)

akzeptieren

multikulturell

WORTSCHATZ, KB 92–93

die / der Alleinerziehende
die / der Alleinstehende
das Drittel, -
die Grafik, -en
die Hälfte, -n
die Lebensform, -en
das Schaubild, -er
der Single, -s
die Statistik, -en
das Viertel, -

abnehmen, nahm ab,
hat abgenommen
sich erhöhen
sinken, sank, ist gesunken
stagnieren
steigen, stieg, ist gestiegen
sich verringern
zunehmen, nahm zu,
hat zugenommen

LESEN 1, KB 94–95

die 68er
die Ahnung, -en
die Einfachheit (Sg.)
der Einfachheit halber
die Härte, -en
die Neugier (Sg.)
die Reaktion, -en
die Rechtfertigung, -en
die Sicht (Sg.)
aus meiner / Ihrer Sicht
der Stapel, -

etwas äußern
eilen
fixieren
überhören

beiläufig
fulminant
radikal
schwungvoll
unbekümmert
vollständig

SCHREIBEN, KB 96

der Befürworter, -
der Bezug
Bezug nehmen auf (+ Akk.)
das Fazit (meist Sg.)
der Kreis, -e
in vielen Kreisen
die Scheidung, -en
die Verknüpfung, -en

befristen
scheitern

HÖREN 2, KB 97

das Klischee, -s

LESEN 2, KB 98–99

die Devise, -n
die Distanz, -en
die Fernbeziehung, -en
die Flexibilität (Sg.)
die Geste, -n
die Harmonie, -n
die Perspektive, -n
die Sehnsucht, ¨-e
der Zauber, -

sich austauschen
sich entfremden
etwas erfordern
umgehen mit, ging um,
ist umgegangen

auf etwas aus sein
ausgeglichen sein
etwas auf sich zukommen lassen,
ließ, hat gelassen

bedauernswert

SPRECHEN, KB 100

die Chancengleichheit (Sg.)
die Hinsicht, -en
in Hinsicht auf (+ Akk.)
die Identität, -en
die Perspektive, -n

schmatzen
sich einigen auf (+ Akk.)

bikulturell
binational

SEHEN UND HÖREN, KB 101

der Applaus (Sg.)
das Detail, -s
der Dichter, -

etwas vortragen, trug vor,
hat vorgetragen

* Nomen mit der Angabe (Sg.) verwendet man (meist) nur im Singular.
Nomen mit der Angabe (Pl.) verwendet man (meist) nur im Plural.

LEKTIONSTEST 7

1 Wortschatz

Was ist richtig? Markieren Sie.

1 Lea lebt in Berlin, ihr Freund in Ulm. Ihre *Fernbeziehung / Harmonie / Wohngemeinschaft* läuft gut.
2 Kurt liebt seine Unabhängigkeit. Er ist überzeugter *Gatte / Single / Ehemann.*
3 Olivia hat zwei Töchter aus erster Ehe, Johannes einen Sohn aus einer früheren Beziehung. Die 5-köpfige *Lebensform / Patchwork-Familie / Generation* wohnt in einem Haus auf dem Land.
4 Kleine Kinder untersuchen ihre Welt voller *Neugier / Sehnsucht / Wut.*
5 Vera lebt nur mit ihrem Sohn Jonas als *Alleinerziehende / Gleichgesinnte / Stiefmutter* in Nürnberg.

Je 1 Punkt **Ich habe ______ von 5 möglichen Punkten erreicht.**

2 Grammatik

a **Ergänzen Sie die Verben in der indirekten Rede und markieren Sie die richtige Präposition.**

Rita sagt, die aus den Medien bekannten Patchwork-Familien ______________ (haben) (1) alle Verständnis *für / von / zu* (2) einander. Es wird behauptet, sie ____________ (sein) (3) alle glücklich. Das ____________ (sein) (4) aber keine realistische Vorstellung *von / nach / zu* (5) einem solchen Zusammenleben. Sie erzählt, dass die Beziehung *vor / in / zu* (6) den Kindern ihres Freundes am Anfang nicht einfach ________________ (sein) (7). Die Kinder ____________ eifersüchtig auf Rita ____________ (reagieren) (8). Inzwischen ______________ (haben) (9) sie aber mehr Vertrauen *vor / zu / von* (10) ihr.

Je 1 Punkt **Ich habe ______ von 10 möglichen Punkten erreicht.**

b **Bilden Sie Relativsätze mit *wer, wen, wem* und schreiben Sie sie auf ein separates Blatt.**

1 Jemand, der keine Ratschläge annehmen will, dem ist nicht zu helfen.
2 Jemandem, dem man die Hand gibt, sollte man in die Augen sehen.
3 Jemanden, den ich nicht mag, den lade ich auch nicht zu meinem Geburtstag ein.

Je 1 Punkt **Ich habe ______ von 3 möglichen Punkten erreicht.**

c **Bilden Sie Sätze mit *je ... desto / umso* und schreiben Sie sie auf ein separates Blatt.**

1 Man ist jung. Man verliebt sich oft.
2 Man versteht sich gut. Die Beziehung ist stabil.
3 Man wird alt. Man hat viel Erfahrung.

Je 2 Punkte **Ich habe ______ von 6 möglichen Punkten erreicht.**

3 Kommunikation

Ergänzen Sie.

aussagen soll • gibt Auskunft über • im Vordergrund • hat ... zugenommen • einen Vorschlag • doppelt so viele

1 Eine Statistik ________________ Zahlen und Entwicklungen zu einem bestimmten Thema.
2 Die Zahl der Zwei-Personen-Haushalte ______ in den letzten 100 Jahren ____________.
3 Es gibt heute mehr als ________________ Zwei-Personen-Haushalte als vor 100 Jahren.
4 Das Foto gefällt mir nicht gut und ich weiß auch nicht genau, was es ____________.
5 Bei diesem Bild steht die harmonische Beziehung zwischen den Partnern ____________.
6 Ich hätte ____________: Lasst uns doch das Foto nehmen, auf dem auch Kinder zu sehen sind.

Je 1 Punkt **Ich habe ______ von 6 möglichen Punkten erreicht.**

Auswertung: Vergleichen Sie mit den Lösungen (AB 209).
Ihre Erfolgspunkte tragen Sie unter jeder Aufgabe ein.

Ich habe ______ von 30 möglichen Punkten erreicht.

☺	☺	☹
30–24	23–18	17–0

7

WIEDERHOLUNG WORTSCHATZ

1 TOP 10! Was ich gern mag

Ergänzen Sie die Verben in der richtigen Form und bringen Sie die Sätze für sich in eine Reihenfolge von 1 „sehr gern" bis 10 „nicht so gern".

~~beißen~~ • entspannen • genießen • halten • grillen • löschen • kaufen • quatschen • verbringen • bestellen

- ☐ Beim Brunch in ein knackiges Brötchen beißen.
- ☐ Auf der Terrasse eines Cafés langsam ein Stück Schwarzwälder Kirschtorte ______
- ☐ Gut und viel essen und trotzdem das Gewicht ______
- ☐ Den Durst mit einer großen Flasche Mineralwasser ______
- ☐ In der Kantine mit Kollegen beim Kaffee über den Chef ______
- ☐ Schöne Stunden mit Freunden in einem Spezialitätenrestaurant ______
- ☐ Im Sommer mit Freunden am Fluss sitzen und zusammen etwas Leckeres ______
- ☐ Im Supermarkt meine Lieblingschips und Lieblingsschokolade ______
- ☐ Nach einem anstrengenden Arbeitstag am Abend im Biergarten ______
- ☐ Am Kiosk eine Bratwurst mit einer großen Portion Pommes ______

zu Lesen 1, KB 104, Aufgabe 1

2 Fleischloses liegt im Trend ÜBUNG 1

HÖREN

8

AB 40 a **Wer ist für (pro), wer gegen (kontra) Vegetarismus? Hören Sie und markieren Sie.**

	Pro	Kontra	Argumente
1 Frau Bader	☒ ✓	☐	Ethische Beweggründe: Man darf Tiere nicht töten.
2 Herr Mörs	✓	☐	
✓ 3 Herr Bunz	☐	✓	wichtige Eisen, Mineralstoffe. Vegetarismus nicht gut für das Körper alles in mein
✓ 4 Frau Böhm	~~✓~~	✓	Das Krieg)
5 Frau Lauber	☐	☐	
	☐	☐	...

AB 40 b **Hören Sie noch einmal und notieren Sie in der Tabelle in a Stichpunkte zu den Argumenten.**

c **Finden Sie weitere Argumente für oder gegen Vegetarismus und ergänzen Sie.**

zu Lesen 1, KB 104, Aufgabe 1

3 Was passt zusammen? ÜBUNG 2, 3

WORTSCHATZ

a **Bilden Sie zusammengesetzte Nomen mit Artikel.**

1 Mangel	A der Stoff	1 die Mangelerscheinung
2 Entwicklungs	B der Mangel	2
3 Massen	C die Erscheinung	3
4 Mineral	D das Land	4
5 Nährstoff	E das Wunder	5
6 Wirtschafts	F die Tierhaltung	6

b **Erläutern Sie drei der Begriffe.**

Wenn ein Mensch sehr blass im Gesicht ist, kommt das vielleicht von einem Mangel an Eisen. Die blasse Haut ist eine Mangelerscheinung.

WIEDERHOLUNG GRAMMATIK

zu Lesen 1, KB 105, Aufgabe 2

4 Gesunde Ernährung

a Ergänzen Sie *müssen* und *sollen* in der richtigen Form.

1 Markus hatte keine Wahl, er mussste abnehmen, denn er wog zu viel.
2 Markus ______ weniger Fleisch essen und weniger Cola trinken. Das war der Rat seines Arztes.
3 Seine Fitness-Trainerin meint, dass er sich mit einer Ernährungsgruppe treffen ______.
4 Wenn Markus eine gute Figur bekommen will, ______ er auch Sport treiben. Dazu gibt es keine Alternative.
5 Die Frau von Markus sagt: „Markus, der Arzt hat angerufen. Du ______ am Montag zu ihm in die Sprechstunde kommen."

b Ergänzen Sie *Rat / Empfehlung, Notwendigkeit* oder *Aufforderung* mit dem unbestimmten Artikel in der richtigen Form.

Müssen benutzt man, wenn man ______ ausdrücken will, bei der man keine Wahl hat. *Sollen* benutzt man bei ______.
Bei der Bedeutung ______ steht *sollen* im Konjunktiv II.

zu Lesen 1, KB 105, Aufgabe 2

5 Subjektive Bedeutung des Modalverbs *sollen*

GRAMMATIK ENTDECKEN

a Unterstreichen Sie *sollen* und das dazugehörige Verb.

1 Die Sängerin Ariane soll sich vegan ernähren. [G] Den Tieren zuliebe soll sie schon seit einem halben Jahr auf Fleisch verzichten. ☐
2 Die Laune von Justus Marder soll extrem schlecht sein ☐, seit er sich vegetarisch ernährt.
3 Carmen Daize soll in ihrem aktuellen Film besser geschminkt werden. ☐ Die Presse hatte bei der letzten Oscar-Prämierung heftig ihr unnatürliches Make-up kritisiert.
4 In einem Film spielt Leon DeCapo einen dicken Gangsterboss. Er soll für diese Rolle zehn Kilo zugenommen haben. ☐
5 Kati soll mit dem Mann ihrer besten Freundin beim Essen gesehen worden sein. ☐ Ist ihre Ehe in der ersten Krise?

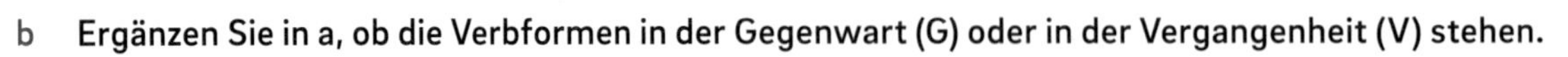

b Ergänzen Sie in a, ob die Verbformen in der Gegenwart (G) oder in der Vergangenheit (V) stehen.

c Schreiben Sie die Sätze aus a ohne *sollen*.

1 Ich habe gelesen, dass sich die Sängerin Ariane in Zukunft vegan ernährt und dass sie den Tieren zuliebe schon seit einem halben Jahr auf Fleisch verzichtet.
2 Angeblich ______
3 Man sagt, dass ______
4 Es wird behauptet, dass ______
5 Laut einer Meldung der BUNT-Zeitung ______

zu Lesen 1, KB 105, Aufgabe 2

6 Haben Sie das schon gehört? Ob das wohl stimmt? ÜBUNG 4, 5 GRAMMATIK

Bilden Sie Sätze mit *sollen*.

1 Pink-Diät: Einige Prominente ernähren sich angeblich dreimal pro Woche ausschließlich von rosafarbener Nahrung wie Himbeeren, Lachs oder Grapefruit. Diese Lebensmittel sind zwar gesund, aber für eine ausgewogene Ernährung fehlen Ballaststoffe.
Pink Diät: Einige Prominente sollen sich dreimal pro Woche ausschließlich von rosafarbener Nahrung wie Himbeeren, Lachs oder Grapefruit ernähren.
Diese Lebensmittel sind zwar gesund, aber für eine ausgewogene Ernährung fehlen Ballaststoffe.

2 In Rom gibt es eine Eisdiele, in der ungewöhnliche Eissorten verkauft werden. Es wird behauptet, dass sogar schon Sorten mit Schimmelkäse-Geschmack angeboten worden sind.
In Rom gibt es eine Eisdiele, in der ungewöhnliche Eissorten verkauft werden. ____________

3 In Schottland geht man gern eigene Wege. Es heißt, dass ein frittierter Mars-Riegel der absolute Lieblingsnachtisch vieler Schotten ist.
In Schottland geht man gern eigene Wege. ____________

4 Wissenschaftler behaupten: Insekten haben einen hohen Eiweißgehalt und ihr Verzehr ist gesundheitsfördernd. In Asien hat man das schon längst erkannt.
____________ . In Asien hat man das schon längst erkannt.

5 Seegurken sind kein Gemüse! Es sind Meeresbewohner mit stacheliger Haut.
Man sagt, dass sie in Spanien als Spezialität gelten und mit Nudeln serviert werden.
Seegurken sind kein Gemüse! Es sind Meeresbewohner mit stacheliger Haut. ____________

6 Laut einer Studie interessieren sich 1,5 Millionen Deutsche für exotische Gerichte.
1,5 Millionen Deutsche ____________

zu Hören, KB 106, Aufgabe 2

7 Lebensmittelskandale HÖREN

AB 41

Hören Sie die Radionachrichten zum Thema „Lebensmittelskandale". Entscheiden Sie beim Hören, ob die Aussagen richtig (R) oder falsch (F) sind.

	R	F
1 Das Fleisch des Großhändlers durfte seit zwei Jahren eigentlich nicht mehr verkauft werden.	☐	☐
2 Die Hygienemängel bei der Bäckerei „Backmeister" wurden zum ersten Mal festgestellt.	☐	☐
3 Konventionell hergestellte Lebensmittel wurden als biologisch produzierte Lebensmittel verkauft.	☐	☐
4 Die Eier stellen wahrscheinlich keine direkte Gesundheitsgefahr für die Verbraucher dar.	☐	☐
5 Alle Hähnchenfleisch-Proben aus Supermärkten sind mit Keimen belastet.	☐	☐

8

zu Hören, KB 106, Aufgabe 2

8 Aushilfsjob in der Küche ÜBUNG 6 SCHREIBEN

Um Ihre Deutschkenntnisse zu verbessern, haben Sie im Frühjahr in Frankfurt als Aushilfe (siehe Inserat) in einem Hotel gejobbt. Bei der Bewerbung hatte Ihnen eine Jobbörse geholfen. Der Aushilfsjob hat überhaupt nicht Ihren Erwartungen entsprochen. Sie haben sich bereits Notizen dazu gemacht. Schreiben Sie eine Beschwerde-E-Mail an die Jobbörse, in der Sie auf alle Notizen eingehen. Beachten Sie dabei auch die formalen Kriterien dieser Textsorte (Anrede, Grußformel).

zu Sprechen 1, KB 107, Aufgabe 2

9 Seemannskost – Zutaten und Zubereitung ÜBUNG 7 KOMMUNIKATION

a **Ordnen Sie die Maßeinheiten zu. Manche passen mehrfach.**

Gramm (g) • Liter (l) • Milliliter (ml) • Prise • Stück • ~~Teelöffel (TL)~~

Kartoffeln	500
Milch, Brühe	je 125 oder ⅛
Zwiebeln	1
Corned Beef (Rindfleisch)	340

Rote Beete	50
Butter / Margarine	10
Pfeffer	1
Meersalz	¼ Teelöffel (TL)

b **Ergänzen Sie die Redemittel aus dem Kursbuch (KB 107).**

Labskaus ist ein typisches Gericht (1) aus Hamburg. _______________ (2) ungewöhnlichen Namen vermutlich von Seeleuten aus Norwegen. Die Zubereitung dauert insgesamt etwa 45 Minuten. Man _______________ (3) zuerst die Kartoffeln, _______________ (4) sie für circa 20 Minuten und gießt sie ab. Man macht Milch und Fleischbrühe heiß, gibt die Flüssigkeit zu den Kartoffeln und zerdrückt sie zu einem lockeren Kartoffelbrei. Die geschälte Zwiebel _______________ (5) man zuerst in kleine Würfel. Dann _______________ (6) man die Zwiebeln in Butter oder Margarine, bis sie glasig sind. Anschließend _______________ (7) man die Zwiebeln mit dem Kartoffelbrei. Schließlich _______________ (8) man das Corned Beef in kleine Würfel und gibt sie zur Mischung hinzu. Die fein gehackte Rote Beete hebt man unter. Zum Schluss würzt man alles mit Pfeffer und Meersalz. Meist werden Gewürzgurken, Spiegeleier oder Rollmöpse dazu serviert. Das Gericht _______________ (9) gut gewürztem Kartoffelbrei mit Fleisch – einfach köstlich! Dazu _______________ (10) ein kühles Bier oder Wasser.

zu Sprechen 1, KB 107, Aufgabe 2

10 Ein Gericht, das mich an zu Hause erinnert

SCHREIBEN

a **Lesen Sie den Blogbeitrag und unterstreichen Sie die Satzanfänge. Warum ist der Text gut aufgebaut? Markieren Sie.**

Weil die Sätze ...

- ☐ nie mit einem Nebensatz anfangen.
- ☐ mit dem Subjekt anfangen.
- ☐ kurz sind.
- ☐ variieren und meist an den vorigen Satz anknüpfen.

Ich reise gern und ziemlich viel in Europa herum. Unterwegs fehlt mir manchmal das gemeinsame Essen mit meiner Familie. Insbesondere das Essen von Reibekuchen ist für mich immer ein Gefühl von Heimat. Wenn unsere ganze Familie zusammen ist, sagt meistens einer: „Reibekuchen haben wir schon so lange nicht mehr gegessen!" Meine Oma nimmt dann alle Pfannen aus dem Schrank. Während alle durcheinander reden, schält Oma mit ein paar Helfern jede Menge Kartoffeln und verarbeitet diese mit einigen Zutaten zu einem Teig. Die Reibekuchen werden in heißem Öl auf beiden Seiten goldbraun gebacken. Dazu passt am besten Apfelmus. Wunderbar! Nach spätestens fünf Minuten ist die jeweils neue Ladung komplett aufgegessen. Wenn ich mal wieder im Zug sitze und etwas Hunger habe, denke ich, wie schön jetzt so ein Reibekuchen wäre.

b **Schreiben Sie nun selber einen Blogbeitrag über ein Gericht. Beantworten Sie dabei die folgenden Fragen:**

- Welches Gericht hat für Sie eine besondere Bedeutung?
- Welche Emotionen verbinden Sie mit dem Gericht?
- Wie bereitet man dieses Gericht zu?
- Zu welchem Anlass wird das Gericht gegessen?

WIEDERHOLUNG GRAMMATIK

zu Wortschatz, KB 108, Aufgabe 2

11 Wie schmeckt Bio?

Unterstreichen Sie die Endungen der *kursiv* gedruckten Nomen und ordnen Sie die Nomen dann in die Tabelle ein.

Kann man Bio-Qualität schmecken?

Eine Familie, die sehr auf ihre *Gesundheit* achtet, hat für uns einen Geschmackstest gemacht: Vater (*Wissenschaftler*), Mutter (Dozentin für *Pädagogik*), Sohn (*Student* und *Praktikant*) und eine Austauschstudentin aus Japan (studiert *Musik* und *Philosophie*). Sie haben verschiedene Produkte aus einem landwirtschaftlichen Betrieb (Fleisch, Obst und Gemüse), aus einer *Bäckerei* (Brot und *Brötchen*) und aus einer *Brauerei* (Bier) für uns verglichen. Dabei wussten sie nicht, was biologisch hergestellt ist und was nicht. Das *Ergebnis* ist nicht wirklich eine Neuigkeit: Bio kann man schmecken.

der	die	das
Wissenschaftler	Gesundheit	

zu Wortschatz, KB 108, Aufgabe 2

12 Nominalisierung von Verben

GRAMMATIK ENTDECKEN

a **Wie heißen die Verben zu den unterstrichenen Nomen? Schreiben Sie.**

Eindeutig waren die Resultate bei Apfel, Karotte und Käse zwischen biologischer und nicht-biologischer Erzeugung. Bei diesen Produkten fanden alle vier Tester das Bio-Produkt besser. Bei Brot und Gebäck war der Unterschied im Geschmack geringer. Beim Apfelsaft haben drei von vier Testern den Bio-Apfelsaft am Geschmack, Geruch und Aussehen erkannt. Man kann also – zu unserer großen Freude – im Vergleich das „Bio" auch im Bio-Apfelsaft herausschmecken. Das wird unserer Meinung nach alle Verbraucher freuen, die bei biologischen Nahrungsmitteln nicht auf Genuss verzichten wollen. Wenn Sie weitere Fragen haben, schauen Sie auf unsere Homepage.

Erzeugung – erzeugen,

b **Ergänzen Sie die Nomen aus a mit Artikel in der Tabelle.**

Ge-	vom Verbstamm	vom Infinitiv	-er	-e	-ung
					die Erzeugung

zu Wortschatz, KB 108, Aufgabe 2

13 Welches Getränk schmeckt am besten? ÜBUNG 8, 9, 10

GRAMMATIK

Bilden Sie Nomen und ergänzen Sie die Sätze.

grillen • riechen • erfrischen • bewerten • ~~trinken~~ • suchen • mischen • testen • schmecken • auswerten

Bio-Mix- *Getränke* (1) **im Getränke-** (2)

Ein kühles Getränk gehört im Sommer zum (3) einfach dazu, genau wie eine gute Bratwurst. Die Auswahl an alkoholfreien Getränken ist nicht immer so groß. Daher haben wir neue Bio-Säfte und
5 Bio-Mixgetränke getestet.
Normaler Apfelsaft ist Ihnen zu säuerlich? Viele Mix-Getränke sind Ihnen zu süß? Wir haben uns auf die (4) nach dem besten und leckersten Bio-Mix-Getränk gemacht. Die (5) finden Sie hier:
10 Der Sieger ist die Bio-Limonade „Lemon pur" aus Flensburg. Bereits beim Öffnen des Getränks steigt einem ein aromatischer (6) in die Nase. Aber auch auf der Zunge entfaltet die Limonade einen köstlichen (7): „Schmeckt frisch und einfach gut", so das Urteil eines unserer Tester.
15 Der oberschwäbische „Bioland Mix" schnitt bei der (8) des Geschmacks nicht ganz so gut ab wie die Nummer 1. Trotzdem empfehlenswert.
Das Mix-Getränk „VitaLemon" schmeckte sehr belebend und natürlich. „Eine prima (9), wenn es heiß ist: genau das, was man von einem Bio-Mix-
20 getränk erwartet."
„BioStar" ist eine echte Energie-Ladung, hier wurden herbe und süße Aromen im richtigen Verhältnis zusammengeführt. Diese (10) kam bei unseren Testern sehr gut an: „Das ist lecker, genau
25 richtig für den Sommer!"

zu Wortschatz, KB 109, Aufgabe 3

14 Unsere Ernährung ÜBUNG 11, 12

WORTSCHATZ

Was passt nicht? Streichen Sie durch.

1 Zu den Pflanzen gehören:
der Baum – der Busch – der Strauch – ~~die Zutat~~
2 Zum Kochen verwendet man:
die Kammer – die Pfanne – den Topf – die Reibe
3 Zu Getreide gehören:
das Brot – der Weizen – der Mais – der Reis
4 Bestandteile der Nahrung sind:
das Eiweiß – das Fett – die Kohlenhydrate – die Milch
5 Obst kann man
anbauen. – ernten. – verweigern. – verzehren.
6 Gemüse isst man
roh. – gebraten. – versalzen. – gekocht.

zu Schreiben, KB 110, Aufgabe 2

15 Konditionale Zusammenhänge

GRAMMATIK ENTDECKEN

a **Markieren Sie die konditionalen Satzverbindungen und ergänzen Sie *v* (verbal: Nebensatz mit Konnektor) oder *n* (nominal: Hauptsatz mit Präposition).**

Sehr geehrte Frau Abel,

vielen Dank für Ihre E-Mail. Ihr ehrliches Feedback ist uns wichtig. Wir können unser Leistungsangebot
[V] nur dann verbessern, (wenn) Sie uns offen kritisieren.
Leider wurden in der Produktion die Etiketten „Frühstücksdrink Kirsche / Rote Traube“ und „Frühstücks-
drink Früchtemix“ verwechselt. 5
Wir schicken Ihnen eine kleine Entschädigung in Form von zehn Flaschen unseres Frühstücksdrinks.
☐ Sofern Sie stattdessen lieber einen Gutschein im Wert von 15 Euro hätten, sagen Sie uns bitte Bescheid.
☐ Wir hoffen sehr, dass Ihnen unsere Produkte weiterhin schmecken, und bitten um Nachricht, wenn Sie
noch mehr Informationen zu unseren Produkten wünschen.
☐ Bei weiteren Fragen stehe ich Ihnen gern zur Verfügung. 10

Mit freundlichen Grüßen

Mia Lauber
Zettel GmbH

b **In welchem Satz kann man *wenn* durch *falls / sofern* ersetzen?**

☐ Wir können unser Leistungsangebot nur dann verbessern, wenn Sie uns offen kritisieren.
☐ Wir bitten um Nachricht, wenn Sie noch mehr Informationen zu unseren Produkten wünschen.

c **Was ist richtig? Markieren Sie.**

☐ Sätze mit *falls / sofern* drücken eine größere Unsicherheit, Ungewissheit aus als Sätze mit *wenn*.
☐ Sätze mit *falls / sofern* drücken eine größere Sicherheit, Gewissheit aus als Sätze mit *wenn*.

zu Schreiben, KB 110, Aufgabe 2

16 Ein Telefongespräch

GRAMMATIK

a **Rosa Abel telefoniert mit ihrer Freundin Angela. Ergänzen Sie *wenn, falls / sofern* oder *bei*.**

Rosa: Hallo Angela, ich hab' dir doch von dem Frühstücksdrink mit der Birne erzählt, weißt du noch?
Angela: _Wenn_ (1) du mir noch mal sagst, worum es da ging, dann erinnere ich mich bestimmt.
Rosa: Da ging es um das falsche Etikett. Kirschen waren drauf, aber Birne war drin! Ich habe doch gesagt, ________ (2) die Firma mir keine Entschädigung gibt, dann werde ich mich bei der Verbraucherzentrale nach meinen Rechten erkundigen und ...
Angela: Und hast du dann wirklich dort angerufen?
Rosa: Ja klar. Und die haben mir gesagt, ________ (3) ich schon eine Entschädigung akzeptiert haben sollte, dann habe ich keine weiteren Ansprüche. Das ist blöd, denn die Firma hat mir ja schon was geschickt. Aber ich finde es trotzdem unmöglich, dass die Firmen mit dem Spruch werben „________ (4) Nicht-Gefallen Geld zurück“!
Angela: Was hast du eigentlich von der Firma bekommen?
Rosa: Ich habe ein Paket mit zehn Frühstücksdrinks bekommen, aber ________ (5) den hohen Preisen für diese Säfte ist das ja wohl das Mindeste!

Angela: Na ja, schlecht ist das aber auch nicht. Also __________ (6) ich diese Drinks zufälligerweise mal kaufen sollte, reklamiere ich sie auch. Das lohnt sich ja schon fast.
Rosa: Wenn du Lust auf Frühstücksdrinks hast, dann komm vorbei! Du weißt ja, ich habe ein ganzes Paket davon. Und __________ (7) du Marion treffen solltest, bring sie einfach mit!

AB 42 b **Hören Sie und vergleichen Sie.**

zu Schreiben, KB 110, Aufgabe 2

17 Verbraucherrechte ÜBUNG 13, 14 GRAMMATIK

Schreiben Sie Sätze mit den Wörtern in Klammern.

1 Wenn sich die Bahn um mehr als eine Stunde verspätet, bekommt man einen Teil des Fahrpreises erstattet. *(bei)*
2 Bei Flugausfällen hat man Anspruch auf Erstattung des Ticketpreises. *(wenn)*
3 Wenn Sie Probleme mit dem Produkt haben, fragen Sie beim Verkäufer nach. *(bei)*
4 Sofern Sie sich beschweren wollen, wenden Sie sich an den Kundenservice. *(bei)*
5 Bei Ärger über falsche Werbung für ein Produkt können Sie das melden. *(sofern)*
6 Bei Überschreitung des Mindesthaltbarkeitsdatums können Sie das Produkt zurückgeben. *(falls)*
7 Wenn man im Internet bestellt, hat man ein Rückgaberecht. *(bei)*

1 Bei Verspätung der Bahn um mehr als eine Stunde bekommt man einen Teil des Fahrpreises erstattet.

zu Schreiben, KB 111, Aufgabe 3

18 Gerade gekauft – schon kaputt ÜBUNG 15 KOMMUNIKATION

Schreiben Sie eine E-Mail an den Hersteller einer Firma, die Schnellkochtöpfe herstellt. Verwenden Sie dazu die Redemittel aus dem Kursbuch (KB 111).

Sehr geehrte Damen und Herren,

leider habe ich vergeblich versucht, Sie telefonisch zu erreichen. Offenbar ist Ihre Hotline im Moment überlastet, deshalb kontaktiere ich Sie nun schriftlich.
Vor zehn Tagen kaufte ich (1) im Internet den Schnellkochtopf Typ „Blitz T7".
5 Zunächst war ich damit sehr zufrieden. Aber bereits nach kurzer Zeit __________ (2), dass das Gerät unerwartet lange braucht, bis das Essen fertig gekocht ist. Wenn ich seitdem darin etwas koche, dauert das doppelt so lange, wie in der Gebrauchsanleitung angegeben.
__________ (3), dass
10 es sowohl Reis als auch Gemüse schnell gart. Das ist nun nicht mehr __________ (4). __________ (5), dass Sie das Gerät umtauschen. Bitte lassen Sie mich wissen, wie und an wen ich es zurückschicken kann. __________ (6) Ihre Firma im Internet schlecht bewerten.

Mit freundlichen Grüßen
15 Beate Zimmer

8

zu *Wussten Sie schon?*, KB 111

19 Informationen auf Lebensmittelpackungen

LANDESKUNDE

Ordnen Sie den Angaben auf der Packung die Rubriken zu. Manche Rubriken finden sich nicht auf der Packung. Schreiben Sie dafür ein x.

Rubriken

- [ ] Nährwert
- [ ] Hinweis auf Zutaten, die eventuell allergische Reaktionen hervorrufen können
- [ ] Ernteland der Zutaten
- [1] Zutaten
- [ ] Name und Anschrift des Herstellers
- [ ] Lagerbedingungen
- [ ] Verpackungsmaterial
- [ ] Mindesthaltbarkeitsdatum

8

zu Lesen 2, KB 112, Aufgabe 2

20 Wie lange halten sich Eier?

WORTSCHATZ

Welches Wort passt? Unterstreichen Sie.

007Georg

Wie lange kann man eigentlich Eier essen? Sind sie nach dem *Ablauf/Anlass* (1) des Mindesthaltbarkeitsdatums auf der Packung noch *verderblich/genießbar* (2)? Oder muss man sie *versorgen/vernichten* (3), wenn es *überschritten/verschwendet* (4) ist? Die *Verunsicherung/Täuschung* (5) ist deshalb entstanden, weil ich kürzlich gelesen habe, dass man viele Lebensmittel auch nach Ablauf des Mindesthaltbarkeitsdatums noch essen kann. Ich kaufe auf dem Markt immer Eier auf *Vorrat/Verzicht* (6), und wenn dann in der WG nur wenige gegessen werden, dann haben wir Eier im *Konzentrat/Überfluss* (7). Weiß jemand von Euch, wie ich feststellen kann, ob wir die Eier noch verzehren können?

Juli-Herz

Gerade bei Eiern spielt die richtige Aufbewahrung eine große Rolle. Wichtig ist, die Mindesthaltbarkeit zu beachten (meist ca. 4 Wochen nach Legedatum, das steht auf der *Verpackung/Übersicht* (8)). Ist man sich nicht mehr sicher, wann die Eier gekauft wurden, sollte man sie aber auf jeden Fall gut kochen und nicht mehr *roh/vegetarisch* (9) verwenden. Ein Ei, das nicht mehr gut ist, kann großen *Widerspruch/Schaden* (10) verursachen. *Laut/Zufolge* (11) des Kochmagazins „Fünf Sterne" gibt es aber einen kleinen Trick, mit dem man erkennen kann, ob ein Ei noch frisch ist oder nicht: Leg das Ei in ein Glas mit Wasser. Bleibt das Ei am Boden liegen, ist es frisch – schwimmt es an der Oberfläche, ist es nicht mehr zu genießen.

WIEDERHOLUNG GRAMMATIK

zu Lesen 2, KB 113, Aufgabe 3

21 Widersprüche

Schreiben Sie Sätze mit *obwohl* und *trotzdem*.

1 Trotz genauer Planung ihrer Einkäufe hat Tina zu viele Lebensmittel im Kühlschrank.
Obwohl Tina ihre Einkäufe genau plant, hat sie zu viele Lebensmittel im Kühlschrank.
Tina plant ihre Einkäufe genau, trotzdem hat sie zu viele Lebensmittel im Kühlschrank.

2 Trotz richtiger Lagerung sind die Erdbeeren nicht mehr genießbar.

3 Trotz kleiner, brauner Stellen isst Hermann die Banane noch.

4 Trotz der Verliebtheit des Kochs ist das Essen nicht versalzen.

8

zu Lesen 2, KB 113, Aufgabe 3

22 Konzessive Zusammenhänge

GRAMMATIK ENTDECKEN

a **Lesen Sie den Textauszug aus dem Ratgeber „Zu gut für die Tonne" und unterstreichen Sie die konzessiven Satzverbindungen.**

Bereits beim Einkauf entscheiden wir über Lebensmittelabfälle. Wir brauchen die Äpfel gar nicht, dennoch kaufen wir sie ein, weil sie so lecker aussehen. Wir kaufen nach der Arbeit schnell im Supermarkt ein, selbst wenn wir gar nicht wissen, was wir wirklich brauchen. Jeder sinnvolle Einkauf beginnt deshalb schon zu Hause mit einer guten
5 Planung. Trotz guter Planung wird in der Küche aber oft etwas weggeworfen. Oft genug, weil wir nicht wissen, wo und wie man Lebensmittel richtig lagert. Aber selbst bei richtiger Lagerung verderben Lebensmittel, weil wir sie vergessen.
Das Gemüse ist angeschnitten? Die Spaghetti sind übrig geblieben? Manchmal bleibt auch etwas übrig, obwohl man die richtigen Mengen beim Kochen verwendet hat. Das alles
10 ist trotzdem zu schade zum Wegwerfen. Wenn man zu viel gekocht hat, kann man die Reste aufbewahren und kreativ weiterverwenden.

b **Wie sind die Satzverbindungen gebildet? Ergänzen Sie in der Tabelle.**

Konnektor	Präposition
dennoch	

zu Lesen 2, KB 113, Aufgabe 3

23 Gegensätze ÜBUNG 16, 17, 18 GRAMMATIK

a **Verbinden Sie.**

1 Erika kauft oft ungeplant ein.
2 Anita hat eine große Vorliebe für Schokolade.
3 Ben hat viele gute Rezepte.
4 Andreas ist Manager und verdient gut.
5 Tanja hat am nächsten Wochenende Geburtstag.

A Er kommt mit seinem Geld nicht aus.
B Sie wirft wenig weg.
C Sie hat eine gute Figur.
D Sie lädt keine Freunde ein.
E Er probiert sie nie aus.

b **Schreiben Sie die Sätze aus a abwechselnd mit *auch wenn / obgleich, dennoch* und *trotz*.**

1 Auch wenn / obgleich Erika oft ungeplant einkauft, wirft sie wenig weg.

zu Sprechen 2, KB 114, Aufgabe 2

24 Aktionstag für die „Tafel" ÜBUNG 19 KOMMUNIKATION

Ergänzen Sie den Text zur Präsentation . Die Redemittel im Kursbuch (KB 114) können Ihnen dabei helfen.

PROJEKT: „DIE TAFEL"

- seit den 90er-Jahren
- in vielen Städten
- Lebensmittel für Menschen in Not

Bei unserem Projekt geht es um die sogenannte „Tafel". Seit den 90er-Jahren gibt es die „Tafel" in vielen deutschen Städten. Die Helfer sammeln und verteilen Lebensmittel für Menschen in Not. Die Idee unseres Projektes ist es (1), Menschen, die sich nicht selber versorgen können, etwas zu essen zu geben. ______ (2) gibt es viel zu wenig Bewusstsein für Menschen, die nicht genug zum Leben haben.

AKTIONSTAG: DER ABLAUF

- in Wiesbaden am 20. September
- vor vier Lebensmittelmärkten
- Bürger kaufen und spenden

______ (3), dass das Projekt sehr viel Organisation verlangt. Anhand eines Beispiels demonstrieren wir einmal, wie es ablaufen könnte. Das Foto zeigt eine Aktion in Wiesbaden. Vor vier Lebensmittelmärkten stellten sich am 20. September Freiwillige auf und baten die Bürger, ein Lebensmittel mehr zu erwerben und für die „Tafel" zu spenden. Für den größtmöglichen Erfolg der Aktion sollte man ______ (4). Es ist eine wertvolle Erfahrung, bei einem Aktionstag mitzumachen.

ERFOLG DES AKTIONSTAGS

- 36 Kartons mit Lebensmittelspenden
- 3 Großspenden von Supermärkten
- für Kinder und Jugendliche in sozialen Brennpunkten und an Mutter-Kind-Wohnheime

Der Aktionstag in Wiesbaden ______ (5) an. Es kamen insgesamt 36 Kartons mit Lebensmitteln und 3 Großspenden von Supermärkten zusammen. Die Spenden gingen an Kinder und Jugendliche in sozialen Brennpunkten und an Mutter-Kind-Wohnheime. Uns würde nun auch eure Meinung interessieren. Was meint ihr, ______ (6), um so einen Aktionstag zu organisieren? Und was müssen wir dabei bedenken?

zu Sehen und Hören, KB 115, Aufgabe 3

25 Tipps zur Müllvermeidung ÜBUNG 20 LESEN

Ordnen Sie den Personen und ihren Problemen einen Tipp zur Müllvermeidung zu.

1 ☐ In Christines Kühlschrank stehen oft Joghurtbecher länger als gedacht. Sie ist sich unsicher, ob der Joghurt noch essbar ist.

2 ☐ David hat kein gutes Gefühl dafür, wie viel er für ein Essen einkaufen muss. Oft bleibt etwas übrig. Dann weiß er nicht, was er damit anfangen soll.

3 ☐ Ellen ist oft ratlos, was sie für ihre Familie kochen soll. Sie kauft dann zu viel ein.

4 ☐ Ingrid geht abends auf dem Heimweg von der Arbeit oft hungrig am Supermarkt vorbei, um sich etwas fürs Abendessen zu besorgen. Dabei kauft sie planlos und so viel ein, dass sie es gar nicht aufbrauchen kann.

Tipps zur Müllvermeidung

A Seien Sie kreativ mit Essensresten. Restekochbücher und spezielle Internetseiten helfen weiter.
B Gehen Sie nicht mit leerem Magen einkaufen. Ein besserer Kompass ist ein Einkaufszettel, auf dem Sie alles notieren, was Sie brauchen.
C Schauen Sie das Lebensmittel genau an, riechen Sie daran und probieren Sie es. Das Mindesthaltbarkeitsdatum ist nur eine Herstellergarantie.
D Machen Sie sich einen Kochplan für die nächsten Tage und kalkulieren Sie dabei die Lebensmittel, die noch im Kühlschrank sind, mit ein.

26 Mein Lieblingsgericht MEIN DOSSIER

Welches Gericht mögen Sie persönlich gern? Können Sie dieses auch selber zubereiten? Kleben Sie ein Foto davon ein und beschreiben Sie, wie Sie es zubereiten.

Name des Gerichts: ____________________

Zutaten: ____________________

Zubereitung: ____________________

Beilagen: ____________________

AUSSPRACHE: Der Konsonant *h*

1 Der Hauchlaut *h*

AB 43 a **Welches Wort hören Sie? Markieren Sie.**

1 ☐ in ☐ hin
2 ☐ Hort ☐ Ort
3 ☐ herbe ☐ Erbe
4 ☐ Hund ☐ und
5 ☐ Halle ☐ alle
6 ☐ offen ☐ hoffen

AB 44 b **Hören Sie die Sätze und sprechen Sie nach.**

1 Halbstarke haben immer Hunger.
2 Herr oder Hund?
3 Wer holt heute die Kinder vom Hort ab?

AB 45 c **Hören Sie den Zungenbrecher erst langsam dann immer schneller. Sprechen Sie dann nach.**

Hinter Hermann Hannes Haus
hängen hundert Hemden raus.
Hundert Hemden hängen raus
hinter Hermann Hannes Haus.

2 Das Dehnungs-*h*

8

AB 46 a **Am Ende einer Silbe macht ein *h* einen Vokal lang. Hören Sie und sprechen Sie nach.**

1 führen 2 aufziehen 3 Bahn 4 fehlen 5 rühren 6 zählen

AB 47 b **In welchen Wörtern hören Sie das *h*? Markieren Sie.**

1 ☐ Tierhaltung
2 ☐ Haltbarkeit
3 ☐ hinweisen
4 ☐ Nährstoff
5 ☐ Kohlensäure
6 ☐ roh
7 ☐ Herkunft
8 ☐ verzehren

AB 48 c **Hören Sie die Sätze und sprechen Sie nach.**

1 Passen grüne Bohnen zum Huhn?
2 Was nehmen Sie mit, wenn Sie wandern gehen?
3 Wir sollten mehr Rohkost essen.

3 Partnerdiktat

Diktieren Sie Ihrer Lernpartnerin / Ihrem Lernpartner Teil 1 oder Teil 2 der Übung. Wer das Diktat schreibt, schließt das Buch.

1

Kartoffeln waren in der Generation meiner Eltern ein wichtiges Grundnahrungsmittel. Jeder aß fast täglich welche. Mehrere tausend Kilo im Jahr wurden verzehrt. Fast alle traditionellen Gerichte hatten sie als Beilage. Heute konsumieren wir mehr Nudeln und Reis als Kartoffeln.

2

Der Konsum von Bier ist in Deutschland wirklich sehr hoch. In meiner Familie kommt da aber nicht so viel zusammen. Wir trinken höchstens bei einem Fest mal ein Glas Bier. Dafür gibt es bei uns ab und zu mal ein Glas „Heurigen", so heißt bei uns in Wien der Wein aus dem aktuellen Jahr.

EINSTIEGSSEITE, KB 103

der Durchschnitt

konsumieren

LESEN 1, KB 104–105

der Beweggrund, ¨-e
die Debatte, -n
das Entwicklungsland, ¨-er
das Gewissen (Sg.)
die Mangelerscheinung, -en
die Massentierhaltung, -en
der Mineralstoff, -e
der Nährstoffmangel, ¨-
der Organismus, die Organismen
die Pfanne, -n
die Tendenz, -en
die Übersicht, -en
der Veganer, -
der Vegetarier, -
der Verzicht (Sg.)
das Vitamin, -e
das Wirtschaftswunder, -

hinweisen auf (+ Akk.), wies hin,
hat hingewiesen
verzehren
verzichten auf (+ Akk.)
jemandem etwas zufügen

in vollem Gange sein
tabu sein

ethisch
genussorientiert
vegetarisch

laut (+ Dat.)
zufolge (+ Dat., nachgestellt)

HÖREN, KB 106

die Ernährung (Sg.)
das Fertiggericht, -e
der Kochkurs, -e
das Rezept, -e
die Süßigkeit, -en
das Vollkornprodukt, -e

salzig
vegan

SPRECHEN 1, KB 107

der Anlass, ¨-e
der Puderzucker (Sg.)
die Zutat, -en

schälen

reihum

WORTSCHATZ, KB 108–109

der Bestandteil, -e
der Busch, ¨-e
das Gemüse (Sg.)
die Gemüsesorte, -n
die Kammer, -n
das Kohlenhydrat, -e
die Kohlensäure (Sg.)
die Konsistenz, -en
die Mikrowelle, -n
der Strauch, ¨-er
die Vielfalt (Sg.)

anbauen
erzeugen
verschwenden

ertragreich
prickelnd
roh

SCHREIBEN, KB 110–111

die Abbildung, -en
das Aroma, die Aromen
die Entschädigung, -en
das Konzentrat, -e
die Mindesthaltbarkeit (Sg.)
die Täuschung, -en
die Verpackung, -en
der Widerspruch, ¨-e

auflisten

in die Irre führen
einer Bitte nachkommen,
kam nach, ist nachgekommen

allergisch
schlüssig

meines Erachtens

LESEN 2, KB 112–113

die Abfalltonne, -n
der Ablauf, ¨-e
die Studie, -n
die Tonne, -n (Maßeinheit)
der Überfluss (Sg.)
der Umgang (Sg.)
das Verfallsdatum, -daten
die Verunsicherung, -en
die Verschwendung (Sg.)
der Vorrat, ¨-e

sich etwas leisten
überschreiten, überschritt,
hat überschritten
vernichten
verwirren

genießbar
verderblich
vermeidbar

SPRECHEN 2, KB 114

der Aktionstag, -e
aufmerksam machen auf (+ Akk.)

SEHEN UND HÖREN, KB 115

jemandem etwas überlassen,
überließ, hat überlassen

bedürftig

LEKTIONSTEST 8

1 Wortschatz

Ergänzen Sie.

☐ Mindesthaltbarkeitsdatum • ☐ verzehren • ☐ überschritten • ☐ verzichten • ☐ Verpackung • ☐ vernichten

Man kann Lebensmittel, bei denen das (1) abgelaufen ist, häufig noch verwenden. Allerdings sollte man sich davon überzeugen, dass sie noch genießbar sind. Bei untypischem Aussehen, Geruch oder Geschmack sollte man darauf (2), sie zu konsumieren. Wenn das Verfallsdatum (3) ist, dürfen bestimmte Lebensmittel nicht mehr verkauft werden und man sollte sie nicht mehr (4). Wenn die Angaben auf der (5) immer beachtet werden würden, würde man nicht so viele Lebensmittel (6).

Je 1 Punkt **Ich habe ______ von 6 möglichen Punkten erreicht.**

2 Grammatik

a **Schreiben Sie Sätze mit *sollen* in der Gegenwart und Vergangenheit auf ein separates Blatt.**

1 Angeblich gibt es inzwischen auch vegetarische Hamburger.
2 Es heißt, dass diese Hamburger wirklich gut schmecken.
3 Der Boxer McTybone hat seinen Salat früher selbst angebaut, das schreibt eine Zeitung.
4 Ich habe gelesen, dass Leonardo da Vinci, Franz Kafka und Albert Einstein Vegetarier waren.

Je 2 Punkte **Ich habe ______ von 8 möglichen Punkten erreicht.**

8

b **Bilden Sie aus den Verben in Klammern die entsprechenden Nomen mit Artikel, wo nötig, und markieren Sie, was passt.**

1 Paprika ist nicht nur ein Gemüse, sondern auch ______ tolles ____________ (würzen). *Auch wenn / Wenn / Sofern* es sehr scharf sein kann, verwende ich es zum ____________ (kochen).
2 *Trotz / Selbst / Obgleich* bei nur kleinen Makeln werden Lebensmittel weggeworfen, das ist ______ große ________________________ (verschwenden).
3 *Obwohl / Wenn / Falls* die Espresso-Kapseln nicht ganz umweltschonend sind, finde ich diese Espressomaschine super. ______ ________________ (herstellen) gibt sogar 5 Jahre Garantie darauf. Nach ______ ____________ (ablaufen) der Frist hat man aber keinen Anspruch auf Ersatz.
4 *Wegen / Bei / Trotz* des guten Wetters hatten wir keine gute Apfel____________ (ernten).

Je 1 Punkt **Ich habe ______ von 10 möglichen Punkten erreicht.**

3 Kommunikation

Ordnen Sie zu.

A Die Idee eines Projekts darlegen
B Den Ablauf des Projekts schildern
C Die Zuhörer um ein Feedback zu dem Projekt bitten

☐ *Hier sehen Sie ein Beispiel, wie man Gemüse im eigenen Garten oder auf dem Balkon selbst anpflanzen kann.* • ☐ *Unserer Meinung nach gibt es zu wenig Bewusstsein für die Produktion gesunder Lebensmittel.* • ☐ *Wir möchten Ihnen jetzt zeigen, wie das Projekt funktionieren könnte.* • ☐ *Ihre Meinung zu diesem Projekt würde uns sehr interessieren.* • ☐ *Denken Sie, dass diese Aktion Erfolg hätte?* • ☐ *Die Idee, gesundes Gemüse selbst zu produzieren, hat uns sehr angesprochen.*

Je 1 Punkt **Ich habe ______ von 6 möglichen Punkten erreicht.**

Auswertung: Vergleichen Sie mit den Lösungen (AB 209). Ihre Erfolgspunkte tragen Sie unter jeder Aufgabe ein.

Ich habe ______ von 30 möglichen Punkten erreicht.

☺	🙂	☹
30–24	23–18	17–0

WIEDERHOLUNG WORTSCHATZ

1 Rund ums Studium

Welches Verb passt nicht? Streichen Sie durch.

1 Termine — *beachten – ~~behandeln~~ – bekannt geben – bestätigen*
2 Studienwunsch — *realisieren – sich erfüllen – vorhaben – formulieren*
3 Studienfach — *wählen – verwechseln – wechseln – sich verschlechtern in*
4 Studierende — *beraten – kündigen – unterstützen – begrüßen*
5 ein Stipendium — *beantragen – erhalten – sich bewerben um – schaffen*
6 Studieninhalte — *sich konzentrieren auf – beweisen – sich beschäftigen mit – zusammenfassen*

zu Wortschatz, KB 118, Aufgabe 2

2 Manche tun's ein Leben lang ... ÜBUNG 1, 2

WORTSCHATZ

Ergänzen Sie *lernen, lehren, studieren* oder *unterrichten* in der richtigen Form.

1 „Man lernt nicht für die Schule, sondern fürs Leben", sagt ein bekanntes Sprichwort.
2 Wer später Lehrer werden möchte, muss ein Lehramtsstudium absolvieren. Man __________ meist zwei Fächer, die an Schulen __________ werden.
3 An einer Universität gibt es zwei Tätigkeitsbereiche – einerseits wird nach neuen Erkenntnissen geforscht, andererseits wird Wissen vermittelt, es wird also __________.
4 Wer in einem nicht-deutschsprachigen Land aufgewachsen ist, muss natürlich vor einem Studium auf Deutsch erst einmal die Sprache sehr gut __________.
5 Als Studienanfänger muss man zuerst das Vorlesungsverzeichnis __________, also genau ansehen, und seine Veranstaltungen heraussuchen.
6 Gute Professoren gestalten ihre __________veranstaltungen anregend, sodass die Studierenden interessiert und aufmerksam zuhören und eventuell auch mitdiskutieren.

zu Wortschatz, KB 118, Aufgabe 2

3 Was macht man alles im Studium?

HÖREN

AB 49 **Hören Sie ein Interview und lesen Sie die Aussagen. Was ist richtig? Markieren Sie.**

1 Lea möchte mit einem Studenten über ihr Studium sprechen. ☐
2 Sie befragt einen Studenten der Kommunikationswissenschaft. ☐
3 Er studiert das Fach aus Interesse an den Inhalten. ☐
4 Die Studierenden können sich die Lehrveranstaltungen generell nicht selbst aussuchen. ☐
5 Die Uni-Woche des Studenten ist sehr voll. ☐
6 Er hat keine Zeit, sich neben dem Studium noch etwas Geld zu verdienen. ☐
7 Er findet es gut, dass das Wissen immer wieder in Klausuren abgeprüft wird. ☐
8 Er hat in den Semesterferien einmal ein interessantes Praktikum gemacht. ☐
9 Momentan sucht er Fachliteratur für seine Abschlussprüfungen. ☐
10 Er kommt sowohl mit seinen Kommilitonen als auch mit den Dozenten gut aus. ☐

zu Wortschatz, KB 118, Aufgabe 2

4 Interview mit einem Studenten ÜBUNG 3, 4, 5

WORTSCHATZ

a **Lesen Sie einige Aussagen des Studenten aus dem Interview in Übung 3. Ergänzen Sie die passenden Wörter aus der rechten Spalte.**

Ich wusste schon gleich nach dem Abitur, dass es bei mir auf Kommunikationswissenschaft (1) hinausläuft, weil mich Politik und Medien beziehungsweise ________ (2) schon immer sehr interessiert haben. Und dann habe ich mich an der Uni Bremen um einen ________ (3) beworben und habe auch gleich einen bekommen.

In jedem Semester gibt es einige ________ (4), die man verpflichtend besuchen muss, manche kann man aber auch noch selbst auswählen. Ich habe mich für verschiedene ________ (5), Seminare und Übungen entschieden, die mich interessiert haben. Dann habe ich mir einen ________ (6) zusammengestellt. Der ist ganz schön voll geworden.

Vorlesungen
Studienplatz
Stundenplan
~~Kommunikationswissenschaft~~
Lehrveranstaltungen
Journalismus

Ja, wenn man sein Studium ernst nimmt, ist es schon viel Arbeit, aber es macht auch Spaß. Wenn wir nur nicht dauernd so umfangreiche Klausuren ________ (7) müssten! Und in den Semesterferien, also in der ________ (8) Zeit, hat man natürlich auch nicht wirklich frei. Da muss man dann Seminararbeiten ________ (9) und auch mal ein längeres Praktikum ________ (10). Ich war letzten Sommer zwei Monate in der Redaktion einer Online-Zeitschrift. Das war total ________ (11)!

verfassen
spannend
absolvieren
schreiben
vorlesungsfreien

Ich gehe jetzt gleich in die Unibibliothek und suche ________ (12) für ein ________ (13). In den Fachbüchern und in seriösen Quellen im Internet suche ich Artikel zu meinem ________ (14) „Wohin steuert die Generation web 2.0.?" Besonders interessante und relevante ________ (15) schreibe ich dann heraus und zitiere sie. Zusätzlich zu dem Referat in zwei Wochen schreibe ich in den Semesterferien darüber dann noch eine ________ (16).

Referat
Seminararbeit
Fachliteratur
Thema
Informationen

AB 49 b **Hören Sie das Interview noch einmal und vergleichen Sie.**

zu Wortschatz, KB 118, Aufgabe 2

5 Univeranstaltungen

LESEN

a **Ergänzen Sie die Begriffe.** Das Seminar • Die Vorlesung • Die Übung

1 ________ steht für eine Lehrveranstaltung, die (meist) in einem größeren Hörsaal stattfindet. Eine Dozentin oder ein Dozent trägt ein Thema aus einem Fachgebiet vor. Die Hörerinnen und Hörer schreiben das Wichtigste in Stichworten mit. Diese Lehrveranstaltungen sind nützlich, wenn es darum geht, Orientierung und Überblick in einem Fachgebiet zu gewinnen. Im Anschluss an die Veranstaltung sollte das Gehörte und Mitgeschriebene vertieft werden, z. B. durch weitere Lektüre der angegebenen Literatur usw. 5

2 ______________ ist eine Lehrveranstaltung, bei der die Eigenaktivität der Studierenden gefragt ist. Angeleitet von Dozierenden sollen die Studierenden ihre Kenntnisse, Fertigkeiten und Fähigkeiten in einem Fachgebiet erweitern und vertiefen und dabei Methoden wissenschaftlichen Arbeitens anwenden. Im Gegensatz zur Vorlesung stehen hier nicht der Vortrag eines Dozierenden im Mittelpunkt, sondern verschiedene Arbeitsformen wie Referate, Diskussionen, Gruppenarbeiten usw. In dieser Lehrveranstaltung hält man ein Referat und verfasst eine schriftliche Hausarbeit. 10

3 ______________ wird von einem wissenschaftlichen Mitarbeiter (meist Doktoranden) des Lehrstuhls gehalten. Der Stoff der Vorlesungen wird hier anhand von Aufgaben vertieft und in die Praxis umgesetzt. 15

b **In welcher Veranstaltung macht man was? Manchmal passen mehrere Antworten. Ergänzen Sie.**

1 Die Studierenden beteiligen sich aktiv: ______________
2 Man hört einem Vortragenden zu: ______________
3 Man wendet den gehörten Stoff praktisch an: ______________
4 Man vertieft Fachwissen und schreibt eine wissenschaftliche Arbeit: ______________

zu *Wussten Sie schon?*, KB 119

6 Informationen zu den ECTS-Punkten

LANDESKUNDE / LESEN

Lesen Sie die folgende E-Mail. Welcher Begriff passt am besten in die Lücken 1–10? Markieren Sie.

Hallo Tim,
schön, wieder mal von Dir zu hören bzw. zu lesen!
Es freut mich auch, dass Du Dein Abitur so gut (1) hast und jetzt Architektur studieren willst. Nun willst Du wissen, (2) das mit dem Sammeln der ECTS-Punkte funktioniert? Das kann ich dir gern erklären!
Also, das Wichtigste ist, dass du nach 3 Jahren Bachelor-Studium auf 180 Punkte kommst. Das heißt, (3) du pro Semester ungefähr 30 Punkte sammeln solltest.
Für bestandene Prüfungen bekommst Du (4) eine bestimmte Punktzahl, genauso wie für Seminararbeiten.
Wie viele Punkte man wofür erhält, ist natürlich genau (5). Für die Details musst Du Dich bei Deinem Fachbereich (6). Grundlage für die Berechnung dieser Punkte ist die Zeit, die man im Durchschnitt investiert, sprich: Der Arbeitsaufwand, (7) man hat. Natürlich (8) man auch die in der Zeit vorgesehenen Prüfungen bestehen. Und wenn man ein Auslandssemester einlegt, kann man sich oft auch die dort erhaltenen Punkte anrechnen (9).
Wenn Du mehr wissen möchtest oder ich Dir (10) irgendetwas helfen kann, dann ruf an!
Mach's gut und grüß mir Onkel Fred und Tante Sandra!
Liebe Grüße
Sebastian

1 ☐ bestanden ☐ erhalten ☐ erfüllt
2 ☐ ob ☐ warum ☐ wie
3 ☐ dass ☐ damit ☐ obwohl
4 ☐ beispielsweise ☐ manchmal ☐ vielleicht
5 ☐ festlegen ☐ festzulegen ☐ festgelegt
6 ☐ erkundigen ☐ nachfragen ☐ beschweren
7 ☐ der ☐ den ☐ was
8 ☐ musste ☐ dürfte ☐ muss
9 ☐ werden ☐ gelassen ☐ lassen
10 ☐ für ☐ bei ☐ zu

zu Lesen, KB 121, Aufgabe 2

7 Deutsches Wort oder Internationalismus? ÜBUNG 6 WORTSCHATZ

Ergänzen Sie in der richtigen Form.

1 Eine Universität nennt man auch eine *Hochschule* .
2 Jüngere Unis befinden sich meist auf einem Campus, das heißt, es gibt ein großes ______ mit Universitätsgebäuden.
3 Größere Universitäten haben mehrere Fachbereiche wie Medizin, Jura, Naturwissenschaften, Sprach- und Literaturwissenschaften etc. Man nennt diese Abteilung auch ______ .
4 Bachelor und Master sind die beiden ______, die man an einer Hochschule erhalten kann.
5 Wer einen Doktortitel erwerben will, muss eine ______ schreiben.
6 In einem Research Department wird ______ betrieben.
7 Das Büro für ______ aus anderen Ländern heißt International Office.

zu Lesen, KB 122, Aufgabe 3

8 Konsekutive Zusammenhänge GRAMMATIK ENTDECKEN

a **Ergänzen Sie.**

sodass • infolge • ~~so ... dass~~ • folglich / infolgedessen

1 Das neue Universitätsgelände ist *so* groß, *dass* sich einige Studierende am Anfang verlaufen.	Nebensatzkonnektor (zweiteilig)
2 Das neue Universitätsgelände ist sehr groß, ______ sich einige Studierende am Anfang verlaufen.	Nebensatzkonnektor (einteilig)
3 Das neue Universitätsgelände ist sehr groß. ______ verlaufen sich einige Studierende am Anfang.	Hauptsatzkonnektor
4 ______ der Größe des neuen Universitätsgeländes verlaufen sich einige Studierende am Anfang.	Präposition + Genitiv

b **Verbinden Sie die beiden Sätze mit den Konnektoren und der Präposition aus a.**

Einige große Hochschulen bieten viele verschiedene Studiengänge an.
Den Studienanfängern fällt die Auswahl oft schwer.

1 *Einige große Hochschulen bieten so viele* ______

2 ______

3 ______

4 ______ *des großen Angebots an verschiedenen Studiengängen* ______

zu Lesen, KB 122, Aufgabe 4

9 Möglichkeiten im Studium

GRAMMATIK

Ergänzen Sie *folglich / infolgedessen, infolge, so ..., dass* oder *sodass*.

Infolge (1) der Einführung der Bachelor- und Masterstudiengänge in den europäischen Ländern hat sich im Studienablauf einiges verändert. Die Magister- oder Diplomstudiengänge wurden Anfang der 2000er-Jahre nach und nach an allen deutschsprachigen Hochschulen abgeschafft, ________ (2) jetzt fast alle Studierenden europaweit nach dem gleichen System studieren. Bei ausreichenden Sprachkenntnissen können Studierende während des Studiums an eine Universität in einem anderen Land wechseln. ________ (3) ist die Zahl der ausländischen Studierenden in vielen Ländern gestiegen.

Auf der anderen Seite gibt es sogar innerhalb Deutschlands in den verschiedenen Bundesländern oft große Unterschiede im Aufbau einzelner Studiengänge. ________ (4) ist es immer noch kompliziert, die gleiche wissenschaftliche Disziplin in einem anderen Bundesland oder im Ausland zu studieren. Begrüßenswert wäre, wenn ________ (5) einer universitätsübergreifenden Zusammenarbeit einzelner Fakultäten die Studierenden problemlos ein Semester in einem anderen Bundesland oder im Ausland verbringen könnten. Die Erfahrungen, die junge Menschen auf diese Weise sammeln können, sind ________ (6) kostbar, ________ (6) möglichst viele Studierende sie machen sollten.

zu Lesen, KB 122, Aufgabe 4

10 Das folgt daraus ÜBUNG 7, 8, 9

GRAMMATIK

Schreiben Sie die Sätze mit den Wörtern in Klammern neu.

1 Infolge hoher Studentenzahlen an manchen Universitäten können sich die Lehrenden nicht ausreichend um die Studierenden kümmern. *(Folglich)*
2 Einige junge Menschen sind vielseitig begabt. Infolgedessen finden sie es schwierig, sich nur auf eine Sache festzulegen. *(so ..., dass ...)*
3 Die Zuwanderung von Akademikern in die deutschsprachigen Länder ist gering, sodass zusätzlich Spitzenforscher aus Nicht-EU-Ländern angeworben werden. *(Infolge)*
4 In manchen Fachbereichen promovieren Doktoranden so lange, dass sie erst mit Ende zwanzig ihren Doktortitel erhalten. *(Infolgedessen)*
5 Europa ist auf dem Weg zu einem einheitlichen Ausbildungssystem. Folglich wird für viele Menschen die Anerkennung der Studienleistungen und der Abschlüsse leichter. *(sodass)*

1 Die Studentenzahlen an manchen Universitäten sind hoch. Folglich ...

zu Sprechen 1, KB 123, Aufgabe 1

11 Auf dem Campus wohnen oder nicht? ÜBUNG 10

KOMMUNIKATION

a **Sammeln Sie jeweils vier Argumente, die für (pro) bzw. gegen (kontra) das Wohnen auf dem Campus der Universität sprechen.**

Pro-Argumente	Kontra-Argumente
- man ist ganz in der Nähe der Uni-Gebäude - ...	- man ist nur unter Studierenden - ...

b **Schreiben Sie ein Gespräch der Studentinnen Lara und Martina. Verwenden Sie die Redemittel im Kursbuch (KB 123). Martina ist für das Wohnen auf dem Unicampus, Lara ist dagegen.**

zu *Wussten Sie schon?*, KB 123

12 Man spricht Deutsch

LANDESKUNDE / LESEN

Lesen Sie den Artikel. Welche Aussagen sind richtig? Markieren Sie.

1 Man kann an über 700 Universitäten in nicht-deutschsprachigen Ländern auf Deutsch studieren. ☐
2 Deutsche Studierende interessieren sich sehr für exotische Studienorte. ☐
3 Nach Österreich oder in die Schweiz gehen sie häufig deshalb, weil es leichter ist, dort einen Studienplatz zu bekommen. ☐
4 In der Schweiz findet man sehr gute Studienbedingungen vor. ☐
5 Die österreichischen Universitäten sehen den Andrang deutscher Studenten meist positiv. ☐
6 Ausländer müssen in den Eignungstests, wie zum Beispiel fürs Medizinstudium, besser sein als Einheimische. ☐
7 Wer in Österreich nicht angenommen wird, dem bieten sich noch viele andere Möglichkeiten. ☐

Sprachhürde Ade!

Studieren in China? In Russland? In Finnland? Viele deutsche Studierende haben die Vorstellung, dass ihre Sprachkenntnisse nicht ausreichen, und scheuen deshalb solche exotischen Studienorte. Dabei gibt es rund um den Globus über 700 Studiengänge in deutscher Sprache.

Österreich und die Schweiz gehören längst zu den Lieblingszielen deutscher Hochschul-Emigranten. Angelockt werden deutsche Studierende von den häufig sehr guten Studienbedingungen und den weniger strikten Zulassungsregelungen. So findet, wer sich erst einmal an das Schwyzerdütsch gewöhnt hat, in der Schweiz ein wahres Studienparadies: Die Alpenrepublik lockt deutsche Studierende mit moderaten Studiengebühren, großem Seminarangebot sowie guter Betreuung und erstklassiger technischer Ausstattung. Auch Österreich ist für Deutsche attraktiv – ganz besonders im Bereich Medizin: In Deutschland gibt es nämlich, gerade in den begehrteren Studienfächern, die sogenannte Numerus-Clausus-Regelung (= NC), die nur Abiturienten mit einem bestimmten Notendurchschnitt zum Studium zulässt. Diese unliebsame Regelung gibt es in Österreich nicht, dafür einen Eignungstest.

Kampf der „Piefke-Schwemme"

Der Ansturm deutscher „NC-Flüchtlinge" auf österreichische Universitäten ist daher groß. Mit Quoten-Regelungen versucht Österreich, seine Unis vor der „Piefke-Schwemme" – Piefkes werden die Deutschen in Österreich nicht immer ganz schmeichelhaft genannt – zu schützen. Sogar bei den Eignungstests für das Medizinstudium in Österreich wird mit zweierlei Maß gemessen: Ausländische Studierende benötigen mehr Punkte als Österreicher. Statt NC hält das Studium beim österreichischen Nachbarn also eine andere Hürde bereit – den „Numerus austriacus", wie es boshaft in den Medien heißt.

Von Absatzwirtschaft bis Zahnmedizin: im Ausland und auf Deutsch

Was viele allerdings in Bezug auf die Unterrichtssprache nicht wissen: Auch in zahlreichen Ländern, in denen normalerweise kein Deutsch gesprochen wird, gibt es Studiengänge in deutscher Sprache: Medizin in Ungarn, Kunst in China und Mathe in Manchester – kein Problem. Allein das Fach Betriebswirtschaft kann an über 40 verschiedenen renommierten Hochschulen in deutscher Sprache studiert werden. Ansonsten reicht das Angebot von Absatzwirtschaft über Journalistik und Maschinenbau bis zu Zahnmedizin – lauter Möglichkeiten, wichtige Auslandserfahrung zu sammeln und trotzdem Vorlesungen und Prüfungen in der Muttersprache zu absolvieren.

zu Schreiben, KB 124, Aufgabe 2

13 Das formuliert man anders

SCHREIBEN

a Lesen Sie den Brief. Wer schreibt an wen? Warum?

b Markieren Sie in dem Brief unpassende bzw. umgangssprachliche Formulierungen und ersetzen Sie sie durch die Textteile unten.

Derzeit befinde ich mich im dritten Semester im Fach Betriebswirtschaft • konnte ich bereits einen ersten Eindruck über das Studium in Graz erhalten. • waren vor allem von den Studienbedingungen an Ihrer Universität beeindruckt. • den Veranstaltungen an Ihrer Fakultät gut folgen kann. • Über eine Zusage für das Stipendium würde ich mich sehr freuen. • ~~möchte ich mich um ein Erasmusstipendium an Ihrer Universität bewerben.~~ • zusätzlich meine Deutschkenntnisse vertiefe,

Enrico Sanchez, Calle Ramón de Perellos 25, 90786 Valencia, Spanien
E-Mail: Enricsan@googlemail.es

Motivationsschreiben für ein Erasmusstipendium an der Universität Graz

Sehr geehrte Damen und Herren,

als Student der Universität Valencia (Spanien) ~~wäre es ganz nett, von Ihnen ein Stipendium für ein Semester an Ihrer Uni zu bekommen.~~ möchte ich mich um ein Erasmusstipendium an Ihrer Universität bewerben.

Ich bin sogar schon im dritten Semester BWL und möchte vor meinem Bachelor-Abschluss gern ein Semester an einer deutschsprachigen Universität studieren.

Einige meiner Kommilitonen verbrachten bereits ein Erasmussemester in Graz und fanden es ziemlich cool und chillig. Durch ihre Berichte und den Internetauftritt der Universität weiß ich schon ein bisschen, was an der Uni so abläuft.

Da ich seit einigen Jahren immer mal wieder etwas Deutsch lerne, verfüge ich inzwischen über das Sprachniveau B2. In einem speziellen Kurs mache ich mich gerade mit den wichtigsten fachsprachlichen Grundlagen für mein Studium vertraut, damit ich dann auch alles einigermaßen verstehe.

Es wäre super, wenn ich das Stipendium kriegen würde!

Mit freundlichen Grüßen
Enrico Sanchez

Anlagen: Zeugniskopien, Lebenslauf, Studienbescheinigungen

9

zu Schreiben, KB 125, Aufgabe 3

14 Was die Universität Fribourg / Freiburg bietet ÜBUNG 11 LESEN

Lesen Sie den Ankündigungstext über das Angebot einer Schweizer Universität und beantworten Sie die folgenden Fragen.

1 Für wen sind die sogenannten „Starting Days" gedacht? ______

2 Welche Ziele werden genannt? ______

______

3 Was ist das Besondere an dieser Veranstaltung? ______

______

STARTING DAYS
UNIVERSITÉ DE FRIBOURG / UNIVERSITÄT FREIBURG

Was bieten diese Tage?

Vor Beginn des Studiums über die Studienwahl nachdenken, einen ersten Eindruck gewinnen, entdecken, was sich alles mit dem Studium verbindet ... So werden Sie nicht vom Studienalltag, der auf Sie zukommt, überrollt, sondern können sich mit dem Studentenleben schon etwas vertraut machen, frei und souverän mit den gebotenen Möglichkeiten umgehen – zu Ihrem persönlichen Gewinn und beruflichen Nutzen.

Eine Entdeckungsreise, die Sie einen grossen* Schritt weiterbringen wird – in Bezug auf die eigene Studienwahl und die Institution Universität, die die kommenden Jahre wesentlich mitbestimmen wird. In entspannter Atmosphäre Kontakte zu anderen StudienanfängerInnen knüpfen, mit ProfessorInnen verschiedener Fakultäten und weiteren Universitätsangehörigen ins Gespräch kommen.

Wer organisiert die „Starting days"?

Die „Starting days" sind ein gesamtuniversitäres Projekt und werden von verschiedenen universitären Einrichtungen getragen.

Wo finden sie statt?

Ausserhalb der Universität in La Part-Dieu, idyllisch gelegen in der Nähe von Bulle. Die aussergewöhnliche Umgebung schafft eine lockere Atmosphäre, in der man leicht neue Freundschaften schliessen kann.

zu Schreiben, KB 125, Aufgabe 3

15 Feste Verbindungen von Nomen mit Verben GRAMMATIK ENTDECKEN

Unterstreichen Sie alle Verbindungen von Nomen mit Verben in Übung 14 und ergänzen Sie.

1 einen ersten Eindruck gewinnen,

2 ______ Schritt ______

3 Kontakte ______

4 ______ Gespräch ______

5 Freundschaften ______

* Hier wurde die schweizerdeutsche Orthografie beibehalten.

zu Schreiben, KB 125, Aufgabe 3

16 Was bringt ein Praktikum?

GRAMMATIK

Welches Verb passt in den festen Verbindungen von Nomen mit Verben? Markieren Sie.

1 In vielen Studiengängen muss man heutzutage auch ein 3–6-monatiges Praktikum
☐ *abgeben.* ☐ *haben.* ☐ *absolvieren.*

2 Um im Praktikum sinnvoll eingesetzt zu werden, muss man über gewisse Fachkenntnisse
☐ *verfügen.* ☐ *verstehen.* ☐ *haben.*

3 Dann kann man sich in einer Firma nämlich praktische Grundlagen
☐ *vertiefen.* ☐ *aneignen.* ☐ *verbessern.*

4 Das kann die Chancen bei der Arbeitsplatzsuche durchaus
☐ *verbessern.* ☐ *bessern.* ☐ *bringen.*

zu Schreiben, KB 125, Aufgabe 3

17 Mehrere Möglichkeiten ÜBUNG 12, 13, 14

GRAMMATIK

a **Welches Verb passt nicht? Streichen Sie durch.**

1 (einen) Eindruck — *machen (auf) – zeigen (von) – gewinnen (von) – hinterlassen (bei)*
2 jemanden zur Verantwortung — *ziehen – stellen*
3 eine Entscheidung — *machen – treffen – fällen*
4 eine Meinung — *vertreten – sein – haben – äußern*
5 einer Meinung — *sein – haben*
6 einen Vortrag / eine Rede — *ausarbeiten – halten – geben*
7 eine Frage — *stellen – fragen – haben*
8 Kenntnisse — *sich aneignen – wissen – vertiefen – vermitteln*
9 die Verantwortung — *tragen (für) – übernehmen (für) – übertragen (auf jdn.) – bringen (zu)*

b **Zu welchen festen Verbindungen von Nomen mit Verben gibt es einfache Verben? Notieren Sie und formulieren Sie dazu jeweils einen Satz.**

1 Eindruck machen auf jemanden = jemanden beeindrucken.
Der neue Professor hat in seiner Vorlesung Eindruck auf die Studierenden gemacht.
Der neue Professor hat die Studierenden in seiner Vorlesung beeindruckt.

zu Hören, KB 126, Aufgabe 1

18 Den Lebensunterhalt finanzieren ÜBUNG 15, 16

WORTSCHATZ

Was kann man noch sagen? Ordnen Sie zu.

1 die Lebenshaltungskosten umfassen — F
2 man verfügt über Nebeneinkünfte
3 man kann mit Geld umgehen
4 man kommt über die Runden
5 man verschafft sich einen Überblick
6 man wendet sich an einen Stipendiengeber
7 man hat unterschiedliche Einnahmequellen
8 man rechnet mit Unterstützung

A man verdient sich etwas Geld dazu
B man versucht, von einer öffentlichen Stelle (finanzielle) Unterstützung zu bekommen
C man denkt, dass einem jemand hilft
D man findet heraus, wie alles abläuft
E man gibt sein Geld sinnvoll aus
F die monatlichen Ausgaben sind
G man hat gerade so viel Geld, dass es reicht
H man bekommt von verschiedenen Seiten Geld

9

zu *Wussten Sie schon?*, KB 126

19 Was das Studentenleben kostet

LESEN

Lesen Sie den Infotext. Welche Aussagen sind richtig? Markieren Sie.

1 Als Student hat man ☐ *großen* ☐ *nicht so viel* ☐ *überhaupt keinen* Einfluss auf die Höhe der Lebenshaltungskosten.
2 Die Mietkosten sind in großen Städten höher. Dafür hat man in einer kleineren Stadt ☐ *bessere* ☐ *genauso gute* ☐ *nicht so viele* Möglichkeiten, nebenbei Geld zu verdienen.
3 Laut Statistik geben deutsche Studierende im Durchschnitt ☐ *knapp die Hälfte* ☐ *gut die Hälfte* ☐ *circa ein Drittel* für Wohnen und Essen aus.

Die Lebenshaltungskosten während des Studiums hängen natürlich unter anderem vom Lebensstil ab. Doch Faktoren wie Mietpreise, Kosten für Ernährung und Krankenversicherung kann man persönlich nicht beeinflussen. Sparsam mit dem umzugehen, was man zur Verfügung hat, genügt also nicht allein, um einigermaßen über die Runden zu kommen!
5 Auf der Ausgabenseite fällt für Studierende vor allem die Miete ins Gewicht. Allerdings gibt es innerhalb Deutschlands bei den Mietkosten große Unterschiede: In den großen Städten München, Hamburg oder Köln sind die Mietpreise am höchsten. Dort zahlen Studierende durchschnittlich 374 Euro Miete pro Monat. In Jena, Dresden und Leipzig ist dagegen die Miete mit durchschnittlich 264 Euro im Monat am preiswertesten. Dafür findet man in
10 großen Städten meist leichter einen Nebenjob.

Wofür geben deutsche Studierende ihr Geld aus?
Deutsche Studierende verfügen im Durchschnitt monatlich über etwa 918 Euro und geben so viel aus für:

Miete (inkl. Nebenkosten)	323,– Euro	Krankenversicherung	80,– Euro
Ernährung	168,– Euro	Telefon / Internet / TV-Gebühren	31,– Euro
Kleidung	42,– Euro	Lernmittel (Bücher etc.)	20,– Euro
Fahrtkosten	94,– Euro	Freizeit, Kultur und Sport	61,– Euro
		Summe	819,– Euro

Nicht eingerechnet sind hier die Semestergebühren. Internationale Studierende haben im
20 Schnitt deutlich weniger Geld zur Verfügung als ihre deutschen Kommilitonen.

zu Sprechen 2, KB 128, Aufgabe 2

20 Erfahrungen einer Erntehelferin

HÖREN

AB 🔊 50

Hören Sie, was Miriam über ihren letzten Ferienjob erzählt. Lesen Sie die Fragen und antworten Sie in Stichworten.

1 Als was arbeitete Miriam in Südfrankreich? als Erntehelferin bei
2 Was besichtigte sie am ersten Tag?
3 Wie lange musste sie täglich arbeiten?
4 Wie wurden die Trauben transportiert? In großen
5 Wie viele Kilo Trauben erntete man pro Tag?
6 Wer arbeitete außer den Studierenden noch als Erntehelfer?
7 Welche Motivation hatte einer der Erntehelfer?
8 Was bekam man außer Lohn noch für den Job?

zu Sprechen 2, KB 128, Aufgabe 2

21 Weinlese in Carcassonne

KOMMUNIKATION

Lesen Sie nun, was Miriam über ihren Ferienjob erzählt und ergänzen Sie die Redemittel.

☐ Diese Arbeit war körperlich sehr anstrengend • ☐ Untergebracht waren wir • ☐ freie Kost und Logis • ☐ hat man sich gewöhnt • ☐ den man auf dem Rücken trug • ☐ die totale Entspannung vom stressigen Bürojob • 1 als Erntehelferin bei der Weinlese gearbeitet • ☐ von morgens um acht bis abends um sechs • ☐ gar nicht so schlecht bezahlt

In den letzten Semesterferien habe ich in Südfrankreich (1). Zusammen mit drei Kommilitoninnen und Kommilitonen sind wir Mitte September dorthin gefahren. (2) in einem Weingut in der Nähe von Carcassonne. Nach einem Kennenlerntag mit Besichtigung der berühmten alten Festung ging es am zweiten Tag gleich mit dem vollen Arbeitspensum los: Wir ernteten (3) mit einer Stunde Mittagspause auf dem Weinberg Trauben, das heißt, wir mussten sie mit einem speziellen Rebmesser vom Weinstock abschneiden und in einen Eimer werfen, (4). Immer, wenn der Eimer voll war, leerte man die Trauben in einen riesigen Behälter. Man musste eigentlich 800 bis 1000 Kilo Trauben pro Tag schaffen, das war am Anfang fast nicht möglich. Aber nach ein paar Tagen kam ich täglich schon auf 850 Kilo. (5) und am Abend tat mir anfangs alles weh – der Rücken, die Beine, die Hände vom Schneiden mit der Schere. Aber auch daran (6). Weil man den ganzen Tag etwas zu tun hatte, sich aber auch mit den anderen Erntehelfern, die aus verschiedenen Ländern kamen, unterhalten konnte, verging die Zeit doch ziemlich schnell. Stell dir vor, außer Studenten aus ganz Europa gab es sogar Leute, die so einen Job als Alternativ-Urlaub machten. Sich körperlich anzustrengen und den Geist zur Ruhe kommen zu lassen, sagte einer der Erntehelfer – das sei für ihn (7). Unglaublich, aber das kann auch eine Motivation für so eine Arbeit sein. Ich wollte natürlich vor allem etwas Geld verdienen und mein Französisch wieder mal auffrischen und – es hat tatsächlich was, den ganzen Tag draußen und körperlich aktiv zu sein. Als Erntehelfer wurde man übrigens (8), und bekam außerdem (9).

zu Sprechen 2, KB 128, Aufgabe 2

22 Sich Geld im Studium verdienen ÜBUNG 17, 18

SCHREIBEN

a **Welche der beliebtesten Studentenjobs passen zu welchem Bereich? Manche Tätigkeiten passen mehrfach.**

Computer ________
Gastronomie ________
Lehre und Forschung ________
Finanzen 6 Kassierer(in) im Einzelhandel
Pädagogik ________
Umgang mit Waren ________

Die beliebtesten Studentenjobs

1. Allgemeine Bürotätigkeiten
2. Kellner(in), Barkeeper(in)
3. Aushilfe in Produktion / Lager
4. Nachhilfelehrer(in)
5. Wissenschaftliche Hilfskraft (HiWi)
6. Kassierer(in) im Einzelhandel
7. Verkäufer(in) im Einzelhandel
8. Programmierer(in)
9. Buchhaltung

Quelle: univativ GmbH & Co. KG

b **Schreiben Sie mithilfe der Redemittel aus dem Kursbuch (KB 128) über eine Aushilfstätigkeit, einen Studenten- oder Ferienjob, die / den Sie einmal gemacht haben.**

Berichten Sie, ...
- welche Tätigkeiten Sie ausgeführt haben.
- wie lange Sie diese Arbeit gemacht haben.
- wie viel Sie dabei verdient haben.
- wie Sie den Job gefunden haben.
- ob Sie den Job weiterempfehlen würden.

zu Sehen und Hören, KB 129, Aufgabe 5

23 Digitale Lehre an Universitäten

LESEN

Lesen Sie in einem Online-Forum verschiedene Meinungsäußerungen zum Thema „Digitale Lehre an Universitäten". Welche Überschrift passt inhaltlich zu welcher Äußerung? Eine Äußerung passt nicht. Ordnen Sie zu.

- ☐ Gute Videos und Onlinematerialien verbessern die Lehre.
- ☐ Digitale Lehre motiviert zum selbstständigen Arbeiten.
- ☐ Die Digitalisierung wird von Studienanfängern begrüßt.
- ☐ Viele Professoren tun sich noch schwer mit der Digitalisierung.
- ☐ Online-Materialien sollen jedermann zur Verfügung stehen.
- ☐ Das digitale Studium ist für einige Studenten eine Herausforderung.
- ☐ Bei einem digitalen Studium haben die Studenten mehr Freiheiten.

a Aufwändige digitale Lehrvideos statt klassischer Vorlesungen sind inzwischen total normal geworden. Wir lernten unseren Professor in der Einführungsveranstaltung auf dem Bildschirm kennen. Das fanden wir alle super. Durch die moderne Technik gibt es heute wirklich unglaubliche Möglichkeiten, es war sehr informativ und gleichzeitig sehr unterhaltsam.
Marianna, Studentin in Marburg

b Mit dem Online-Lernen bringen wir die Studenten wieder dazu, sich den Stoff mithilfe von Lehrvideos, also in „asynchroner Kommunikation" selbst zu erschließen. In der „Präsenzphase" an der Uni können sie sich austauschen, weitere Übungen machen und fragen, wenn etwas für sie unverständlich war. *Marius, Dozent in Marburg*

c Beim digitalen Studieren kann ich zwar alle Informationen permanent abrufen und mich so theoretisch optimal vorbereiten. Leider bin ich aber etwas zu undiszipliniert, um dauerhaft dranzubleiben. Mit festen Veranstaltungszeiten und etwas „sozialer Kontrolle" durch die Mitstudierenden läuft es bei mir irgendwie besser. *Timor, Student in Stuttgart*

d Die papierlose Wissensvermittlung ist meiner Meinung nach viel besser als das Lehren mit teuren Lehrbüchern. Ich unterrichte am liebsten mit Lehrvideos. Mit ihnen lassen sich manche Dinge besser erklären, weil man durch die nonverbale Kommunikation mit Bildern und Filmen vieles anschaulicher darstellen kann. Für uns Lehrende lohnt es sich auch, die Videos didaktisch anspruchsvoll zu produzieren, da man sie mehrfach verwenden kann.
Jana, Dozentin in Zürich

e Zu Beginn meines Studiums war ich erst einmal desillusioniert. Es wird zwar viel über E-Learning an Unis und Hochschulen gesprochen, de facto sind viele Professoren aber noch sehr desinteressiert was die Digitalisierung angeht und halten ganz klassische Vorlesungen. Ein zeitgemäßer Universitätsbetrieb sieht anders aus! *Mika, Student in Flensburg*

f Meiner Meinung nach sollte man digitales Lernen und Online-Veranstaltungen in einem „Probesemester" ausprobieren können. Danach könnten sowohl die Lehrenden als auch die Lernenden Rückmeldung geben, was gut funktioniert hat und welche Teile eher misslungen sind, wo es also Verbesserungsbedarf gibt. *Karola, Studentin in Berlin*

g Für viele Studenten ist es meist irrelevant, wann sie an der Uni sein müssen. Da ich aber nebenbei noch arbeite, ist es für mich sehr wichtig, mein Studium entsprechend zu organisieren. Deshalb studiere ich in einem Online-Masterstudiengang, in dem ich mir meine Studierzeit und das tägliche Pensum selbst einteilen kann. *Katja, Masterstudentin in Wien*

h Am Anfang stand das digitale Lehrmaterial nur den Studenten mit Passwort zur Verfügung. Inzwischen hat man das an einigen Hochschulen wieder aufgegeben. So hat nun jedermann einen uneingeschränkten Zugang zu den Onlinekursen. Das finde ich gut, denn Wissen soll ja eigentlich weltweit geteilt werden. *Victor, Studentische Hilfskraft in München*

zu Sehen und Hören, KB 129, Aufgabe 5

24 Negation durch Vor- und Nachsilben bei Adjektiven

GRAMMATIK

a **Markieren Sie in den Texten in Übung 23 die Adjektive mit Vor- oder Nachsilben und ordnen Sie diese anschließend den passenden Umschreibungen in der Tabelle zu.**

Adjektive mit der Vorsilbe *un-, miss-, ir-*		Adjektive mit der Vor- oder Nachsilbe *a-, des-, non-, -los*	
unglaublich	nicht zu glauben	...	ohne Sprache
...	ohne Selbstdisziplin	...	nicht ausgedruckt
...	nicht wichtig	...	nicht gleichzeitig
...	nicht gut geworden	...	enttäuscht
...	ohne Begrenzung	...	nicht neugierig
...	unklar		

b **Finden Sie weitere Adjektive mit den Vor- bzw. Nachsilben.**

25 Ein Vorbild

MEIN DOSSIER

Verfassen Sie einen kurzen Text über eine Person, deren Ausbildungsweg Sie besonders interessant finden und die für Sie in dieser Hinsicht ein Vorbild ist. Kleben Sie eventuell auch ein Foto ein. Schreiben Sie zum Beispiel:

- welche Berufsausbildung bzw. welches Studium diese Person absolvierte.
- wie sie / er zu ihrem jetzigen Beruf fand.
- warum sie / er erfolgreich wurde.
- was Sie an diesem Menschen am meisten beeindruckt / fasziniert.
- weshalb diese Person für Sie ein Vorbild ist.

... hat einen interessanten Werdegang.
Schon früh ... sie / er gern ...
Zunächst studierte sie / er ... / machte sie / er eine Ausbildung als ...
Danach ... sie / er erst einmal ...
Im Alter von ... probierte sie / er dann ...
Inzwischen ... sie / er ...
Faszinierend / beeindruckend finde ich vor allem, dass sie / er ...
... für mich ein Vorbild, weil ...

9

AUSSPRACHE: Vokalneueinsatz

1 Vokalneueinsatz

AB 51 **a** **Wo hören Sie eine kurze Pause zwischen den beiden Wörtern (P)? Wo werden die Wörter verbunden (V)? Ergänzen Sie.**

1	V viel Leere	P	viel Ehre	5	☐ am Ast	☐	am Mast
2	☐ elf Fahrten	☐	elf Arten	6	☐ mit Ina	☐	mit Tina
3	☐ mit dir	☐	mit ihr	7	☐ viel lieber	☐	viel über
4	☐ willig	☐	will ich	8	☐ ab Bamberg	☐	ab Amberg

AB 51 **b** **Hören Sie dann noch einmal und sprechen Sie nach.**

c **Was fällt Ihnen auf? Wann gibt es bei den Wörtern in a eine Pause? Markieren Sie.**

☐ vor Vokalen am Wortanfang
☐ vor Konsonanten am Wortanfang

AB 52 **d** **Wo hören Sie bei den Wörtern in der jeweils rechten Spalte eine Pause? Markieren Sie sie mit einem Sternchen*.**

1 einen	ver*einen	5 Arbeit	Seminararbeit
2 ändern	geändert	6 Aufsatz	Fachaufsatz
3 Eindruck	beeindruckt	7 Abschluss	Studienabschluss
4 Illusion	desillusioniert	8 Aufenthalt	Auslandsaufenthalt

AB 52 **e** **Hören Sie dann noch einmal und sprechen Sie nach.**

f **Was fällt Ihnen auf? Wann gibt es bei den Wörtern in d eine Pause? Markieren Sie.**

☐ vor Vokalen am Silbenanfang
☐ vor Konsonanten am Silbenanfang

AB 53 **g** **Lesen Sie den Text und markieren Sie den Vokalneueinsatz mit einem Apostroph '. Hören Sie dann zur Kontrolle.**

Ich habe 'ein 'Auslandssemester an der Universität Newcastle in Australien verbracht. Nach einigen organisatorischen Schwierigkeiten – man muss vorab viele Dinge beachten und vor allem die Papiere rechtzeitig beantragen – war es insgesamt eine spannende und beeindruckende Erfahrung, die ich allen empfehlen kann. Newcastle ist für einen Auslandsaufenthalt auf jeden Fall geeignet.

2 Stille Post

Arbeiten Sie in Gruppen. Jeder schreibt nun einen Satz mit möglichst vielen Wörtern und Silben, die mit einem Vokal beginnen. Zeigen Sie ihn niemandem. Einer beginnt nun, seinen Satz der Nachbarin / dem Nachbarn ins Ohr zu flüstern. Diese/r flüstert der / dem Nächsten ins Ohr, was sie / er verstanden hat, usw. Die / Der Letzte in der Reihe sagt laut, was bei ihr / ihm „angekommen" ist.

Ich habe Beate vor acht Tagen einen alten Fotoapparat ausgeliehen, und sie hat ihn einfach im Internet auf eBay angeboten. Unerhört!

EINSTIEGSSEITE, KB 117

wissenschaftlich

WORTSCHATZ, KB 118–119

der Arbeitsaufwand (Sg.)
der Aufsatz, ¨-e
der Dozent, -en
die Facharbeit, -en
die Fachliteratur (Sg.)
die Gliederung, -en
die Hausarbeit, -en
der Hörsaal, Hörsäle
die Klausur, -en
der Kommilitone, -n
die Kommilitonin, -nen
die Lehrveranstaltung, -en
die Mensa, die Mensen
das Studienfach, ¨-er
der Studiengang, ¨-e
das Seminar, -e
die Seminararbeit, -en
der Verlauf, ¨-e
die Vorlesung, -en
das Vorlesungsverzeichnis, -se
das Wortfeld, -er

absolvieren
eine Prüfung ablegen
anrechnen
sich einschreiben, schrieb sich ein, hat sich eingeschrieben
sich etwas erarbeiten
festlegen
verfassen

relevant

LESEN, KB 120–122

der Anziehungspunkt, -e
die / der Beschäftigte, -n
die Betreuung (Sg.)
der Campus (Sg.)
die Disziplin, -en
der Fachbereich, -e
die Fakultät, -en
die Förderung, -en
das Gelände, -
die Metropolregion, -en
der Nachwuchs (Sg.)
der (Spitzen)Forscher, -
der Studienabschluss, ¨-e
die Zuständigkeit, -en
die Zuwanderung, -en

abrunden
abschaffen
sich ausleben
gehören zu
promovieren
verweilen

Lust wecken auf (+ Akk.)
eine Karriere einschlagen, schlug ein, hat eingeschlagen

auf dem Weg sein

dicht
hervorragend
übergreifend
vereint

ansonsten
untereinander

SPRECHEN 1, KB 123

die Umgebung, -en
die Vorstellung, -en

zustimmen

renommiert

dafür

SCHREIBEN, KB 124–125

die Aufgeschlossenheit (Sg.)
die Grundlage, -n
die Mappe, -n

sich etwas aneignen
verfügen über (+ Akk.)
sich vertraut machen mit
weiterbringen, brachte weiter, hat weitergebracht

einen Eindruck gewinnen von, gewann, hat gewonnen
einen Eindruck bekommen von, bekam, hat bekommen
einen Eindruck haben von, hatte, hat gehabt
einen Eindruck hinterlassen bei, hinterließ, hat hinterlassen
Kenntnisse vertiefen
Kontakte knüpfen
eine Meinung vertreten, vertrat, hat vertreten
Verantwortung übernehmen, übernahm, hat übernommen

beeindruckt sein von

HÖREN, KB 126–127

die Ausgabe, -n
die Einnahmequelle, -n
die Lebenshaltungskosten
der Stipendiengeber, -
das Studentenwerk, -e
der Verdienst, -e
der Zinssatz, ¨-e

rund

SEHEN UND HÖREN, KB 129

das Geräusch, -e

schieflaufen, lief schief, ist schiefgelaufen
etwas wiedergeben, gab wieder, hat wiedergegeben

anspruchslos
atypisch
desillusioniert
irrelevant
missverständlich
mühelos
non-verbal
unübertroffen

LEKTIONSTEST 9

1 Wortschatz

Ergänzen Sie den passenden Begriff.

1 Jura, Medizin oder Geschichte sind S____________________.
2 An der Universität lehren Professoren und D____________________.
3 Bachelor und Master sind zwei unterschiedliche S____________________.
4 Eine Übersicht über die Lehrveranstaltungen an einer Uni findet man im V____________________.
5 Ein anderes Wort für Mitstudent ist K____________________.
6 Viele Studierende essen in der M__________, dort erhalten sie preiswerte Mahlzeiten und Getränke.
7 In der Unibibliothek finden Studierende die F____________________, die sie für ihr Studium brauchen.

Je 1 Punkt **Ich habe ______ von 7 möglichen Punkten erreicht.**

2 Grammatik

a **Verbinden Sie die Sätze mit dem Konnektor oder der Präposition in Klammern.**

1 Paul plant, ein Auslandssemester einzulegen. Er bewirbt sich um ein Erasmusstipendium. *(folglich)*
2 Manche Städte wie Freiburg, Hamburg oder München sind beliebte Studienorte. Es ist sehr schwer, dort eine günstige Unterkunft zu finden. *(so ... dass)*
3 Der Fachbereich wird erweitert. Es können sich mehr Studierende dafür einschreiben. *(Infolgedessen)*
4 Für eine Seminararbeit sollte man zuerst eine Gliederung entwerfen. Der Aufbau der Arbeit ist dann logisch und übersichtlich. *(sodass)*
5 Der Arbeitsaufwand ist bei technischen Studiengängen sehr hoch. Einige Studierende geben das Studium nach kurzer Zeit wieder auf. *(infolge)*

Je 2 Punkte **Ich habe ______ von 10 möglichen Punkten erreicht.**

b **Welche zwei Verben passen? Markieren Sie.**

1 Es kann sinnvoll sein, vor dem Studium ein Praktikum zu ☐ *machen.* ☐ *haben.* ☐ *absolvieren.*
2 Auf dem Unicampus ist es nicht schwer, Kontakte ☐ *zu knüpfen.* ☐ *herzustellen.* ☐ *anzufangen.*
3 In Tutorien kann man seine Kenntnisse ☐ *erweitern.* ☐ *weiterbringen.* ☐ *vertiefen.*
4 Wer ein Tutorium leitet, muss Verantwortung ☐ *verfügen.* ☐ *tragen.* ☐ *übernehmen.*
5 In studentischen Lerngruppen kann man jederzeit Fragen ☐ *diskutieren.* ☐ *tun.* ☐ *stellen.*
6 Die Professoren müssen manchmal eine Rede ☐ *machen.* ☐ *ausarbeiten.* ☐ *halten.*

Je 1 Punkt **Ich habe ______ von 6 möglichen Punkten erreicht.**

3 Kommunikation

Ergänzen Sie die passenden Wörter.

genau • selbstständig • ganz • kaum • anstrengend • weniger • leider

1 Was ____________________ sind deine Vorstellungen in Bezug auf dieses Fach?
2 Ein großes Zimmer ist ____________________ wichtig für mich. Ich nehme auch ein kleines.
3 Da hast du recht. Ich bin ____________________ deiner Meinung.
4 Nur in einem Punkt kann ich dir ____________________ nicht zustimmen.
5 Die Arbeit als Nachtportier war nicht schwer, da hatte ich echt ____________________ etwas zu tun.
6 Allerdings kann man in dem Job nicht sehr ____________________ arbeiten. Alles ist vorgegeben.
7 Als Erntehelfer war es sehr ____________________. 8 Stunden Schwerstarbeit täglich.

Je 1 Punkt **Ich habe ______ von 7 möglichen Punkten erreicht.**

Auswertung: Vergleichen Sie mit den Lösungen (AB 209).
Ihre Erfolgspunkte tragen Sie unter jeder Aufgabe ein.

Ich habe ______ von 30 möglichen Punkten erreicht.

☺	☺	☹
30–24	23–18	17–0

WIEDERHOLUNG WORTSCHATZ

1 Dienstleistungen früher

Ergänzen Sie in der richtigen Form.

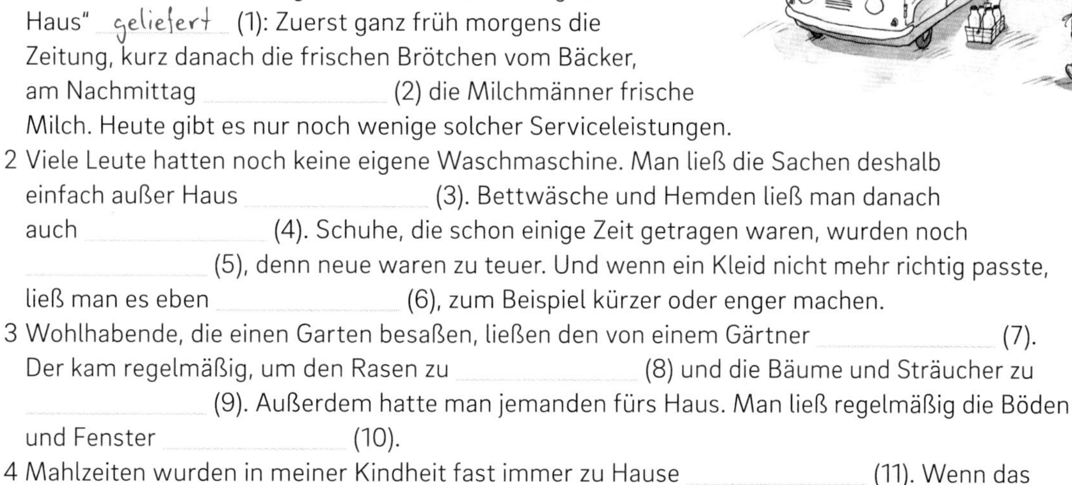

ändern • bringen (2 x) • bügeln • kochen • ~~liefern~~ • mähen • pflegen • putzen • reparieren • schneiden • waschen

1 Früher gab es noch viel mehr Serviceleistungen! In meiner Kindheit wurde uns morgens alles Lebenswichtige „frei Haus" geliefert (1): Zuerst ganz früh morgens die Zeitung, kurz danach die frischen Brötchen vom Bäcker, am Nachmittag ______ (2) die Milchmänner frische Milch. Heute gibt es nur noch wenige solcher Serviceleistungen.

2 Viele Leute hatten noch keine eigene Waschmaschine. Man ließ die Sachen deshalb einfach außer Haus ______ (3). Bettwäsche und Hemden ließ man danach auch ______ (4). Schuhe, die schon einige Zeit getragen waren, wurden noch ______ (5), denn neue waren zu teuer. Und wenn ein Kleid nicht mehr richtig passte, ließ man es eben ______ (6), zum Beispiel kürzer oder enger machen.

3 Wohlhabende, die einen Garten besaßen, ließen den von einem Gärtner ______ (7). Der kam regelmäßig, um den Rasen zu ______ (8) und die Bäume und Sträucher zu ______ (9). Außerdem hatte man jemanden fürs Haus. Man ließ regelmäßig die Böden und Fenster ______ (10).

4 Mahlzeiten wurden in meiner Kindheit fast immer zu Hause ______ (11). Wenn das berufstätige Familienmitglied zum Mittagessen nicht nach Hause kommen konnte, dann ______ (12) man ihm das warme Mittagessen in einem speziellen Topf, dem sogenannten „Henkelmann".

10

zur Einstiegsseite, KB 131, Aufgabe 2

2 Lieferwagen der Zukunft ÜBUNG 1

HÖREN

AB 54

Hören Sie die Radiosendung zweimal und wählen Sie bei jeder Aufgabe die richtige Lösung.

1 Um welche Art von Service geht es hier?
- a Lieferung von Waren
- b Reparatur von Fahrrädern
- c Transport von Personen

2 Welche Probleme gibt es in der Innenstadt?
- a Es gibt zu wenige Parkplätze.
- b Die Straßen sind kaputt.
- c Es gibt Luftverschmutzung.

3 Wie unterstützt die Stadtverwaltung das Projekt?
- a Sie sperrt die Innenstadt für Autos.
- b Sie bezahlt die modernen Fahrzeuge.
- c Sie erlaubt längere Lieferzeiten für die Fahrräder.

4 Welche Modelle werden starten?
- a Nur Modelle mit Elektromotor.
- b Modelle, die für die Kunden attraktiv sind.
- c Modelle mit und ohne Elektromotor.

5 Was ist das Besondere am Cargo Cruiser?
- a Er kann bis zu 300 Kilo Waren transportieren.
- b Er wird zurzeit in Berlin ausprobiert.
- c Er kann mit zwei oder drei Rädern bestellt werden.

6 Die Unternehmer der Transportbranche beurteilen die Entwicklung der neuen Fahrräder ...
- a eher positiv.
- b eher negativ.
- c sowohl positiv als auch negativ.

zu Wortschatz, KB 132, Aufgabe 1

3 Service ÜBUNG 2

LESEN

Lesen Sie die 8 Überschriften a–h und die vier Texte und suchen Sie zu jedem Text die passende Überschrift. Pro Text gibt es nur eine richtige Lösung.

a Fachkräftemangel betrifft auch Studienberufe
b Training trotz Sportverletzung? Werbekampagne klärt auf
c Neue Internetseite für Ausbildungswahl
d Wissenschaftler warnen: Zahl der Sportverletzungen nimmt zu
e Engpässe im Handwerk: Lange Wartezeiten für Kunden
f Studienplatzvergabe in Österreich
g Aktuelle Studie belegt: Verletzungsgefahr bei Sportlern ohne Trainer höher
h Schweizer Kampagne: Trainingstipps bei Sportverletzungen

☐

Die Fitnessbranche boomt. Doch das hat nicht nur Vorteile. Wie eine Forschergruppe der Sporthochschule Köln herausgefunden hat, ist eine falsche sportliche Betätigung oftmals die Ursache für körperliche Beschwerden. Über einen Zeitraum von drei Jahren untersuchten die Wissenschaftler das Trainingsverhalten von Freizeitsportlern mit und ohne professionelle Anleitung beim Training. Der Vergleich der beiden Testgruppen zeigte, dass ein professioneller Trainer Sportverletzungen verhindern kann. Während Freizeitsportler ohne Trainer ihren Körper häufig durch ein zu intensives Training überbelasteten und verletzten, kam es beim Training mit der individuellen Anleitung eines Experten sehr viel seltener zu körperlichen Beschwerden.

(aus einer deutschen Zeitung)

☐

Berufseinsteiger aufgepasst: Das Projekt „Leben und Arbeit in Klagenfurt" bietet ab jetzt einen sehr praxisorientierten Service. Auf dem neuen Internetportal www.leben-und-arbeit.at informiert das Projekt über Ausbildungsmöglichkeiten und Stellenausschreibungen in der Stadt Klagenfurt und den umliegenden Gemeinden. Einen Schwerpunkt bildet dabei die Rubrik „Ausbildung und Beruf". Hintergrund ist, dass immer mehr Menschen nur ein Studium als attraktive Ausbildungsmöglichkeit sehen. Mit seiner Onlinekampagne versucht das Projekt jungen Menschen außeruniversitäre Möglichkeiten der Berufsausbildung aufzuzeigen und ein Vermittler zwischen Berufseinsteigern und den Ausbildungsbetrieben zu sein.

(aus einer österreichischen Zeitung)

☐

Ist Deutschland eine „Dienstleistungswüste"? Privatkunden beklagen sich, denn sie müssen immer länger auf einen Handwerker warten. Grund hierfür ist der zunehmende Fachkräftemangel. Einem aktuellen Bericht der deutschen Handwerkskammern zufolge fehlt es an Auszubildenden. Während immer mehr junge Menschen ein Studium beginnen, schrumpft die Zahl derjenigen, die eine Berufsausbildung im Handwerk machen. Das führt längerfristig zu großen Problemen: Ob Klempner, Fliesenleger oder Heizungsbauer – die Wartezeiten betragen im Schnitt zehn bis zwölf Wochen. Da es durch den Bauboom im Moment für viele Handwerksbetriebe finanziell attraktive Großaufträge gibt, trifft es Privatkunden besonders hart.

(aus einer deutschen Zeitung)

☐

Sportverletzungen dürfen nicht unterschätzt werden. In einer aktuellen Werbekampagne des Vereins „Fit und Gesund" im Schweizer Kanton Bern heißt es, jeder zweite Sportler trainiere nach Verletzungen einfach weiter. „Gesundheit zu verkaufen" heißt es auf großen Werbeplakaten, die verletzte Sportler beim Trainieren zeigen. Begleitend zur Plakataktion bietet der Verein Vorträge und sogar kostenlose Trainingsstunden an, um Freizeitsportler für das Thema Sportverletzungen zu sensibilisieren. Mit seinem Serviceangebot möchte der Verein insbesondere vor den Folgen warnen, die auftreten, wenn man trotz körperlicher Beschwerden einfach weitertrainiert.

(aus einer Schweizer Zeitung)

zu Wortschatz, KB 132, Aufgabe 2

4 Kleinanzeigen

Ergänzen Sie die Texte im Passiv + *können*.

reinigen • ~~baden~~ • liefern • aufgeben • lösen • beheizen

10

zu Wortschatz, KB 132, Aufgabe 2

5 Alternativen zum Passiv (I)

GRAMMATIK ENTDECKEN

a **Unterstreichen Sie die Wörter, die auf *-bar* und *-lich* enden.**

1 Ihr Lieben, wir haben unbeschreibliche Lust auf Pizza, aber keine Lust auf Pizzalieferservice. Jetzt wollen wir unsere Pizza selber backen, wissen aber nicht, ob das mit unserem uralten Backofen überhaupt machbar ist. Auf wie viel Grad ist denn so ein Ofen erhitzbar? Weiß das jemand? Danke! Nicole

2 Hallo Leute, ich möchte mich als Fahrrad-Kurier selbstständig machen. Glaubt ihr, dass das mit 25 schon realisierbar ist? Welche Schwierigkeiten sind vorhersehbar, was ist zu beachten? Danke schon mal für brauchbare und verständliche Tipps. Andi

3 Kann mir bitte jemand helfen? Meine Situation ist nämlich fast unerträglich: Ich habe einen Freund und eine Katze, die ich beide sehr liebe. Und jetzt hat mein Freund aus unerklärlichen Gründen plötzlich eine Katzenhaarallergie bekommen: Er kriegt im Gesicht sichtbare rote Flecken, wenn er zu mir in die Wohnung kommt. Gibt es dafür eine annehmbare Lösung (ohne Trennung von Freund oder Vierbeiner)? Vielen Dank! Jessica

b **Formulieren Sie die unterstrichenen Wörter um.**

1 unbeschreiblich – kann nicht beschrieben werden

zu Wortschatz, KB 132, Aufgabe 2

6 Passiv

GRAMMATIK

Markieren Sie die Adjektive mit den Endungen -*bar* und -*lich*. Welche haben eine passive Bedeutung? Markieren Sie und formulieren Sie diese Sätze um.

	passive Bedeutung	andere Formulierung
1 Die Wege des Schicksals sind Ihrer Meinung nach unbegreiflich? Ich helfe Ihnen, sie zu verstehen.	☒	... können Ihrer Meinung nach nicht begriffen werden?
2 Die Dekoration im Schaufenster ist leider nicht verkäuflich.	☐	
3 Der Fahrrad-Kurier ist pünktlich.	☐	
4 Dieses Hotel ist nur für fröhliche Vierbeiner.	☐	
5 Wir haben sehr gute und freundliche Nachhilfe-Lehrer – auch für knifflige Aufgaben.	☐	
6 Ihre Gelenke sind etwas steif und unbeweglich? Erfahrene Physiotherapeutin hilft Ihnen!	☐	

zu Wortschatz, KB 132, Aufgabe 2

7 Werbesprüche ÜBUNG 3, 4, 5

GRAMMATIK

Ergänzen Sie die Werbeslogans. Achten Sie auf die Adjektivendungen.

-lich

1 Formulieren Sie Ihre Texte so, dass sie gut verständlich sind! Wir helfen Ihnen dabei. *(können verstanden werden)*

2 In unserem Wellness-Hotel werden Sie ________ Stunden erleben. Besuchen Sie uns für ein Wochenende! *(können nicht vergessen werden)*

3 Ihr letzter Urlaub war ________ schön? Ihr nächster wird auch so sein! Besuchen Sie unsere Internetseite www.traumurlaub.de. *(konnte nicht beschrieben werden)*

4 Schlafstörungen? Nie wieder! Unsere Bio-Schlaftees sind als Helfer ________. *(können nicht ersetzt werden)*

-bar

1 Wenn Sie Ihren Urlaub bei uns buchen, werden Sie unbezahlbare Erfahrungen machen. *(können nicht bezahlt werden)*

2 Sie wollen Ihr Bad neu gestalten? Hier finden Sie ________ Ideen. *(können umgesetzt werden)*

3 Unsere Outdoor-Jacken sehen toll aus, sind strapazierfähig und sehr gut ________. *(können gewaschen werden)*

4 Ihr letztes Ferienhaus war so alt, dass es ________ war? Buchen Sie bei uns! Wir haben wunderschöne, moderne Häuser in bester Lage im Angebot. *(konnte nicht bewohnt werden)*

zu Sprechen, KB 133, Aufgabe 1

8 Hausmeister-Service

SCHREIBEN

Korrigieren Sie die Anzeige. Unterstreichen Sie den Fehler und schreiben Sie die richtige Form an den Rand (Beispiel 01). Wenn ein Wort falsch platziert ist, schreiben Sie es und seinen Begleiter an den Rand (Beispiel 02).

www.ihr-Helfer-für-aller-Faelle.de

Sie brauchen eine Hand starke? Ich (28, männlich) erledige alle Hilfsarbeiten an Ihrem Haus und im Garten. Fachmännische Rasenpflege und andere Hausmeistertätigkeiten ist inbegriffen.
Gern ich übernehme auch die Entrümpelung Ihres Kellers, das heißt, ich entsorge Ihren Sperrmüll, alte Sachen, das Sie nicht mehr brauchen. Sie ziehen aus oder am und benötigen Hilfe? Ich habe viel Erfahrung mit dem Auf- und Abbau von Möbeln, Lampen und mehr. Ich helfe Ihnen dafür, Ihre Wohnung für die Übergabe an einen Nachmieter besenrein zu säubern. Kleinere Ausbesserungsarbeiten an Wänden und Türen ich ebenfalls gern für Sie übernehmen kann. Putzarbeiten mache ich nur in Ausnahmefällen. Drehen Sie sich dafür bitte an eine Reinigungskraft oder -firma. Ich arbeite auf Stundenbasis.
Bei Interesse kontaktieren Sie mir bitte telefonisch abends ab 19 Uhr unter 089/12 34 56 78.

1 alle (01)
2 starke Hand (02)
3 ______
4 ______
5 ______
6 ______
7 ______
8 ______
9 ______
10 ______

zu Sprechen, KB 133, Aufgabe 3

9 Eine Geschäftsidee ÜBUNG 6, 7

KOMMUNIKATION

Ergänzen Sie die Redemittel aus dem Kursbuch (KB 133).

David: Du, ich habe mir überlegt, wie wir uns etwas Geld verdienen und dabei stundenlang an der frischen Luft sein können.
Xavier: Klingt interessant. Wie soll das Ganze denn ______ (1)?
David: Gemüsegärten sind doch voll im Trend. Viele wissen nicht, wie man sie richtig anlegt. Wir könnten dem Kunden etwas ganz ______ ______ (2), nämlich alles aus einer Hand.
Xavier: Ist die Planung des Gartens dann ______ ______ (3)?
David: Ja klar, wir beide als studierte Landschaftsgärtner würden die Planung und die praktische Umsetzung ganz nach den Wünschen des Kunden gestalten. So etwas bekommt man heutzutage doch ______ ______ (4)!
Xavier: Ich kann mir das noch nicht so ______ ______ (5). Kann man denn dabei wirklich was verdienen?
David: Klar! Ich bin ziemlich sicher, das könnte eine gute Geschäftsidee werden. Das ist doch eine unglaubliche Erleichterung für den Alltag. Man muss sich nie mehr selbst um den Garten kümmern.
Xavier: Das klingt ______ ______ ______ (6), aber wird das für den Kunden nicht zu teuer?
David: Das liegt doch in unserer Hand.
Xavier: Ich bin mir ______ ______ (7), ob wir dafür genug Erfahrung haben.
David: Sei doch nicht so pessimistisch! Ich habe auch schon eine Idee für den Text auf unserem Flyer, wir brauchen dann nur noch ein Logo für unsere Firma.

10

zu Hören 1, KB 134, Aufgabe 2

10 Sparen & Gewinnen ÜBUNG 8 WORTSCHATZ

Ergänzen Sie in der richtigen Form.

das Schnäppchen • der Gutschein • der Rabatt • die Mogelpackung • der Beteiligte • ~~der Fachmann~~ • der Onlineshop

1 Alexa hat sich in einem Elektronik-Markt von _einem Fachmann_ (1) beraten lassen, welche Digitalkamera im Moment die beste ist. Dann hat sie sich die Kamera über ______________ (2) „www.gute-kameras.at" gekauft. Für diese Digitalkamera hat sie ein Drittel weniger bezahlt als im Geschäft – ________ echtes ______________ (3).
2 Erich hat bei seinem letzten Einkauf im Internet ______________ (4) über 10 Euro bekommen. Die Aktion, bei der man 10 % ______________ (5) auf alle Produkte bekommt, geht nur bis zum Monatsende.
3 Gestern hat Tina eine riesige Schachtel Schokokekse gekauft. Wie sich herausstellte, war das ________ echte ______________ (6): Die Schachtel war nur zur Hälfte gefüllt.
4 Der Gewinn in der Lotto-Wettgemeinschaft wird unter allen ______________ (7) aufgeteilt.

zu *Wussten Sie schon?*, KB 135

10

11 Preisvergleichsportale im Internet LESEN

Lesen Sie den Text (AB 161) und wählen Sie bei jeder Aufgabe die richtige Lösung.

1 Man benutzt Suchmaschinen, um ...
- [a] die preiswertesten Angebote zu finden.
- [b] Preise mit verschiedenen Händlern auszuhandeln.
- [c] die Qualität von Produkten zu vergleichen.

2 Welches Ergebnis ergab der Verbrauchertest?
- [a] Die höchsten Preise bezahlt man im Einzelhandel.
- [b] Die Suchmaschinen zeigen verschieden hohe Preise an.
- [c] Wer mit Suchmaschinen sucht, kann bis zu einem Viertel des Preises einsparen.

3 Hilfreich sind Informationen darüber, ...
- [a] wie Nutzer die Produkte beurteilen.
- [b] wie die Preisentwicklung von ähnlichen Produkten im letzten Quartal oder Jahr war.
- [c] welche Erfahrungen Nutzer mit der Suchmaschine gemacht haben.

4 Was sollte man beachten, wenn man ein Suchergebnis vor sich hat?
- [a] Ist der Kaufpreis garantiert?
- [b] Ab wann ist die Ware tatsächlich lieferbar?
- [c] Habe ich ein Rückgaberecht?

5 Wie reagieren die traditionellen Einzelhändler? Einige ...
- [a] ändern ihr Verhalten gegenüber den Kunden.
- [b] geben ihr Geschäft auf.
- [c] haben Angst, Fehler zu machen.

Checker im Internet

Einkaufen in überfüllten Stadtzentren war gestern. Heute hat fast jeder schon mal etwas im Internet gekauft. Egal ob Bücher, Designerkleidung oder exotische Saucen. Wer Schnäppchen sucht und Preise vergleichen will, dem stehen diverse Suchmaschinen im Internet zur Verfügung. Doch es gibt große Unterschiede in der Benutzerfreundlichkeit dieser Internetseiten. Deshalb haben wir uns einige Preissuchmaschinen für Sie näher angesehen.

Für unseren Test haben wir einen Warenkorb mit zehn häufig gekauften Produkten aus Elektronik und Computertechnik ausgewählt. Der Gesamtpreis dafür im Einzelhandel lag nach unseren Recherchen bei 3 802 Euro, in Versandhäusern musste mit 3 916 Euro sogar etwas mehr bezahlt werden. Der beste Gesamtpreis in der preiswertesten Suchmaschine hingegen lag mit 2 965 Euro sehr deutlich darunter. Das ist fast ein Viertel (24 %) weniger als bei den Versandhäusern!

Die meisten Preissuchmaschinen bieten aber nicht nur Preisvergleiche, sondern zusätzlichen Komfort. Hilfreich sind zum Beispiel die Bewertungen der Nutzer zu den jeweiligen Produkten oder eine Darstellung der Preisentwicklung bei einer bestimmten Ware im letzten Quartal oder Jahr.

Doch Achtung: Man muss die Ergebnisse der Suchmaschinen einer kritischen Prüfung unterziehen. Nach dem Eintippen einer Produktbezeichnung findet der Suchende nicht immer gleich den günstigsten Händler als ersten Treffer. Mancher Anbieter punktet zwar mit einem niedrigen Preis, dafür muss der Kunde aber eine lange Lieferzeit hinnehmen. Ein anderer Anbieter berechnet selbst für kleine Pakete hohe Versandkosten. Bei wieder anderen werden einzelne Artikel als „auf Lager" angezeigt, obwohl sie zu diesem Zeitpunkt nicht verfügbar sind. Um Enttäuschungen zu vermeiden, kann der Benutzer auch die Internetseite des entsprechenden Händlers kontrollieren.

Haben Onlineshops und Preissuchmaschinen das Einkaufsverhalten nachhaltig geändert? Der Direktor des Instituts für internationales Handels- und Distributionsmanagement beantwortet diese Frage mit einem eindeutigen „Ja". Die Angst vor Fehlkäufen sei durch Rücksende-Garantien minimiert worden. Das heißt, was nicht passt oder nicht gefällt, wird einfach zurückgeschickt. Vor allem Textilhändler und Baumärkte seien von diesem veränderten Kaufverhalten betroffen. Gerade kleinere Läden könnten in diesem Konkurrenzkampf kaum mehr mithalten und müssten schließen. „Während viele Einzelhändler Umsatz verloren haben, haben die Online-Anbieter weiter dynamisch zugelegt."

WIEDERHOLUNG GRAMMATIK

zu Hören 1, KB 135, Aufgabe 4

12 Einkaufen im Internet

Schreiben Sie die Sätze so, dass die handelnde Person nicht genannt wird. Wenden Sie dabei alle Passivformen an, die Sie kennen.

1 Wir können den Artikel leider nicht liefern, er ist ausverkauft.
2 Sie können den Status der Bestellung jederzeit nachvollziehen.
3 Die Qualität unserer Produkte können Sie zu Hause am besten überprüfen.
4 Diese Glasplatte können auch Ihre Kinder nicht zerbrechen.
5 Sie können die Ware innerhalb von 14 Tagen umtauschen.

1 Der Artikel kann leider nicht geliefert werden,
Der Artikel ist leider nicht lieferbar, er ist ausverkauft.

zu Hören 1, KB 135, Aufgabe 4

13 Alternativen zum Passiv (II)

GRAMMATIK ENTDECKEN

Welche Variante hat die gleiche Bedeutung wie die Textstelle? Markieren Sie.

Eigentlich sind Preisvergleichs-Portale eine gute Idee, denn hier lassen sich die Preise im Internet miteinander vergleichen (1). Allerdings ist auf einige Besonderheiten zu achten (2): Manche Preisvergleichsportale kosten nämlich etwas. Und oft sind die Hinweise auf die Kosten gut versteckt und nicht leicht zu finden (3). Also lest euch alles genau durch, bevor ihr einen Vertrag abschließt.

1 Die Preise im Internet *können / müssen* miteinander verglichen werden.
2 Allerdings *muss / kann* auf einige Besonderheiten geachtet werden.
3 Und oft *können / müssen* die Hinweise nicht leicht gefunden werden.

zu Hören 1, KB 135, Aufgabe 4

14 Schnäppchen ÜBUNG 9, 10, 11

GRAMMATIK

Bilden Sie die möglichen Alternativen zum Passiv.

1 Limitiertes Angebot: Bei dem Action-Spiel „Darkside" kann man bis zu 60 % sparen.
2 Ein unschlagbares Angebot: gebrauchte Küche in sehr gutem Zustand für 300 Euro! Die Küche muss allerdings in Frankfurt abgeholt werden.
3 Diese Hemden sind sicher bald ausverkauft. Der Preis kann noch reduziert werden, weil er mit dem Rabatt-Code „SEI-LR2330505" kombiniert werden kann.
4 Anrufen für 50 Cent und Kinofreikarten sichern! Am Telefon bekommt man eine PIN-Nummer, mit der die Karten an der Kinokasse abgeholt werden müssen.
5 Einen Reisegutschein für 100 Euro kaufen und bis zu 50 % sparen. Mit etwas Risikofreude können hier echte Traumreisen gebucht werden.
6 Der Tagesdeal: Monitor mit 23 Zoll, an dem man sehr gut arbeiten kann.

1 Limitiertes Angebot: Bei dem Action-Spiel „Darkside" lassen sich bis zu 60 % sparen.

zu Lesen 1, KB 136, Aufgabe 2

15 Feste Verbindungen ÜBUNG 12

WORTSCHATZ

a **Was passt zusammen? Ordnen Sie zu.**

1 sich etwas zur Gewohnheit	A nehmen
2 nach dem Rechten	B machen
3 im Trend	C sehen
4 etwas in Anspruch	D lassen
5 Erfahrungen	E liegen
6 sich inspirieren	F austauschen

b **Ergänzen Sie die Sätze mithilfe der Ausdrücke aus a.**

1 Ich habe es mir zur Gewohnheit gemacht, vor dem Essen ein Glas Wasser zu trinken.
2 Bei dem Treffen „Unterwegs mit dem Rad" können Freizeitsportler ihre ______ ______.

3 Wenn Karin ihre Kinder allein zu Hause lässt, bittet sie oft die Nachbarin, ab und zu
_______________.

4 Paula sucht ständig neue Geschäftsideen. Sie geht regelmäßig auf Messen,
um _______________.

5 Versicherte können Leistungen _______________, die helfen, gesund zu bleiben.

6 Bei Gutverdienenden _______________ Berater- und Trainer-Dienstleistungen _______________.

zu Lesen 1, KB 137, Aufgabe 3

16 Subjektlose Passivsätze

GRAMMATIK ENTDECKEN

a **Lesen Sie die Sätze im Aktiv und im Passiv. In welchen Passivsätzen gibt es kein Subjekt? Markieren Sie.**

aktiv	passiv
1 Der Bio-Bauernhof hat mit tollen Fotos von frischem Obst und Gemüse um Kunden geworben.	☒ Mit tollen Fotos von frischem Obst und Gemüse ist um Kunden geworben worden.
2 Hier verzichtet man auf künstlichen Dünger.	☐ Hier wird auf künstlichen Dünger verzichtet.
3 Man pflückt die Erdbeeren täglich von 8 bis 18 Uhr.	☐ Die Erdbeeren werden täglich von 8 bis 18 Uhr gepflückt.
4 Auf diese Weise hilft man auch dem Klima und der Umwelt.	☐ Auf diese Weise wird auch dem Klima und der Umwelt geholfen.
5 Die Leute erzählen und lachen viel beim Pflücken.	☐ Beim Pflücken wird viel erzählt und gelacht.
6 Aus den frischen Erdbeeren kann man sehr gute Marmelade machen.	☐ Aus den frischen Erdbeeren kann sehr gute Marmelade gemacht werden.

b **Was haben die Aktivsätze, die zu den markierten Passivsätzen gehören, gemeinsam? Markieren Sie.**

☐ Sie stehen im Präsens.
☐ Sie haben keine Akkusativergänzung.
☐ Sie haben kein Subjekt.

c **Was steht in den markierten Passivsätzen auf Position 1? Markieren Sie.**

☐ die Akkusativergänzung
☐ das Subjekt
☐ ein anderer Satzteil

d **Schreiben Sie aus den markierten Sätzen in a Passivsätze mit *es*.**

1 Es ist mit tollen Fotos von frischem Obst und Gemüse um Kunden geworben worden.

e **Ergänzen Sie.**

auf Position 1 • 3. Person Singular • kein Subjekt • *es* • keine Akkusativergänzung

Wenn der Aktivsatz _______________ hat, hat der Passivsatz _______________. Dann steht _______________ oder ein anderer Satzteil _______________. Das Verb steht immer in der _______________.

zu Lesen 1, KB 137, Aufgabe 3

17 Kostenlose Ernte ÜBUNG 13, 14, 15

GRAMMATIK

Schreiben Sie Passivsätze: Satz 1 bis 4 ohne Subjekt, Satz 5 bis 7 mit *es*.

1 Auf dieser Internetseite teilt man mit, wo herrenlose Obstbäume stehen.
2 Die Macher der Internetseite fordern zum Obsternten auf öffentlichen Grünflächen auf.
3 An diesen Orten kann man umsonst und ganz legal ernten.
4 Auch in manchen Stadtparks und an Landstraßen darf man kostenlos pflücken.
5 Man darf allerdings ausschließlich für den Eigenbedarf ernten.
6 Man sollte darauf achten, sorgsam mit den herrenlosen Pflanzen umzugehen.
7 Man fordert dazu auf, auch auf die dort lebenden Tiere Rücksicht zu nehmen.

A Auf dieser Internetseite wird mitgeteilt, wo herrenlose Obstbäume stehen.
B
C
D
E
F
G

10

zu Lesen 1, KB 137, Aufgabe 3

18 Tipps aus der Gartenzeitschrift ÜBUNG 16

WORTSCHATZ

Ergänzen Sie.

befinden • bewässern • experimentieren • ~~inspirieren~~ • pflücken • variieren • wühlen

Tipps für den Garten

- Lassen Sie sich inspirieren (1) von den vielen Ideen für kleine Stadtgärten.
- Täglich ein frischer Bund Kräuter? Platzieren Sie die Kräuter in Töpfen am besten so, dass sie sich in Ihrer Nähe ______ (2).
- Pflanzen Sie Ihre Erdbeeren in einem großen, hohen Blumentopf. Dann können Sie sie bequem ______ (3) und müssen nicht mehr stundenlang im Boden ______ (4).
- Grün-in-Grün-Langeweile im Vorgarten? ______ (5) Sie doch die Farben ein wenig.
- Sie sind oft verreist und Ihr Garten droht zu vertrocknen? ______ (6) Sie Ihr Grundstück doch einfach mit einem Schlauch-System, das auch professionelle Anbauer für Plantagen verwenden.
- Sie brauchen Sichtschutz für Ihr Grundstück? ______ (7) Sie mit neuen Pflanzen, die hoch wachsen und wenig Platz brauchen.

zu Schreiben, KB 138, Aufgabe 2

19 Textzusammenfassung ÜBUNG 17, 18 SCHREIBEN

Verbessern Sie die Zusammenfassung des Textes „Nein zur Wegwerfgesellschaft!" (KB 112–113) mithilfe der angegebenen Wörter.

Der Text „Umgang mit Lebensmitteln" sagt: In Deutschland werden zu viele Lebensmittel weggeworfen. Im Durchschnitt landen pro Kopf	geht es darum, dass
235 Euro pro Jahr auf dem Müll. Der Grund: Viele Menschen wollen eigentlich noch genießbare Lebensmittel nicht mehr essen. Eine Studie	weil
zur Lebensmittelvernichtung hat ergeben: Zwei Drittel der weggeworfenen Lebensmittel könnten noch verzehrt werden. Stattdessen	dass
werden sie weggeworfen. Das liegt auch an der Verunsicherung der Verbraucher durch das Mindesthaltbarkeitsdatum. Dieses Datum	was
bedeutet: Der Hersteller garantiert bis zu diesem Zeitpunkt ganz bestimmte Eigenschaften des Produkts. Aber auch danach kann man es noch essen.	dass
Davon unterscheidet sich das Verbrauchsdatum. Nach Ablauf des Verbrauchsdatums sollte das Lebensmittel nicht mehr konsumiert werden. Die Bundesverbraucherministerin will die Bevölkerung über die unnötige Lebensmittelverschwendung aufklären.	nach dessen

In dem Text „Umgang mit Lebensmitteln" geht es darum, dass ...

zu Lesen 2, KB 139, Aufgabe 2

20 Kulturprogramm in der Stadtbibliothek ÜBUNG 19 WORTSCHATZ

Lesen Sie den Text und ergänzen Sie die fehlenden Wörter so, dass sie sinngemäß passen und grammatikalisch korrekt sind. Keine Lücke darf leer bleiben.

Liebe Mitglieder und Besucher der Stadtbibliothek,
__________ (1) Zusammenarbeit mit der Stadtbibliothek in Bergen möchte der Verein Kultur in Bergen Ihnen __________ (2) die kommenden Monate wieder ein abwechslungsreiches Programm präsentieren.
Das neue Jahr __________ (3) mit einem Höhepunkt beginnen: Das Neujahrskonzert mit dem Chor __________ (4) Seniorenheims Clementin unter der Leitung von Manuela Schöntal. Weitere Höhepunkte im Frühling __________ (5) der Poetry Slam am 10. März und der Auftritt der Band „Los Musikantos" am 2. Mai sein.
In den Räumen unseres Kulturzentrums gibt es wie gewohnt auch das ganze Jahr über wieder verschiedene Vorträge und Lesungen. Besonders interessant wird die Lesung __________ (6) der Autorin Francesca Bellini im Juni. Sie liest aus ihrem Roman „Das Haus der Ziege", in dem es um die toskanische Villa La Rotonda __________ (7), die einige von uns auf unserer Exkursion nach Italien im letzten Sommer besichtigt haben.
Zuletzt danken wir allen Mitgliedern des Fördervereins, __________ (8) deren Unterstützung dieses Programm nicht angeboten werden könnte. Wir bitten Sie, uns auch im kommenden Jahr mit Ihrem Interesse, __________ (9) auch mit Anregungen und Kritik, treu zu bleiben, damit das kulturelle Leben auch in Zukunft einen Platz __________ (10) unserem Stadtteil haben wird.
Ihre Karolin Pallhuber
Vorsitzende des Vereins Kultur in Bergen

10

zu Hören 2, KB 140, Aufgabe 2

21 Beförderungsbedingungen der Bahn

LESEN

Lesen Sie die Beförderungsbedingungen der Bahn. Welche der Überschriften aus dem Inhaltsverzeichnis passen zu den Paragraphen? Vier Überschriften werden nicht gebraucht.

Beförderungsbedingungen

Inhaltsverzeichnis

a Beförderung von Minderjährigen
b Handgepäck
c ~~Fahrkartenerwerb~~
d Mitnahmeverbot
e Reservierung
f Übertragbarkeit
g Erstattung
h Sonderangebote

§1 Fahrkartenerwerb

Tickets können an Verkaufsstellen mit Personal, an Automaten oder über das Internet gekauft werden.

§2 ___

Fahrkarten sind grundsätzlich nicht personengebunden. Sie können unter folgenden Bedingungen von einer anderen Person genutzt werden:
- Die Fahrkarte ist nicht namentlich auf eine bestimmte Person ausgestellt.
- Die Fahrt – bei Hin- und Rückfahrkarte die Hinfahrt – wurde noch nicht angetreten.

Fahrgäste mit Tickets, die auf ihren Namen ausgestellt sind, sind verpflichtet, sich bei der Fahrkartenkontrolle durch einen amtlichen Lichtbildausweis auszuweisen.

§3 ___

Fahrtkarten zu ermäßigten Preisen gelten nur
(1) in einer bestimmten Wagenklasse
(2) auf einer bestimmten Strecke und / oder
(3) an bestimmten Tagen und Uhrzeiten.
Die Informationen zur jeweiligen Ermäßigung finden Sie auf Ihrer Fahrkarte.

Ermäßigte Fahrkarten können nicht im Zug gekauft werden. Wenn das Kontingent der jeweiligen Ermäßigung aufgebraucht ist, können keine weiteren Fahrkarten zu ermäßigten Preisen verkauft werden.

§4 ___

Es ist nicht erlaubt, gefährliche Gegenstände oder Stoffe mitzuführen. Hierzu zählen insbesondere.
- Schusswaffen
- explosive oder entzündliche Stoffe
- giftige Stoffe
- ansteckungsgefährliche Stoffe

zu *Wussten Sie schon?*, KB 141

22 Ehrenamt ÜBUNG 20

HÖREN

AB 55

Hören Sie zwei Interviews und markieren Sie.

Interview 1

1 Warum übt diese Frau ein Ehrenamt aus? Sie möchte ...
- a ihre Zeit sinnvoll verbringen.
- b Menschen in Not helfen.
- c sich geistig fit halten.

2 Durch wen fand die Frau ehrenamtliche Tätigkeiten? Durch ...
- a Berufsberater.
- b eine Sendung im Radio.
- c zwei Vermittlungsagenturen.

3 Für welche Tätigkeit wird sie sich wahrscheinlich entscheiden?
- a Hunde ausführen
- b Hausaufgabenhilfe
- c einen Park anlegen

Interview 2

1 Der Bundespräsident ...
- a ehrt das Engagement vieler Menschen mit einem Fest.
- b engagiert sich vor allem für neue Ehrenämter.
- c übt selber viele Ehrenämter aus.

2 Die Zahl ehrenamtlich tätiger Menschen ...
- a hat zugenommen.
- b liegt jährlich bei etwa 4 000.
- c ist gleich geblieben.

3 Wer steht im Mittelpunkt der Feier?
- a ältere Ehrenamtliche
- b jüngere Ehrenamtliche
- c klassische Hilfsorganisationen

10

23 Mein Lieblingsservice

MEIN DOSSIER

Beschreiben Sie einen Service, auf den Sie im Alltag oder auf Reisen nicht verzichten möchten.

Mein Lieblingsservice ist der Zimmerservice im Hotel. Wenn ich auf Reisen bin und in einem Hotel übernachte, bin ich immer vom Zimmerservice total begeistert. Ich liebe es, mir morgens das Frühstück aufs Zimmer bringen zu lassen ...

AUSSPRACHE: Betonung im Satz

1 Sprichwörter

AB 56 a **Hören Sie Sprichwörter in zwei Varianten. Unterstreichen Sie die betonten Wörter in der rechten Version.**

1 Keine Regel ohne Ausnahme.	Keine Regel ohne Ausnahme.
2 Aller Anfang ist schwer.	Aller Anfang ist schwer.
3 Übung macht den Meister.	Übung macht den Meister.

b **Was bedeuten die Sprichwörter? Diskutieren Sie, welche Version die Bedeutung des Sprichworts unterstützt und warum.**

2 Bedeutung der Betonung

a **Lesen Sie eine Frage und vier Antworten. Welches Wort in der Frage muss jeweils betont werden, damit die Antwort passt? Markieren Sie.**

1 Hast du Lolas neuen Freund schon gesehen?	Nein, ich kenne nur den alten.
2 Hast du Lolas neuen Freund schon gesehen?	Nein, ich nicht, aber Henry hat ihn gesehen.
3 Hast du Lolas neuen Freund schon gesehen?	Nein, leider nicht, aber den von Christine.
4 Hast du Lolas neuen Freund schon gesehen?	Nein, noch nicht. Ich hatte ihn nur einmal am Telefon.

AB 57 b **Lesen Sie jetzt laut eine der Fragen und die dazugehörige Antwort. Hören Sie dann und vergleichen Sie.**

3 Mit Betonung lesen

a **Arbeiten Sie in kleinen Gruppen. Markieren Sie in diesem Text von Roland Fritsch Wörter, die Sie für eine literarische Lesung betonen würden. Einigen Sie sich dann auf eine Lesart.**

Die Dienstagsfrau

Endlich klingelt es. Sie ist nie pünktlich.
Er hat sein bestes Hemd an, tiefrot, denn er liebt sie.
Er wischt mit dem Arm durch die Lichtschranke.
5 *Die Automatik funktioniert tadellos.*
Er hört das Klacken der Eingangstür, die ins Schloss fällt.
Im Gang zieht sie die Schuhe aus; das ist die Abmachung.
Er wird sich die erste halbe Stunde mit dem Summen
zufriedengeben müssen, mit dem sie ihre Arbeit beginnt.
10 *Es ist keine Melodie, die er kennt.*
In ihrem Land gibt es andere Lieder – trauriger, von tief innen. Wasser rauscht, er möchte Papayas riechen.

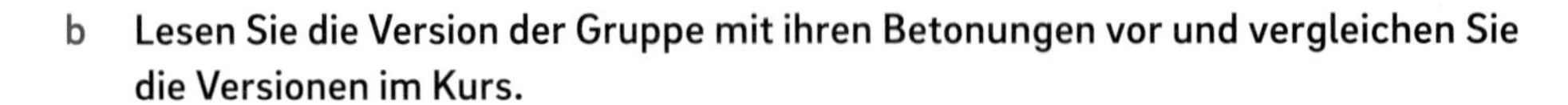

b **Lesen Sie die Version der Gruppe mit ihren Betonungen vor und vergleichen Sie die Versionen im Kurs.**

AB 58 c **Hören Sie den Text und vergleichen Sie ihn mit Ihren Markierungen.**

AB 59 d **Wie geht die Geschichte wohl weiter? Überlegen Sie in kleinen Gruppen. Hören Sie danach das Ende der Geschichte.**

EINSTIEGSSEITE, KB 131

die Begleitung, -en
etwas in Anspruch nehmen, nahm, hat genommen

WORTSCHATZ, KB 132

die Dienstleistung, -en
die Unterbringung, -en
der Vierbeiner, -
der Werbespruch, ⸚e
der Zusatz, ⸚e

sich ausschließen, schloss sich aus, hat sich ausgeschlossen

erhältlich
knifflig
unersetzlich
unschlagbar

SPRECHEN, KB 133

der Flyer, -
die Investition, -en
das Logo, -s
die Umsetzung, -en

verlockend klingen, klang, hat geklungen
inbegriffen sein

HÖREN 1, KB 134–135

die / der Beteiligte, -en
die Enttäuschung, -en
der Fachmann, ⸚er
der Gutschein, -e
die Jagd, -en
die Mogelpackung, -en
das (Internet)Portal, -e
der Rabatt, -e
das Schnäppchen, -

vermitteln
jemanden zufriedenstellen

ausverkauft sein

limitiert
ursprünglich

LESEN 1, KB 136–137

der Blumenstrauß, ⸚e
die Büchse, -en
der Bund, ⸚e
der Dauerbrenner, -
die Erdbeere, -n
der Gärtner, -
das Grundstück, -e
das Kraut, ⸚er
die Plantage, -n
die Selbstbedienung (Sg.)
das Sortiment, -e
der Wühltisch, -e

sich befinden, befand sich, hat sich befunden
bewässern
experimentieren
flitzen
inspirieren
pflücken
variieren
zwinkern

sich etwas zur Gewohnheit machen
gut / schlecht ankommen, kam an, ist angekommen
nach dem Rechten sehen, sah, hat gesehen
im Trend liegen, lag, hat / ist gelegen

stetig

SCHREIBEN, KB 138

die Auswahl (Sg.)
der Betreiber, -
die Kombination, -en

selbst verfasst

LESEN 2, KB 139

die Anmeldegebühr, -en
der Ausweis, -e
die Bibliothek, -en
der Erziehungsberichtigte, -n
der Hinweis, -e
die Serviceleistung, -en
der Sozialhilfeempfänger, -

sich ausweisen, wies sich aus, hat sich ausgewiesen
beantragen
benötigen
unterschreiben, unterschrieb, hat unterschrieben

elektronisch
persönlich

HÖREN 2, KB 140

die Eingabe, -n
die Freisprechanlage, -n

jemanden nerven

amüsant

SEHEN UND HÖREN, KB 141

das Ehrenamt, ⸚er
das Engagement (Sg.)

eine Tätigkeit / einen Beruf ausüben
sich engagieren für

ehrenamtlich

LEKTIONSTEST 10

1 Wortschatz

Welche Definition passt? Ordnen Sie zu.

☐ die Investition	☐ die Umsetzung	☐ der Betreiber	☐ der Rabatt
☐ das Ehrenamt	☐ die Enttäuschung	☐ der Gutschein	☐ der Beteiligte

1 Der Preis wird um eine bestimmte Prozentzahl gesenkt.
2 Eine Idee wird realisiert.
3 Eine bestimmte Hoffnung oder Vorstellung wird nicht erfüllt.
4 Statt mit Geld kann man damit bezahlen oder man bekommt damit etwas umsonst.
5 Geld wird in eine Sache gesteckt.
6 Man übernimmt eine allgemeinnützliche Tätigkeit, ohne Geld dafür zu bekommen.
7 Jemand ist aktiv bei einer bestimmten Sache dabei.
8 Man ist verantwortlich für die Organisation eines Unternehmens.

Je 1 Punkt **Ich habe ______ von 8 möglichen Punkten erreicht.**

2 Grammatik

a **Bilden Sie Passiv-Ersatzformen mit der in Klammern angegebenen Form. Schreiben Sie Ihre Lösungen auf ein separates Blatt.**

1 Dieses Buch kann leider nicht mehr geliefert werden. (*sein* + Adjektiv auf *-bar*)
2 In der Picasso-Ausstellung können Führungen für Gruppen vereinbart werden. (*sich lassen* + Infinitiv)
3 Der zugesagte Liefertermin muss unbedingt eingehalten werden. (*sein* + *zu* + Infinitiv)
4 Bei unserem Reinigungsservice kann man viel sparen. (*sich lassen* + Infinitiv)
5 Theos Geschichten kann man wirklich nicht glauben. (*sein* + Adjektiv auf *-lich*)

Je 2 Punkte **Ich habe ______ von 10 möglichen Punkten erreicht.**

b **Schreiben Sie die Sätze im Passiv auf ein separates Blatt.**

1 Im Herbst beginnt man mit der Apfelernte.
2 Man gratuliert den Apfel-Pflückern zu ihrem Erfolg.
3 Am Abend sorgt man mit Musik für Stimmung beim Fest.

Je 2 Punkte **Ich habe ______ von 6 möglichen Punkten erreicht.**

3 Kommunikation

Ergänzen Sie *inbegriffen, Einmaliges, funktionieren, verlockend, klingen, anbieten* in der richtigen Form.

1 Das ist wirklich ein ________________ Angebot.
2 Die Idee ________________ gut, aber ich weiß nicht, ob sie realisierbar ist.
3 Im Preis ist der Service schon ________________.
4 Wir haben in dieser Woche etwas ganz ________________ für Sie, das bekommen Sie sonst nirgendwo.
5 Wir können Ihnen verschiedene Dienstleistungen ________________, die Ihnen den Alltag erleichtern.
6 Ich kann mir nicht vorstellen, wie diese Küchenmaschine ________________ soll.

Je 1 Punkt **Ich habe ______ von 6 möglichen Punkten erreicht.**

Auswertung: Vergleichen Sie mit den Lösungen (AB 210). Ihre Erfolgspunkte tragen Sie unter jeder Aufgabe ein.

Ich habe ______ von 30 möglichen Punkten erreicht.

☺	😐	☹
30–24	23–18	17–0

WIEDERHOLUNG WORTSCHATZ

1 Rund um die Gesundheit

Ergänzen Sie im Kreuzworträtsel. Die markierten Buchstaben ergeben das Lösungswort.

1 Erwin hat sich schwer verletzt. Mehrere Knochen sind ...
2 Robert war bei der Ärztin. Sie war mit seinen Blutwerten nicht zufrieden. Er muss jetzt täglich mehrere ... nehmen.
3 Theo sieht in den letzten Tagen etwas krank aus. An seiner Stelle würde ich mal zum Arzt gehen und mich mal richtig ... lassen.
4 Evelyn ist überzeugt, dass Rauchen der Gesundheit ...
5 Berthold raucht. Beim Joggen hat er oft Probleme mit dem ...
6 Das Bein ist so kompliziert gebrochen, dass es in der Klinik ... werden muss.
7 Gisela ist seit zwei Tagen zurück aus dem Krankenhaus. Sie braucht aber noch einige Zeit zur ...
8 Dem Patienten geht es besser. Er hat seit gestern keine ... mehr.
9 Birgit möchte Krankenschwester werden und kranke Menschen ...

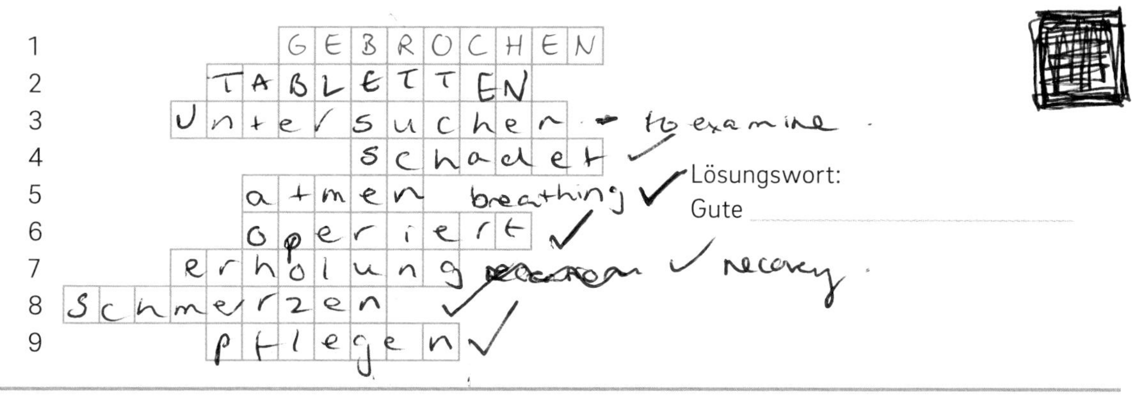

Lösungswort: Gute ....

zu Lesen 1, KB 144, Aufgabe 1

2 Über Studienwünsche chatten ÜBUNG 1

WORTSCHATZ

Was passt nicht? Streichen Sie durch.

Meine Frage: Seid Ihr der Meinung, dass man nur dann Medizin studieren sollte, wenn man daran interessiert ist, anderen Menschen zu helfen? Was ist das *Hauptmotiv / ~~Hauptproblem~~* (1) für die Berufswahl „Arzt"? Ich habe ehrlich gesagt absolut keinen *Versuch / Wunsch* (2) nach einer Tätigkeit mit intensivem Patientenkontakt. Ich würde lieber in einem technischen Bereich, beispielweise als *Laborarzt / Krankenpfleger* (3), arbeiten. Denkt Ihr, man braucht das „Helfersyndrom", wie ich es mal nennen möchte, um Arzt zu werden? *Tobias*

Ich denke, „Helfersyndrom" ist nur ein Schlagwort. Allein die Tatsache, dass Du Dir darüber Gedanken machst, ob das Studium das Richtige für Dich ist oder nicht, ist schon mal positiv. Ich finde es wunderbar, dass es Leute gibt, die gern „an den Maschinen" sitzen, auch wenn man als Arzt in diesen technischen Berufen oft weniger *Prestige / Bedarf* (4) hat als beispielsweise Ärzte, die Organe verpflanzen. *Paul*

Hi Tobias, ich hab mir auch ähnliche Gedanken gemacht. Ich persönlich bin nämlich körperlich nicht so *belastbar / angesehen* (5) und frage mich, ob das für eine Ärztin akzeptabel ist. Ich würde gern wissen, was im Arztberuf *Ansage / Anspruch* (6) ist und was Wirklichkeit. Seit ein paar Tagen mache ich ein Pflegepraktikum. Und weißt Du was? Es macht mir wirklich Spaß, mich um die Patienten zu kümmern. Ich habe auch keine Hemmungen davor, sie zu waschen. Man merkt schnell, dass im Krankenhaus ein richtiger *Knochenjob / Nebenjob* (7) auf einen wartet, aber man bekommt auch viel zurück. Ich wünsche Dir viel Erfolg. Hoffentlich reichen Deine Noten und Du bekommst die *Hürde / Zulassung* (8) zum Medizinstudium. *Lena*

zu Lesen 1, KB 144, Aufgabe 2

3 Das Indefinitpronomen *man* und seine Varianten

GRAMMATIK ENTDECKEN

a Unterstreichen Sie das Indefinitpronomen *man* und seine Varianten.

Was tut man, wenn einem der Arztberuf nicht mehr gefällt? Wenn man den Eindruck hat, dass einem der Stress im Krankenhaus zu viel wird? Wenn einen die Schulmedizin nicht mehr interessiert und man den Eindruck hat, dass der Kranke als Mensch nicht im Mittelpunkt steht? Welche Alternativen hat man dann?

b Ergänzen Sie.

Das Indefinitpronomen *man* hat im Akkusativ die Form ________ und im Dativ ________.

zu Lesen 1, KB 144, Aufgabe 2

4 Neue Perspektiven ÜBUNG 2, 3

GRAMMATIK

Ergänzen Sie das Indefinitpronomen *man* und seine Varianten.

Wenn man (1) wirklich der Meinung ist, der Arztberuf ist nichts für ________ (2), steht ________ (3) vor einem Problem: Was soll ________ (4) stattdessen machen? Zuerst sollte ________ (5) sich Klarheit über die Gründe für die eigene Unzufriedenheit verschaffen. Liegt es an der momentanen Arbeitsstelle, die ________ (6) hat? Oder gefällt ________ (7) generell etwas an der Art der Arbeit nicht?
Wenn ________ (8) noch jung ist und im medizinischen Bereich bleiben will, kommt eventuell ein Aufbaustudium infrage. Hier kann ________ (9) die Studienberatung weiterhelfen. ________ (10) kann aber auch in medizinnahen Bereichen wie der Pharmaindustrie, bei Versicherungen oder in der Forschung neue Aufgaben finden, wenn ________ (11) das interessiert.

11

zu Hören, KB 145, Aufgabe 2

5 Meinungen zum Gesundheitssystem

LESEN

Lesen Sie in einem Forum, was Menschen über das Gesundheitssystem denken (AB 173). Auf welche der vier Personen treffen die einzelnen Aussagen zu? Die Personen können mehrmals gewählt werden.

1 B und C Für wen spielt die Lage der Arztpraxen eine Rolle?
2 ________ Wer befürwortet eine finanzielle Unterstützung für Landärzte?
3 ________ Wer sagt, dass Krankenhäuser technisch gut ausgestattet sind?
4 ________ Für wen ist das Vertrauen zum Arzt sehr wichtig?
5 ________ Wer findet, Ärzte werden unter Druck gesetzt?
6 ________ Wer fühlt sich in Krankenhäusern gut versorgt?
7 ________ Für wen kommen nur Ärzte in Frage, die sich ausreichend Zeit nehmen?
8 ________ Wer findet, dass es Krankenhäusern nur um finanziellen Profit geht?
9 ________ Wer findet, dass man schnell behandelt wird in Krankenhäusern?

A *Valentina*

Ich finde, es gibt eigentlich keinen Grund, sich über unser Gesundheitssystem zu ärgern. Viele beschweren sich über die hohen Versicherungsbeiträge. Mir hingegen ist es nicht nur wichtig, welche Beiträge ich einzahlen muss. Es geht mir vor allem auch darum, was ich dafür bekomme. Und das ist nicht wenig! Als ich mir letztes Jahr den Fuß gebrochen hatte, war ich erstaunt, wie gut organisiert und technologisiert unsere Krankenhäuser sind: Ich musste nur kurz warten und wurde dann sofort von einem Facharzt untersucht. Meinen ganzen Aufenthalt über habe ich mich durch die Pfleger immer gut betreut gefühlt. Zudem glaube ich, dass in keinem anderem Land die Hygienestandards so hoch sind wie bei uns. Wer sich da noch beklagt, sollte sich einmal in einem anderen Teil der Welt behandeln lassen!

C *Tayo*

Ein Problem, mit dem wir uns im Moment noch viel zu wenig auseinandersetzen, ist die Landflucht vieler Ärzte. Immer mehr Menschen wohnen heutzutage lieber in Städten als auf dem Land – natürlich auch Ärzte! Ich wohne in einer kleinen Gemeinde und muss zu meiner Hausärztin viele Kilometer weit fahren. Und um mich von einem Facharzt untersuchen zu lassen, muss ich ein bis zwei Stunden in die nächste Großstadt fahren. Das kann doch nicht sein! Aber ich kann die Ärzte auch verstehen. Schließlich gehen sie ein finanzielles Risiko ein, wenn sie sich in ländlichen Gebieten niederlassen. Meiner Meinung nach sollte es attraktiver gemacht werden, als Arzt auf dem Land zu arbeiten. Zum Beispiel durch die finanzielle Unterstützung durch den Staat bei der Neugründung oder Übernahme einer Praxis.

B *Ali*

Für mich ist es wichtig, dass ich einem Arzt vertrauen kann. Wenn sich ein Arzt nicht ausreichend Zeit nimmt, mich zu beraten, tue ich mir manchmal schwer. Woher weiß ich denn, dass ein Arzt der Richtige ist, wenn er nicht mit mir spricht? Bei einer kleinen Erkältung ist mir das egal. Aber bei einer schweren Krankheit macht das schon einen Unterschied. Als ich vergangenes Jahr erkrankt bin, war ich wirklich froh, dass ich gleich in der Nähe eine so tolle Ärztin hatte. Sie hat mir nicht nur Medikamente verschrieben, sondern sich auch um das seelische Wohl gekümmert. So etwas findet man heutzutage immer seltener. In den meisten Arztpraxen und auch in den Krankenhäusern geht es oftmals nur noch um den Profit. Das finde ich wirklich sehr schade. Geht uns damit nicht auch ein Stück Menschlichkeit verloren?

D *Mara*

Die gesamte Debatte über gestresste Klinikärzte nervt mich. Warum sind denn die Ärzte in den großen Krankenhäusern im Dauerstress? Der immense Druck, der auf ihnen lastet, kommt doch vor allen Dingen von den Arbeitgebern! Unsere Kliniken sind riesige Unternehmen, die jedes Jahr hunderte Millionen Euro erwirtschaften. Das Geld ist meistens wichtiger als die Gesundheit des Patienten. Bei meinem letzten Krankenhausbesuch fand ein Arzt-Patienten-Gespräch gar nicht wirklich statt. Stattdessen wurde ich mit den modernsten technischen Geräten untersucht, obwohl das vielleicht gar nicht nötig gewesen wäre. Aber das bringt dem Krankenhaus einfach viel mehr Geld, als nicht-technische Untersuchungen. Das halte ich für grundfalsch! Ich muss einem Arzt doch vertrauen können und wissen, dass er das Beste für meine Gesundheit möchte.

zu Hören, KB 145, Aufgabe 2

6 Ein Arbeitstag in der Klinik

WORTSCHATZ

Lesen Sie einen Auszug aus dem Interview mit Sophie Barlow. Was passt? Markieren Sie.

Wir fangen um acht Uhr in der Früh an, und dann beginnen wir mit der *Absage / Visite* (1), das heißt, wir gehen zu den Patienten und fragen, wie es ihnen geht und wir besprechen, was an dem Tag gemacht wird, also was für *Herausforderungen / Behandlungen* (2) wir machen
5 werden, was für Tests, wie wir mit der *Therapie / Hospitation* (3) weitermachen. Das dauert zwischen zwei und drei Stunden, und danach machen wir normalerweise Mittagspause. Nachmittags machen wir etwas, was ich nur aus Deutschland kenne, es heißt *Aktenvisite / Krankenhausbesuch* (4). Alle Ärzte sitzen zusammen im *Arztzimmer /*
10 *Patientenzimmer* (5) und besprechen alle Patienten, das heißt, was für *Qualifikationen / Untersuchungen* (6) wir machen. Und wenn wir mit einem Patienten Probleme haben, dann versuchen wir, die zu lösen. Das dauert zwischen ein und zwei Stunden und danach haben wir ein bisschen Zeit, *Arztbriefe / Arztabläufe* (7) zu schreiben und
15 Patienten *abzulegen / zu entlassen* (8). Und dann gehen wir so in der Regel zwischen sechs und sieben Uhr abends nach Hause.

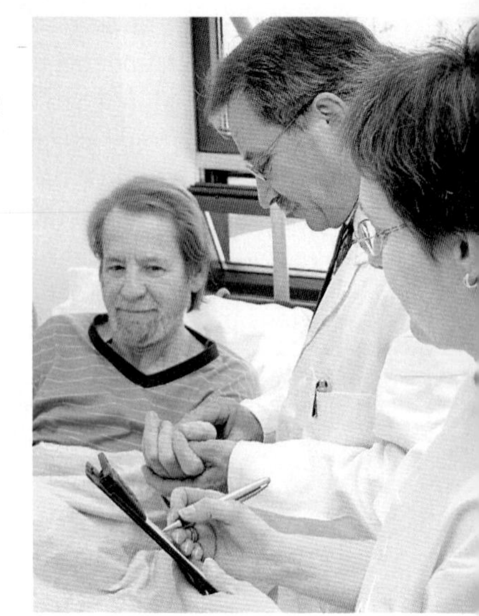

zu *Wussten Sie schon?*, KB 145

7 Mobilität bei Ärzten ÜBUNG 4

SCHREIBEN

a **Lesen Sie den Beitrag in einem Diskussionsforum zum Thema Ärztemangel. Was ist richtig? Markieren Sie.**

1 Der Verfasser kritisiert Ärzte,
- ☐ denen es nur um ihren Verdienst geht.
- ☐ die kaum Deutsch können.

2 Er fordert, dass junge Mediziner ...
- ☐ besser Deutsch lernen.
- ☐ zuerst in Deutschland arbeiten.

Ich muss schon sagen, ich finde das Verhalten mancher junger Ärzte einfach unmöglich. Nachdem man sie für einen der kostspieligsten Studiengänge ausgewählt und jahrelang ausgebildet hat, verlassen sie unser Land. Warum? Für ein paar Euro mehr! Wo bleibt da die Dankbarkeit? Wo das soziale Gewissen? Um die Lücke zu schließen, werden Ärzte aus
5 anderen Ländern geholt. Sofern ihre ausländischen Abschlüsse bei uns anerkannt werden, schön und gut. Aber wie sollen Patienten und Arztkollegen damit klarkommen, wenn fast niemand mehr in der Klinik richtig Deutsch versteht? Und was sollen Menschen in abgelegenen Gegenden machen, wenn dort kein Arzt mehr eine Praxis haben will? Meiner Meinung nach sollten Medizinstudenten künftig für ihre Ausbildung bezahlen
10 oder versprechen, die ersten zehn Jahre in der Heimat auf dem Land zu praktizieren.

b **Schreiben Sie einen Forumsbeitrag zum Thema Ärztemangel. Denken Sie an eine Einleitung und an einen Schluss. Schreiben Sie mindestens 150 Wörter.**

- Äußern Sie Ihre Meinung zum Thema Ärztemangel.
- Nennen Sie Gründe, warum es einen Mangel an Ärzten gibt.
- Nennen Sie Vorschläge für eine Verbesserung der Lage.

zu Wortschatz, KB 146, Aufgabe 2

8 Packungsbeilage

LESEN

Lesen Sie die Packungsbeilage und ordnen Sie die Abschnitte den Zwischenüberschriften zu.

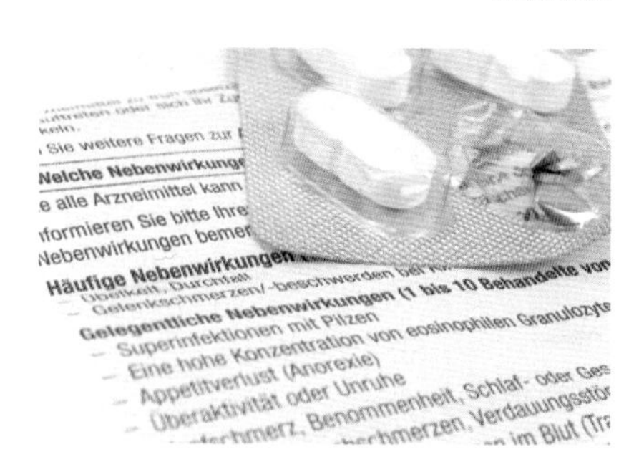

- [3] Für wen wird welche Menge empfohlen?
- [ ] Welche gesundheitlichen Probleme können auftreten?
- [ ] Für wen ist das Medikament gesundheitsschädigend?
- [ ] Wie ist das Medikament zu lagern?
- [ ] Wie nimmt man das Medikament ein?
- [ ] Wogegen hilft DISPERON?

1 DISPERON ist ein schmerzstillendes, fiebersenkendes und entzündungshemmendes Arzneimittel.

2 DISPERON darf nicht eingenommen werden:
- Wenn Sie mit Asthmaanfällen oder in anderer Weise überempfindlich auf den Wirkstoff reagieren.
- In den letzten 3 Monaten der Schwangerschaft.

3 Nehmen Sie DISPERON immer genau nach der Anweisung in dieser Packungsbeilage ein. Bitte fragen Sie bei Ihrem Arzt oder Apotheker nach, wenn Sie sich nicht ganz sicher sind.

Alter	Einzeldosis	Tagesgesamtdosis
Kinder ab 12 Jahren	1 Tablette	bis zu 3 Tabletten
Jugendliche und Erwachsene	1–2 Tabletten	3–6 Tabletten

4 Nehmen Sie die Tabletten bitte mit reichlich Flüssigkeit (z. B. einem Glas Wasser) ein. Nicht auf nüchternen Magen einnehmen. Die Einzeldosis kann, falls erforderlich, in Abständen von 4 bis 8 Stunden bis zu 3-mal täglich eingenommen werden.

5 Wie alle Arzneimittel kann DISPERON Nebenwirkungen haben. Kopfschmerzen, Schwindel, gestörtes Hörvermögen, Ohrensausen (Tinnitus) und geistige Verwirrung können Anzeichen einer Überdosierung sein.

6 Arzneimittel für Kinder unzugänglich aufbewahren. Sie dürfen das Arzneimittel nach dem angegebenen Verfallsdatum nicht mehr verwenden. Nicht über 30° C lagern!

zu Wortschatz, KB 146, Aufgabe 2

9 Medikamente auf Reisen

HÖREN

AB 60

Hören Sie das Telefongespräch zweimal und wählen Sie bei jeder Aufgabe die richtige Lösung.

1 Welche Frage hat die Anruferin?
- [a] Welche Medikamente man auf Flugreisen mitnehmen darf.
- [b] Ob sie ihr Parfüm mit ins Flugzeug nehmen darf.
- [c] In welchen Fällen man Flüssigkeiten im Handgepäck mitnehmen darf.

2 Welche Sicherheitsbestimmungen gelten am Flughafen?
- [a] Man darf generell keine Flüssigkeiten im Flugzeug mit sich führen.
- [b] Man darf nur Getränke mitnehmen.
- [c] Man darf nur 100 ml Flüssigkeit mitnehmen.

3 Was empfiehlt die Freundin?
- [a] Das Shampoo vor Kontrollen zu verstecken.
- [b] Das Shampoo in einen kleineren Behälter umzufüllen.
- [c] Das Rezept für das Shampoo aufzuschreiben und erneut vor Ort zusammenstellen zu lassen.

zu Wortschatz, KB 146, Aufgabe 2

10 Heilmittel im Alltag ÜBUNG 5, 6 WORTSCHATZ

Welches Mittel passt? Was würden Sie außerdem geben oder machen? Ordnen Sie zu und schreiben Sie.

☐ kühlende Salbe • ☐ Augentropfen • ☐ Desinfektionsmittel • 1 ~~Kopfschmerztablette~~ • ☐ Spritze mit Gegenmittel • ☐ Fieberzäpfchen • ☐ Tabletten gegen Reisekrankheit

1 Ahmed hat seit einer Stunde einen pochenden Schmerz im Kopf. Wahrscheinlich hat er zu wenig getrunken.
2 Benedikt ist am Berg gestolpert und hat eine blutende Wunde am Knie.
3 Fiona hat beim Schwimmen im Meer einen Sonnenbrand am Rücken bekommen.
4 Jana hat eine Wanderung im Schnee gemacht. Jetzt brennen ihre Augen.
5 Lena hat sich erkältet und erhöhte Temperatur.
6 Lukas hat eine starke Allergie gegen Nüsse. Aus Versehen hat er Kuchen mit Nüssen gegessen.
7 Stefan ist mit einem Schiff zu einer Insel unterwegs. Ihm ist sehr übel.

1 Ich würde ihm eine Kopfschmerztablette geben und außerdem viel Wasser zum Trinken.

zu Wortschatz, KB 146, Aufgabe 3

11 Indefinitpronomen GRAMMATIK ENTDECKEN

a **Unterstreichen Sie die Indefinitpronomen im Text und ergänzen Sie die Tabelle.**

Hallo,
ich bin seit einer Woche mit meinem Freund im Urlaub auf einer griechischen Insel, eigentlich ist es ganz toll, aber wir haben ein Problem: Mein Freund hat Bluthochdruck, er braucht ein
5 ganz bestimmtes Medikament und er hat sein Rezept zu Hause vergessen. Wir waren schon in der einzigen Apotheke, die es hier gibt. Da haben sie uns zwar <u>irgendetwas</u> angeboten, aber diese Tabletten – irgendwelche eben – will mein Freund nicht nehmen. Wir haben die Apothekerin gebeten, uns das Medikament zu bestellen, aber das hat nichts gebracht,
10 denn ohne Rezept können sie das Medikament nicht beschaffen. Sollen wir zu einem Arzt gehen? Wir können kein Griechisch und kennen auch niemanden, der übersetzen kann. Hat von Euch jemand eine Ahnung, was wir machen können, um hier die richtigen Tabletten zu bekommen? Kann uns irgendeiner von Euch einen Tipp geben? Vielen Dank schon mal!

LG Martina

b **Ergänzen Sie die Tabelle.**

Nominativ	(irgend)______ ↔ niemand	______ ↔ keiner	*(irgend) etwas* ↔ ______
Akkusativ	(irgend)jemanden ↔ ______	(irgend)einen ↔ keinen	
Dativ	(irgend)jemandem ↔ niemandem	(irgend)einem ↔ keinem	
Plural	—	______ ↔ keine	

c **Ergänzen Sie die Indefinitpronomen bzw. die Endungen in der richtigen Form.**

1 Kennst du irgendjemand*en*, der uns helfen kann?
2 ● Ist hier vielleicht jemand Arzt? ■ Nein, leider n__________.
3 ▲ Hast du von jemand__________ gehört, der diese Tropfen ausprobiert hat?
◆ Nein, leider nicht, und wir können auch niemand__________ fragen.
4 Ich habe leider n__________ gegen Sonnenbrand dabei.
5 Ich brauche irgend__________ gegen Kopfschmerzen.

zu Wortschatz, KB 146, Aufgabe 3

12 Ratschläge ÜBUNG 7, 8 GRAMMATIK

Ergänzen Sie.

einem • einen • etwas • etwas • irgendeinem • ~~einer~~ • nichts • niemand • irgendwelche • keinen

Hallo Martina,
„wenn *einer* (1) eine Reise tut, dann kann er __________ (2) erzählen" ... und da möchte man natürlich __________ (3) von Sonne, Strand und Meer berichten und __________ (4) von Gesundheitsproblemen und fehlenden Medikamenten. Ihr solltet wegen des Rezepts zu einem Arzt gehen, und zwar nicht zu __________ (5), sondern zu __________ (6), der Englisch oder Deutsch kann. Am besten gehst Du in die Apotheke und fragst, wo es __________ (7) gibt.
Wenn es in dem Dorf __________ (8) gibt, musst Du in die nächste Stadt fahren.
Wenn __________ (9) zu finden ist, der Englisch oder Deutsch spricht, dann ruf mal im Konsulat oder in der deutschen Botschaft an. Die können auch oft helfen. Selbst mit Rezept kann es manchmal schwierig werden, nicht nur __________ (10), sondern die richtigen Medikamente in der entsprechenden Qualität zu bekommen.
Ich wünsche Euch viel Glück! Und noch einen schönen Urlaub!

Markus

11

zu Sprechen 1, KB 147, Aufgabe 2

13 Gespräch beim Arzt ÜBUNG 9, 10, 11 KOMMUNIKATION

Ergänzen Sie mithilfe der Redemittel im Kursbuch (KB 147).

Arzt: Wo __________? (1)
Patient: Hier an der Schulter.
Arzt: __________ schon? (2)
Patient: Seit ein paar Tagen.
Arzt: Welchen __________? (3)
Patient: Ich bin Dachdecker.
Arzt: Was __________ __________? (4)
Patient: Ein intensiver, ziehender. Woher kommt so etwas denn? Wahrscheinlich habe ich mich bei der Arbeit __________. (5)
Arzt: Die Ursache für diese Schmerzen ist der Nerv. Ich gebe __________ __________ (6) für eine Salbe. __________ die Schultern mit der Salbe zweimal täglich __________. (7) __________ Bewegungen der Schulter. (8)

zu Schreiben, KB 149, Aufgabe 3

14 Modalsätze mit *dadurch, dass* und *indem*

GRAMMATIK ENTDECKEN

a **Was passt? Ordnen Sie zu.**

1 Viele Raucher haben sich das Rauchen abgewöhnt,
2 Kinder mit Übergewicht können dadurch abnehmen,
3 Dadurch, dass manche Menschen Extremsportarten betreiben,
4 Man kann seine Beweglichkeit verbessern,
5 Dadurch, dass man beim Sport übertreibt,

A dass ihre Eltern mit ihnen Sport treiben.
B können Muskeln reißen.
C indem man täglich 15 Minuten Gymnastik macht.
D indem sie Nikotinpflaster benutzt haben.
E müssen alle Versicherten höhere Beiträge zahlen.

b **In welchen Sätzen sind die Subjekte in Haupt- und Nebensatz gleich, in welchen verschieden? Markieren Sie.**

	gleich	verschieden
1 Dadurch, dass Tanja zu spät gekommen ist, konnte die Sitzung nicht pünktlich beginnen.	☐	☐
2 Paul entspannt sich, indem er Musik hört.	☐	☐
3 Der Unfall ist dadurch passiert, dass Peter während der Fahrt telefoniert hat und deshalb unaufmerksam war.	☐	☐
4 Man kann seine schlechten Angewohnheiten verändern, indem man sich über die Gründe für sein Verhalten klar wird.	☐	☐

c **Was ist richtig? Markieren Sie.**

Indem kann man nur dann verwenden, wenn die Subjekte in Haupt- und Nebensatz *gleich / verschieden* sind.

zu Schreiben, KB 149, Aufgabe 3

15 Schlechte Angewohnheiten ablegen

GRAMMATIK

Schreiben Sie die kursiv gedruckten Satzteile neu mit *dadurch, dass* oder *indem*.

1 Manche Leute legen eine schlechte Angewohnheit *durch die radikale Veränderung ihres Lebensstils* ab.
1 Manche Leute legen eine schlechte Gewohnheit ab, indem sie ihren Lebensstil radikal verändern.

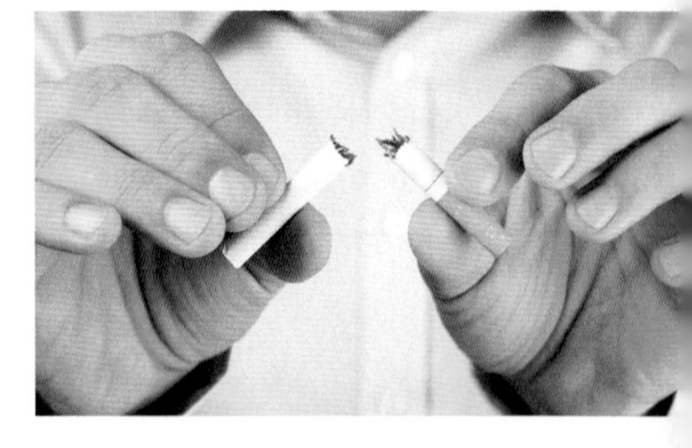

2 *Durch das Aufschreiben des Tagesablaufs* kann man sein Verhalten analysieren.

3 *Durch das Aufzeigen von Alternativen* kann man Menschen mit schlechten Angewohnheiten helfen.

4 *Durch Bewegung* kann man sich selbst auf andere Gedanken bringen.

5 *Durch häufige Wiederholung* wird eine Handlung zu einer Gewohnheit.

zu Schreiben, KB 149, Aufgabe 3

16 Modalsätze mit *durch* ÜBUNG 12, 13 GRAMMATIK

Nominalisieren Sie die Sätze mit *durch*.

1 Viele unserer Handlungen laufen dadurch unbewusst ab, dass sie automatisiert sind.
2 Indem man das Umfeld verändert, kann man sich schlechte Gewohnheiten leichter abgewöhnen.
3 Dadurch, dass man gestresst ist, achtet man weniger auf die eigenen Bedürfnisse.
4 Dadurch, dass man Schokolade verzehrt, können Glückshormone ausgeschüttet werden.
5 Belohnen Sie sich bei einem Teilsieg, indem Sie mit Freunden feiern.

1 Viele unserer Handlungen laufen durch Automatisierung unbewusst ab.

zu Sprechen 2, KB 150, Aufgabe 1

17 Neue Wege mit alternativen Heilmethoden ÜBUNG 14, 15, 16 HÖREN

AB 61

Hören Sie im Radio ein Gespräch mit mehreren Personen. Die Personen sprechen über alternative Heilmethoden. Hören Sie den Text einmal und wählen Sie bei jeder Aufgabe: Wer sagt das?

a Moderatorin | b Herr Klinger | c Frau Baranzki

1 Die konventionelle Medizin konnte ihm / ihr nicht helfen.
a Moderatorin | b Herr Klinger | c Frau Baranzki

2 Viele Menschen haben Rückenbeschwerden.
a Moderatorin | b Herr Klinger | c Frau Baranzki

3 Alternative Heilmethoden können schmerzhaft sein.
a Moderatorin | b Herr Klinger | c Frau Baranzki

4 Es gibt Ärzte, die ausschließlich Alternativmedizin anwenden.
a Moderatorin | b Herr Klinger | c Frau Baranzki

5 Die Alternativmedizin ist natürlicher als herkömmliche Methoden.
a Moderatorin | b Herr Klinger | c Frau Baranzki

6 Homöopathische Methoden sollte man kritisch beurteilen.
a Moderatorin | b Herr Klinger | c Frau Baranzki

zu Lesen 2, KB 151, Aufgabe 1

18 Medizinisches ÜBUNG 17

WORTSCHATZ

a **Verben auf *-ieren*. Ergänzen Sie in der richtigen Form.**

blockieren • deklarieren • diagnostizieren • integrieren • interpretieren • tolerieren • ~~praktizieren~~

1 Seit drei Jahren praktiziert Frau Ehrmann als Ärztin in ihrer eigenen Praxis.
2 Vor Kurzem wurde bei meinem Freund eine Katzenhaarallergie ______.
3 Gehen Sie bitte aus dem Weg. Sie ______ den Durchgang.
4 Herr Müller weiß nicht recht, wie er die Aussagen des Arztes ______ soll.
5 Der Professor versucht, einen weiteren Aspekt in seinen Vortrag zu ______.
6 Manche Patienten ______ Ärzte im Praktikum nicht.
7 Oft sind in der Packungsbeilage nicht alle Inhaltsstoffe ______.

b **Was passt nicht? Streichen Sie durch.**

1 Er spürte einen ~~*ansehnlichen*~~ / *pochenden* Schmerz im Kopf.
2 Der Chefarzt ist in seiner Freizeit ein *chronischer / passionierter* Golfspieler.
3 Der Insektenstich ist *harmlos / stechend*.
4 An dieser Stelle ist die Haut sehr *empfindlich / unzureichend*.
5 Das Bein ist nach der Operation noch nicht voll *belastbar / kostspielig*.

11

zu Lesen 2, KB 152, Aufgabe 2

19 Modalsätze

GRAMMATIK ENTDECKEN

a **Unterstreichen Sie die Konnektoren *ohne ... zu / ohne dass* sowie *(an)statt ... zu / (an)statt dass*.**

Frage: Was haltet Ihr von alternativen Heilmethoden, was denkt Ihr über Schulmedizin? Welche Erfahrungen habt Ihr gemacht? *Mopo3*

Oft wird der Schulmedizin ja vorgeworfen, dass sie nur die Symptome behandelt, ohne den ganzen Menschen zu sehen. Aber bei einem Beinbruch gehe ich natürlich zu einem Schulmediziner, anstatt einen Homöopathen aufzusuchen. *wurm58*

Ich habe gute Erfahrungen mit alternativen Methoden wie Akupunktur und Homöopathie gemacht. Besonders bei chronischen Erkrankungen sind diese alternativen Methoden oft sehr erfolgreich, ohne dass starke Nebenwirkungen auftreten. *hexe4*

Bei „Naturheilkunde" sagt schon der Name: Die Natur heilt – statt der Chemie. Jeder Mensch besitzt Selbstheilungskräfte, und diese Kräfte sollte man zuerst mal wecken oder stärken, anstatt dass man den Körper gleich mit chemischen Mitteln vollpumpt. Die Schulmedizin ist aber ebenso wichtig, z.B. bei Knochenbrüchen, Notfällen, Unfällen etc. *Maxi32*

b **Was ist richtig? Markieren Sie.**

	etwas passiert nicht	eine Alternative passiert nicht
1 Oft wird der Schulmedizin ja vorgeworfen, dass sie nur die Symptome behandelt, ohne den ganzen Menschen zu sehen. (= Oft wird der Schulmedizin ja vorgeworfen, dass sie nur die Symptome behandelt. Sie sieht nicht den ganzen Menschen.)	☒	☐
2 Aber bei einem Beinbruch gehe ich natürlich zu einem Schulmediziner, anstatt einen Homöopathen aufzusuchen. (= Aber bei einem Beinbruch gehe ich natürlich zu einem Schulmediziner. Ich suche keinen Homöopathen auf.)	☐	☐
3 Besonders bei chronischen Erkrankungen sind diese alternativen Methoden oft sehr erfolgreich, ohne dass starke Nebenwirkungen auftreten. (= Besonders bei chronischen Erkrankungen sind diese alternativen Methoden oft sehr erfolgreich. Es treten keine starken Nebenwirkungen auf.)	☐	☐
4 Jeder Mensch besitzt Selbstheilungskräfte und diese Kräfte sollte man zuerst mal wecken oder stärken, anstatt dass man den Körper gleich mit chemischen Mitteln vollpumpt. (= Jeder Mensch besitzt Selbstheilungskräfte und diese Kräfte sollte man zuerst mal wecken oder stärken. Man sollte den Körper nicht gleich mit chemischen Mitteln vollpumpen.)	☐	☐

11

c **Unterstreichen Sie in 19b die Subjekte in den Haupt- und Nebensätzen. Sehen Sie die Sätze 1 und 2 an. Was ist richtig? Markieren Sie.**

Man kann einen Infinitivsatz mit *ohne ... zu* und *anstatt ... zu* bilden, wenn ...
☐ die Subjekte in Hauptsatz und Nebensatz verschieden sind.
☐ die Subjekte in Hauptsatz und Nebensatz gleich sind.
☐ die Zeiten in Hauptsatz und Nebensatz verschieden sind.

zu Lesen 2, KB 152, Aufgabe 2

20 Alternative Therapien

GRAMMATIK

Schreiben Sie Sätze mit *ohne ... zu* oder *(an)statt ... zu*. Wenn das nicht möglich ist, nehmen Sie *ohne dass* oder *(an)statt dass*.

1 Andrea lässt ihr Pferd mit Akupunktur behandeln. Sie gibt dem Tier keine Medikamente gegen die Schmerzen. *(anstatt)*
2 Verschiedene Institutionen haben Studien über Homöopathie durchgeführt. Die Wirkung der Homöopathie konnte nicht eindeutig nachgewiesen werden. *(ohne)*
3 Die alternative Medizin bezieht auch Seele und Geist mit ein. Sie betrachtet nicht nur einen bestimmten Teil des menschlichen Körpers. *(anstatt)*
4 Manchmal werden alternativen Heilmitteln Inhaltsstoffe zugesetzt, die schaden. Sie helfen nicht. *(anstatt)*
5 Gesine ist davon überzeugt, dass Manuka-Honig bei einer beginnenden Erkältung heilend wirkt. Er ruft keine störenden Nebenwirkungen hervor. *(ohne)*
6 Egon behandelt seine Kopfschmerzen mit Akupunktur. Er nimmt keine Tabletten. *(anstatt)*

1 Andrea lässt ihr Pferd mit Akupunktur behandeln, anstatt dem Tier Medikamente gegen die Schmerzen zu geben.

zu Lesen 2, KB 152, Aufgabe 2

21 Modalsätze mit *ohne* und *(an)statt* (+ Genitiv) ÜBUNG 18, 19, 20 GRAMMATIK

a **Ergänzen Sie *ohne* oder *statt*.**

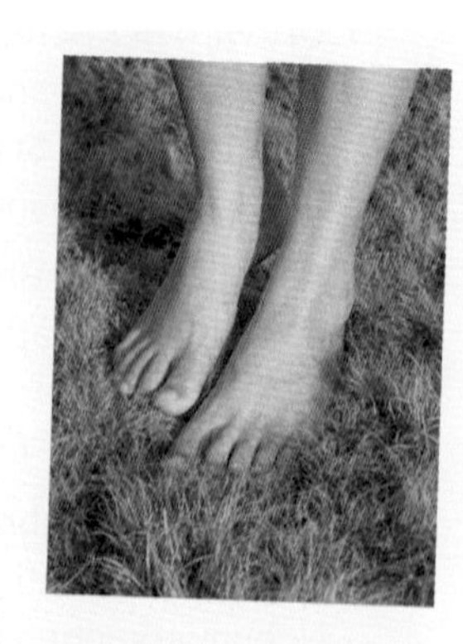

Liebe Stefanie,
seit vier Tagen bin ich in Bad Wörishofen und mache eine Kneipp-Kur. Es gibt gesundes Essen, täglich Wasseranwendungen und viel Gymnastik im Freien. Wir bewegen uns regelmäßig, aber ohne (1) Übertreibung. Zum Beispiel wird der Kreislauf morgens durch Barfuß-Laufen im nassen Gras angeregt. Man sorgt hier für die Mobilisierung des Bewegungsapparats, aber ________ (2) Vernachlässigung der seelischen Entspannung. Und ________ (3) fetten Essens nehmen wir viel Obst, Gemüse und Kräuter zu uns, was mir sehr guttut.

Die Kräuterkissen im Hotelbett sorgen dafür, dass man bequem und tief schläft – ________ (4) schlechte Träume. Hier kann ich mich ________ (5) Gedanken an den stressigen Alltag erholen und ________ (6) angestrengter Arbeit am PC wandere ich durch Wiesen und Wälder und höre die Vögel singen. So eine Erholung wünsche ich Dir auch mal!
Herzliche Grüße
Nora

11

b **Schreiben Sie jetzt die nominalen Ausdrücke aus 21a mit *ohne ... zu / ohne dass* oder *(an)statt ... zu / (an)statt dass* um.**

1 Wir bewegen uns regelmäßig, aber ohne zu übertreiben.

zu Sehen und Hören, KB 153, Aufgabe 2

22 Tätigkeiten einer Krankenschwester WORTSCHATZ

a **Ordnen Sie zu. Manche Verben passen mehrmals.**

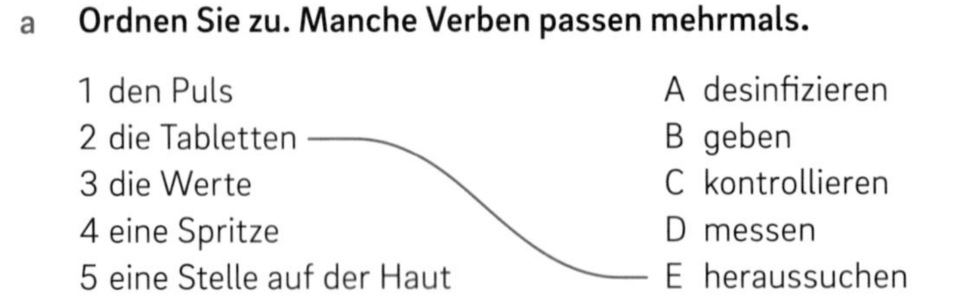

1 den Puls
2 die Tabletten
3 die Werte
4 eine Spritze
5 eine Stelle auf der Haut

A desinfizieren
B geben
C kontrollieren
D messen
E heraussuchen

b **Ergänzen Sie den Bericht von Ina Stanger.**

Blutdruck • Medikamente • Patienten • Schichtbeginn • ~~Tabletten~~ • Verbände

„________ (1) ist um sechs Uhr. Dann werden zuerst die ________ (2), die eingenommen werden müssen, kontrolliert. Wir suchen die Tabletten (3) für alle Patienten heraus. Danach werden die ________ (4) geweckt. Teilweise müssen sie gewaschen werden. Dann werden die Vitalwerte gemessen, also ________ (5), Puls und so weiter. Danach werden die Patienten für die Untersuchungen vorbereitet. Unser Hauptbereich ist die Pflege. Das heißt: Wir geben Spritzen und wechseln ________ (6)."

zu Sehen und Hören, KB 153, Aufgabe 3

23 Barbara

FILMTIPP/LESEN

Lesen Sie die Inhaltsangabe und ordnen Sie zu.

☐ Apparats • ☒ 1 Ausreise • ☐ Drehbuchs • ☐ Flucht • ☐ Kinderärztin • ☐ Verständnis • ☐ Ostsee • ☐ Strafe

Es ist Sommer 1980. Die Ärztin Barbara hat einen Antrag auf (1) aus ihrem Heimatland, der DDR, gestellt. Das ist zwar legal, aber nicht erwünscht. Zur (2) wird sie aus der Hauptstadt Berlin (Ost) in ein Krankenhaus in einem Provinzstädtchen an die Ostsee
5 versetzt. Jörg, ihr Freund aus Westdeutschland, plant ihre Flucht in den Westen. Er will den Weg über die (3) wagen.
Barbara wartet auf den großen Moment. Das neue Apartment, die Nachbarn, der Sommer, die wunderschöne Landschaft – das alles bedeutet ihr nichts. Bei der Arbeit als (4) geht sie zwar sehr liebevoll mit ihren Patienten um,
10 ihren Kollegen gegenüber ist sie aber distanziert. Einzig das Verhalten ihres Vorgesetzten Andre bringt sie durcheinander. Er ist sehr nett zu ihr, sorgt sich um sie und zeigt sein vollstes (5). Ist er vielleicht von der Geheimpolizei STASI beauftragt, sie zu „beobachten"? Oder liebt er sie? Barbara verliert nach und nach die Kontrolle über ihre Gefühle, während sich der Tag ihrer geplanten (6) nähert.
15 Der Film zeigt dank seines hervorragenden (7) und der exzellenten Regie ein stimmiges Porträt der DDR und des berüchtigten Staatssicherheits- (8). Zu sehen sind überwältigend schöne Landschaftsaufnahmen, aber auch das triste Alltagsleben in Barbaras schäbiger Wohnung. Nicht umsonst wurde der Film auf der Berlinale 2012 mit dem Silbernen Bären für die „Beste Regie" ausgezeichnet.

24 Mein Hausmittel gegen ...

MEIN DOSSIER

Was empfehlen Sie bei folgenden Beschwerden? Ergänzen Sie.

Beschwerde	Mittel	Wirkung	Anwendung
Fieber	Wadenwickel	senkt die Körpertemperatur	Ich tauche ein Tuch in kaltes Wasser und wickle es um die Wade des Kranken. Ein zweites trockenes Tuch lege ich darüber. Damit das Bett nicht nass wird, kommt eine Plastiktüte unter das Bein.
Halsschmerzen			
Husten	...		
...			

11

AUSSPRACHE: Melodie

1 Melodieverläufe

a **Ist die Melodie ansteigend (↗), abfallend (↘) oder schwebend (→)? Ergänzen Sie.**

1 Aussagesatz:	Es ist ein dumpfer ☐, ziehender Schmerz. ☐
	Am besten machen wir es so ☐:
	Sie bekommen von mir ein Rezept für ein Schmerzmittel. ☐
2 Aufforderung:	Machen Sie bitte mal den Oberkörper frei. ☐
3 Frage mit Fragewort:	Wie lange nehmen Sie die Tabletten schon? ☐
4 Entscheidungsfrage:	Tut es Ihnen hier weh? ☐
5 Höfliche Frage:	Möchten Sie so lange im Wartezimmer Platz nehmen? ☐
6 Warnung:	Nehmen Sie aber nur eine Tablette pro Tag! ☐

AB 62 b **Hören Sie und vergleichen Sie.**

2 Bedeutungsunterscheidende Pausen und Melodien

AB 63 a **Hören Sie einen Satz in vier Varianten und ergänzen Sie die Satzzeichen. Markieren Sie auch Pausen (/) und Melodie.**

es geht alles in ordnung
1 Es geht alles in Ordnung. ↘
2 ______
3 ______
4 ______

b **Wann sagt man diese Sätze wohl? Überlegen Sie sich zu zweit entsprechende Situationen.**

3 Vortrag

AB 64 a **Hören Sie einen Vortrag über alternative Heilmethoden. Ergänzen Sie beim Hören die Satzzeichen Punkt, Doppelpunkt, Komma, Fragezeichen und Ausrufezeichen.**

Sehr geehrte Damen und Herren, →
ich begrüße Sie heute ganz herzlich zu meinen kurzen Vortrag über alternative Heilmethoden
Stimmt es eigentlich dass die Anwendung alternativer Methoden zumindest nicht schaden kann Ich denke Nein Vertreter alternativer Methoden neigen zum Beispiel dazu fälschlicherweise zu viele und gar nicht vorhandene Allergien zu diagnostizieren Diese werden durch alternative Methoden wie Homöopathie angeblich rasch und natürlich wieder geheilt Sollen wir das glauben Auch alternative Medikamente sind nicht grundsätzlich harmlos Bei manchen alternativen Medikamenten sind die Inhaltsstoffe unzureichend deklariert Viele homöopathische Medikamente enthalten beispielsweise Alkohol Eine Verabreichung von Alkohol an Säuglinge und Kinder auch in kleinen Mengen ist aber grundsätzlich problematisch Deshalb mein Vorschlag Bei der Suche nach der richtigen Heilmethode sollten Sie jede Methode ob schulmedizinisch oder alternativ mit demselben kritischen Maßstab bewerten
Vielen Dank für Ihre Aufmerksamkeit

AB 64 b **Hören Sie noch einmal und markieren Sie im Text, ob die Satzmelodie ansteigend (↗), abfallend (↘) oder schwebend (→) ist.**

EINSTIEGSSEITE, KB 143

gut / schlecht ausgehen, ging aus, ist ausgegangen
sich identifizieren mit
sprechen für (+ Akk.) / gegen (+ Akk.) etwas, sprach, hat gesprochen

LESEN 1, KB 144

der Anspruch, ¨-e
der Bedarf (Sg.)
das Hauptmotiv, -e
die Hürde, -n
der Knochenjob, -s
das Prestige (Sg.)
die Schuld (Sg.)
die Schuld an (+ Dat.)
die Zulassung, -en

akut
angesehen
ansehnlich
belastbar

HÖREN, KB 145

die Anerkennung, -en
die Herausforderung, -en
die Hospitation, -en
die Qualifikation, -en
die Recherche, -n
die Visite, -n

kostspielig
künftig

WORTSCHATZ, KB 146

die Allergie, -n
der Ausschlag, ¨-e
die Beschwerde, -n
der Bluthochdruck (Sg.)
der Durchfall, ¨-e
die Entzündung, -en
das Erbrechen (Sg.)
das Heilmittel, -
die Infektion, -en
das Insekt, -en
der Sonnenbrand, ¨-e
die Spritze, -n
der Stich, -e
die Übelkeit (Sg.)
der Verband, ¨-e
die Wunde, -n
das Zäpfchen, -

grundsätzlich

SPRECHEN 1, KB 147

der Heilpraktiker, -
der Nerv, -en
das Symptom, -e
der / das Virus, die Viren

sich anstecken
einreiben, rieb ein, hat eingerieben
etwas übertreiben, übertrieb, hat übertrieben
vermeiden, vermied, hat vermieden

dumpf
intensiv
pochend
stechend
ziehend

SCHREIBEN, KB 148–149

die Aufnahme, -n
die Konsequenz, -en
das Risiko, die Risiken

jemanden abhalten von (+ Dat.), hielt ab, hat abgehalten
Druck machen

skandalös
süchtig

SPRECHEN 2, KB 150

die Akupunktur, -en
die Behandlung, -en
die Heilkunde (Sg.)
die Homöopathie (Sg.)
die Seele, -n
die Vorbeugung (Sg.)
der Zustand, ¨-e

sich auskennen, kannte sich aus, hat sich ausgekannt

blockieren
heilen
interpretieren
praktizieren
regulieren
reizen

LESEN 2, KB 151–152

die Anwendung, -en
der Auslöser, -
das Etikett, -en
die Nebenwirkung, -en
der Pollen, -
die Schulmedizin (Sg.)

etwas abbrechen, brach ab, hat abgebrochen
abweichen von (+ Dat.), wich ab, ist abgewichen
sich bewähren
deklarieren
diagnostizieren
integrieren
tolerieren
verabreichen

chronisch
harmlos
unzureichend

SEHEN UND HÖREN, KB 153

das Labor, -s/-e

LEKTIONSTEST 11

1 Wortschatz

Welches Wort passt nicht? Streichen Sie durch.

1 die Wunde	die Entzündung	der Verband	die Verletzung
2 die Übelkeit	das Virus	der Durchfall	das Erbrechen
3 das Medikament	die Nebenwirkung	das Heilmittel	das Arzneimittel
4 die Behandlung	die Pflege	die Vorbeugung	die Therapie
5 der Bluthochdruck	der Muskel	der Nerv	der Knochen
6 die Tablette	die Tropfen	das Symptom	das Zäpfchen

Je 1 Punkt **Ich habe ______ von 6 möglichen Punkten erreicht.**

2 Grammatik

a **Was passt? Markieren Sie.**

Wochenlang freut ☐ *man* ☐ *jemand* (1) sich auf den Urlaub. Und wenn er dann endlich beginnt, möchte ☐ *einer* ☐ *man* (2) natürlich jeden Tag uneingeschränkt genießen. Doch oft machen ☐ *jemandem* ☐ *einem* (3) typische Reiseerkrankungen einen Strich durch die Rechnung. Damit euch im Urlaub wirklich ☐ *nichts* ☐ *etwas* (4) passiert, hier ein paar Tipps: Wenn ☐ *jemand* ☐ *niemand* (5) von euch in den Süden fährt, sollte er Insekten- und Sonnenschutz mitnehmen. Dadurch kann ☐ *man* ☐ *einer* (6) sich vor einigen Gefahren schützen. Und wenn ☐ *irgendeiner* ☐ *man* (7) von euch in exotischere Länder fährt, sollte er sich Medikamente verschreiben lassen, nicht ☐ *irgendwelche* ☐ *irgendeine* (8), sondern die passenden. Wenn ihr dann packt, vergesst nicht, die auch mitzunehmen. Und dann einen schönen Urlaub!

Je 1 Punkt **Ich habe ______ von 8 möglichen Punkten erreicht.**

b **Bilden Sie Sätze mit dem Wort in Klammer. Schreiben Sie die Sätze auf ein separates Blatt.**

1 Man kann fast alles lernen, indem man häufig übt. *(durch)*
2 Durch regelmäßiges Training verbessert man seine Kondition. *(indem)*
3 Durch Toms Erkrankung konnte das Projekt nicht beendet werden. *(dadurch, dass)*
4 Anstatt Symptome zu behandeln, sollte man sich mehr auf die Ursachen von Schmerzen konzentrieren. *(statt)*
5 Ohne die Einnahme von Medikamenten können manche Krankheiten nicht geheilt werden. *(ohne dass)*

Je 2 Punkte **Ich habe ______ von 10 möglichen Punkten erreicht.**

3 Kommunikation

Ergänzen Sie.

übertrieben • ziehenden • weh • Salbe • Rezept • Nerv

● Wo tut es Ihnen denn ________________ (1)?
▲ Ich habe einen ________________ (2) Schmerz im rechten Fuß. Wahrscheinlich habe ich beim Joggen ________________ (3).
● Ja, der ________________ (4) ist etwas gereizt. Ich gebe Ihnen ein ________________ (5) für eine ________________ (6). Reiben Sie die Stelle dreimal täglich ein und bewegen Sie den Fuß in den nächsten Tagen nicht zu sehr. Dann ist das bald wieder in Ordnung.

Je 1 Punkt **Ich habe ______ von 6 möglichen Punkten erreicht.**

Auswertung: Vergleichen Sie mit den Lösungen (AB 210). Ihre Erfolgspunkte tragen Sie unter jeder Aufgabe ein.

Ich habe ______ von 30 möglichen Punkten erreicht.

😊	😐	☹
30–24	23–18	17–0

11

WIEDERHOLUNG WORTSCHATZ

1 Dialekte hören und sprechen

Ergänzen Sie die Wörter in der richtigen Form.

anstrengen • Aufenthalt • aussprechen • Elternhaus • gelingen • ~~Gegend~~ • Gelegenheit • nachschlagen • Schreibweise • verwechseln

Dialekte spricht man in einer bestimmten Gegend (1) eines Landes. Erst nach einem längeren ______ (2) in einer Dialektregion versteht man fast alles, was die Einheimischen sagen. Dialektwörter kann man leider nicht im Wörterbuch ______ (3). Es gibt nämlich oft keine festgelegte ______ (4) dafür, denn Dialekt wird offiziell nicht geschrieben. Wer den Dialekt einer Region als Kind nicht gelernt hat, weil beispielsweise im ______ (5) kein Dialekt gesprochen wurde, muss sich immer ______ (6), Wörter im Dialekt richtig ______ (7). Manchmal ______ (8) es einem nicht wirklich, auch wenn man sich noch so sehr bemüht. In ländlichen Regionen hat man meist mehr ______ (9), Originaldialekte zu hören. Man darf die regionalen Varietäten einer Sprache nicht mit den unterschiedlichen Sprachen ______ (10), die innerhalb eines Landes gesprochen werden, wie zum Beispiel in der Schweiz Deutsch, Französisch, Italienisch und Rätoromanisch oder in Spanien Kastilisch, Katalanisch, Baskisch und Galizisch.

12

zur Einstiegsseite, KB 155, Aufgabe 1

2 Ein Steckbrief

WORTSCHATZ

Lesen Sie das Porträt von Nadia Stemmer und ergänzen Sie. Wenn es zu einem Punkt keine Informationen gibt, schreiben Sie ein X.

Hoch hinaus

Nadia Stemmer wird bald 26 und lebt seit Kurzem in Innsbruck / Tirol. Dort ist sie in einem Museum als Erlebnispädagogin beschäftigt. Geboren und aufgewachsen ist sie jedoch im benachbarten Südtirol und hat somit die italienische Staatsangehörigkeit. Italienisch und Deutsch, besonders den Südtiroler Dialekt, beherrscht sie perfekt. Natürlich liebt sie die Berge, hat großes sportliches Talent und geht in den wärmeren Jahreszeiten gern klettern und Gleitschirm fliegen, im Winter unternimmt sie am liebsten Skitouren. Sie versucht, so weit wie möglich in Einklang mit der Natur zu leben. Sie träumt davon, ein eigenes interaktives Alpen-Museum zu eröffnen, in dem man die Tier- und Pflanzenwelt der Region kennenlernen und umweltfreundliche Sportarten ausprobieren kann. Eines ihrer Vorbilder ist ihr Landsmann, der Extrembergsteiger und Umweltaktivist Reinhold Messner.

1 Alter: ______
2 Wohnort: ______
3 Nationalität: ______
4 Muttersprache: ______
5 Studium: ______
6 Beruf: ______
7 Hobbys: ______
8 Begabung: ______
9 Ängste: ______
10 Lebensmotto: ______
11 Lebenstraum: ______
12 Idole: ______

zu Hören 1, KB 156, Aufgabe 3

3 Der Rheinschwimmer Ernst Bromeis ÜBUNG 1, 2 LESEN

Lesen Sie die Reportage aus einer Schweizer Tageszeitung. Welche Aussagen sind richtig? Markieren Sie.

1 Ernst Bromeis hat nicht ausreichend Kraft, um sein Projekt zu Ende zu bringen. ☐
2 Er hatte nicht die richtige Ausrüstung. ☐
3 Eine große Herausforderung für ihn war das extrem kalte Wasser. ☐
4 Bromeis hatte die möglichen Schwierigkeiten des Projekts nicht richtig eingeschätzt. ☐
5 Dass er auch ein Kajak benutzte, war für manche Beobachter beinahe Betrug. ☐
6 Mit seiner spektakulären Aktion wollte er wasserscheue Menschen zum Schwimmen bewegen. ☐

„Deshalb habe ich aufgegeben"

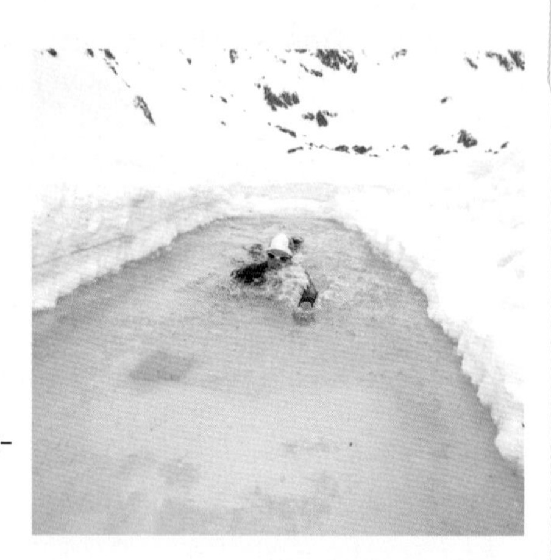

Der aus dem Schweizer Bünden stammende Ernst Bromeis wollte den ganzen Rhein durchschwimmen. Doch der Fluss war stärker als er. Jetzt erklärt der Schweizer gegenüber „Blick", weshalb er das spektakuläre Vorhaben nach 400 Kilometern aufgab: „Es war eine Fehleinschätzung zu glauben, dass man den Rhein von der Quelle bis zur Mündung durchschwimmen kann", erklärte Bromeis in einem Interview vor wenigen Tagen und kündigte an, er werde den größten Teil der weiteren Strecke im Kajak zurücklegen. Er habe seine Kräfte überschätzt. Soweit möglich, werde er aber Teile der Route auch schwimmen. Doch jetzt bricht er das Projekt komplett ab. (...)
Rund vierzig Kilometer täglich hat sich Bromeis seit dem Start am Tomasee flussabwärts gekämpft, schwimmend, und, häufiger als ursprünglich geplant, auch im Kajak.
Er war vor zahlreiche Herausforderungen gestellt, und die Bedingungen waren äußerst hart. So lag der Rhein an der Quelle noch unter einer meterdicken Eisschicht, und einmal geriet Bromeis gar in einen Hagelsturm. Extrem kräfteraubend aber sei vor allem das ungewöhnlich kalte Wetter gewesen, meinte der Rheinschwimmer. Seine Etappenplanung sei auch zu optimistisch gewesen.
Bromeis, der ursprünglich den Rhein 1230 Kilometer von den Alpen bis zur Nordsee durchschwimmen wollte, startete Anfang Mai bei der Quelle auf dem schneebedeckten Oberalppass. Der Schweizer Extremsportler hätte am 31. Mai in der Meermündung ankommen sollen.* (...)

Entweder richtig schwimmen oder aufhören
Interessierten war bereits in den ersten Tagen aufgefallen, dass Bromeis große Teile der Strecken nicht geschwommen war, sondern im Kajak zurückgelegt hatte. Entsprechend wurde auf der Facebook-Seite des Projekts darüber kontrovers diskutiert. Einige bezeichneten das Projekt als gescheitert. „Entweder richtig schwimmen oder aufhören. Das ist ja lächerlich und fast schon Betrug", schrieb ein enttäuschter Fan.
Die meisten Bromeis-Fans jedoch applaudierten und verteidigten den Schwimmer: „Es geht doch nicht um Rekorde", schreibt eine Anhängerin. Jeder einzelne Kilometer, den er schwimmend zurücklege, sei eine Top-Leistung. Bromeis selber betonte, eines seiner Motive war auch, auf die ökologische Bedeutung des Rheins aufmerksam zu machen sowie für einen größeren Umwelt- und Gewässerschutz zu werben. Das Projekt „Das blaue Wunder" ist auch Teil der Sommerkampagne zum Element Wasser von „Schweiz Tourismus".

* Ernst Bromeis schaffte es zwei Jahre später bei seinem zweiten Versuch den Rhein zu durchschwimmen.

WIEDERHOLUNG GRAMMATIK

zu *Wussten Sie schon?*, KB 157

4 Wissenswertes über die Schweiz

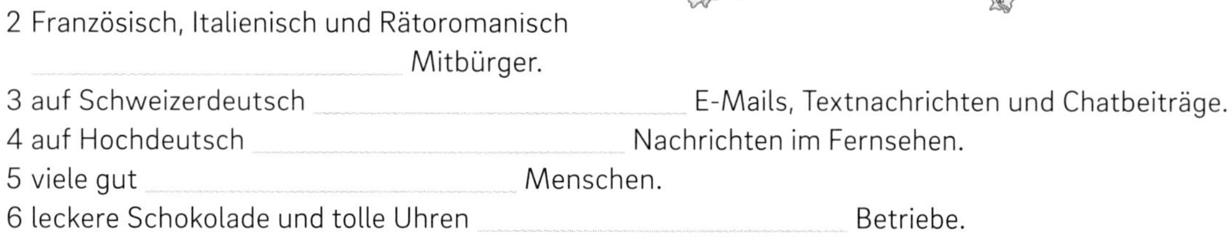

a Ergänzen Sie.

verfasste • produzierende • ausgestrahlte • verdienende • ~~gesprochene~~ • sprechende

In der Schweiz gibt es ...

1 in verschiedenen Regionen unterschiedlich gesprochene Mundarten.
2 Französisch, Italienisch und Rätoromanisch __________ Mitbürger.
3 auf Schweizerdeutsch __________ E-Mails, Textnachrichten und Chatbeiträge.
4 auf Hochdeutsch __________ Nachrichten im Fernsehen.
5 viele gut __________ Menschen.
6 leckere Schokolade und tolle Uhren __________ Betriebe.

b Welche Formen sind Partizip I (= aktive Bedeutung), welche Partizip II (= passive Bedeutung)? Markieren Sie farbig.

12

zu Hören 1, KB 157, Aufgabe 5

5 Erweitertes Partizip ÜBUNG 3, 4

GRAMMATIK ENTDECKEN

a Erweitertes Partizip oder Relativsatz. Was passt? Ordnen Sie zu.

☐ die das Land meist nur durchqueren • ☐ durch das Inntal führenden • ☐ sich über 1,5 Kilometer erstreckende • ☐ die ständig die zulässigen EU-Grenzwerten übersteigen

Umweltaktivisten blockieren stundenlang Teil der Inntal-Autobahn

Aufgrund einer Aktion österreichischer Umweltaktivisten war gestern ein Teilstück der (1) Autobahn mehrere Stunden lang unpassierbar. Dadurch wurde der Transitverkehr stark eingeschränkt. Die vielen Fahrzeuge, (2), waren Anlass für den Protest. Ab 11.00 Uhr blockierten zahlreiche Menschen zwölf Stunden lang das (3) Teilstück kurz nach der Ausfahrt Vomp in Richtung Brenner. Die Anwohner in der Region klagen über erheblich verschmutzte Luft. Tatsächlich wurden Stickstoffoxid-Werte gemessen. ((4) teilweise um 120 Prozent gemessen).

b Welche Textteile (1–4) sind Relativsätze, welche erweiterte Partizipien? Ergänzen Sie.

Relativsatz	Erweitertes Partizip

zu Hören 1, KB 157, Aufgabe 5

6 Erweitertes Partizip oder Relativsatz?

GRAMMATIK ENTDECKEN

a Was ist der Unterschied? Markieren Sie.

1 ein vor den Gefahren **warnender** Begleiter =
ein Begleiter, der vor den Gefahren warnt
2 ein vor den Gefahren **gewarnter** Schwimmer =
ein Schwimmer, der vor den Gefahren gewarnt wurde
3 ein vom Reporter **befragter** Schwimmer =
der Schwimmer, der vom Reporter befragt wurde
4 ein den Schwimmer **befragender** Reporter =
ein Reporter, der den Schwimmer (gerade) befragt

	1	2	3	4
aktiv	☒	☐	☐	☐
passiv	☐	☐	☐	☐
abgeschlossen	☐	☐	☐	☐
nicht abgeschlossen	☒	☐	☐	☐

b Was ist / sind ...? Ergänzen Sie wie in 6a.

1 ein am kalten Wasser gescheitertes Experiment
= ein Experiment, das ______
2 ein am kalten Wasser scheiterndes Experiment
= ein Experiment, das ______
3 ein gestern in der Zeitung erschienener Artikel
= ein Artikel, der ______
4 ein morgen in der Zeitung erscheinender Artikel
= ein Artikel, der ______

zu Hören 1, KB 157, Aufgabe 5

7 Aus einer Reportage über das missglückte Experiment

GRAMMATIK

a Schreiben Sie es anders.

1 Der Rhein ist ein in der Schweiz entspringender europäischer Fluss.
2 Seine Quelle ist ein touristisch noch kaum erschlossenes Gebiet.
3 Dort begann Herr Bromeis seine schon lange geplante Kampagne.
4 Der seinen Lebenstraum verwirklichende Umweltschützer schreibt ein Buch darüber.

1 Der Rhein ist ein europäischer Fluss, der in der Schweiz entspringt.

b Formulieren Sie nun umgekehrt.

1 Ein Reporter, der mehrere Hundert Meter mitschwamm, wollte „live" von der anstrengenden Unternehmung berichten.
1 Ein mehrere hundert Meter mitschwimmender Reporter wollte „live" von der anstrengenden Unternehmung berichten.
2 Der Extremsportler, der sich gern großen Herausforderungen stellt, hielt leider auch im Kajak nicht bis zum Ende der Aktion durch.
______
3 Einige Beobachter äußerten sich kritisch über das Projekt, das vorzeitig abgebrochen wurde.
______

zu Hören 1, KB 157, Aufgabe 5

8 Wechselnde Perspektiven ÜBUNG 5, 6, 7 GRAMMATIK

Schreiben Sie zuerst einen Satz mit den Satzteilen in Klammern. Bilden Sie dann ein erweitertes Partizip.

1 verschiedene Dialekte *(in den einzelnen Landesteilen / sprechen)*
a Verschiedene Dialekte werden in den einzelnen Landesteilen gesprochen.
b Verschiedene, in den einzelnen Landesteilen gesprochene Dialekte ...

2 die Silben *(beim Sprechen / verschlucken)*
a Die Silben ______
b Die ______ Silben ...

3 Muttersprachler *(häufig / Silben verschlucken)*
a Muttersprachler ______
b ______ Muttersprachler ...

4 Der Konzern *(auf Schweizerdeutsch / den Geschäftsbericht veröffentlichen)*
a Der Konzern ______
b Der ______ Konzern ...

5 Der Geschäftsbericht *(auf Schweizerdeutsch / veröffentlichen)*
a Der Geschäftsbericht ______
b Der ______ Geschäftsbericht ...

12

zu Sprechen, KB 158, Aufgabe 1

9 Ein Reisevorschlag ÜBUNG 8 KOMMUNIKATION / HÖREN

AB 65 **Hören Sie den Vortrag zweimal und wählen Sie bei den Aufgaben die richtige Lösung.**

1 Für welche Zielgruppe ist die vorgestellten Reise hauptsächlich gedacht?
- a Für kulturell interessierte Paare.
- b Für Sport- und Kulturinteressierte.
- c Für abenteuerlustige Singles.

2 Während der Reise macht man kleine Touren ...
- a mit einem umweltfreundlichen Elektrobus.
- b mit dem Rad.
- c mit einer Kutsche.

3 Die Reise startet ...
- a in der Schweiz.
- b in Deutschland.
- c in Frankreich.

4 Die Reisenden sind am Anfang ...
- a mit einem historischen Schiff unterwegs.
- b mit dem Rad in der spektakulären Landschaft unterwegs.
- c mit einem Kanu auf dem Fluss unterwegs.

5 Was wird den Reisenden zur Verfügung gestellt?
- a Ein vielfältiges Getränke-Angebot.
- b Die Ausrüstung für ihre sportlichen Aktivitäten.
- c Tipps für Spezialitäten der regionalen Küche.

6 Wo essen die Reiseteilnehmer während der Radtour?
- a Auf dem Rheindampfer.
- b Bei Privatleuten aus der Region.
- c Unter freien Himmel oder in einem Restaurant.

7 Nach den körperlichen Aktivitäten können die Reisenden...
- a in Ruhe die Region erkunden.
- b eine Großstadt kennenlernen.
- c sich an Bord des Schiffes erholen.

8 In Köln kann man zum Schluss ...
- a eine berühmte Kirche besichtigen.
- b sehr traditionelle Museen besuchen.
- c ins Theater gehen.

zu Sprechen, KB 158, Aufgabe 1

10 Nomen-Verb-Kombinationen ÜBUNG 9, 10

WORTSCHATZ

a **Ordnen Sie die Verben den Nomen zu.**

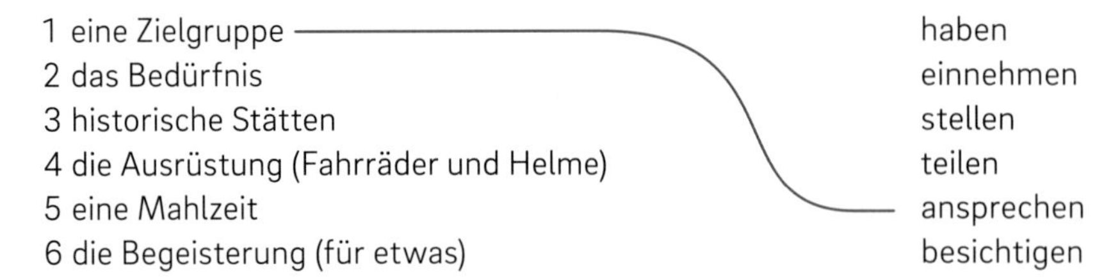

1 eine Zielgruppe	haben
2 das Bedürfnis	einnehmen
3 historische Stätten	stellen
4 die Ausrüstung (Fahrräder und Helme)	teilen
5 eine Mahlzeit	ansprechen
6 die Begeisterung (für etwas)	besichtigen

AB 65 b **Hören Sie zur Kontrolle die Präsentation des Reisevorschlags aus Übung 9 noch einmal.**

zu Wortschatz, KB 160, Aufgabe 1

11 Von einer Sprache in die andere

WORTSCHATZ

Welche Wörter könnten vom oder ins Deutsche gewandert sein und was bedeuten sie wohl?

Friseur • Siesta • Konto • chillen • Globus • Portemonnaie • Döner • buterbrod • wihajster • kaffepaussi • nusu kaput • Schadenfreude • ~~T-Shirt~~ • le vasistdas • wurstel con Krauti

12

a Vom ... ins Deutsche

1 Englischen T-Shirt = kurzärmliges Hemd, ...
2 Französischen
3 Italienischen
4 Spanischen
5 Türkischen
6 Griechischen

b Vom Deutschen ins ...

7 Englische
8 Französische
9 Russische
10 Italienische
11 Finnische
12 Polnische
13 Kiswahili

zu Wortschatz, KB 160, Aufgabe 1

12 Ausgewanderte Wörter

LESEN

Lesen Sie das Vorwort und einige Beiträge aus der Sammlung „Ausgewanderte Wörter" und beantworten Sie die Fragen.

1 Aus welchem Grund fließen so viele deutsche Wörter in andere Sprachen ein?
2 Was wurde zu diesem Thema veranstaltet?
3 Was wollte man von den Beitragenden wissen?
4 Bei welchen gleichnamigen Wörtern hat sich die Wortbedeutung nicht oder fast nicht verändert?
5 Bei welchen gibt es eine starke Veränderung?

Ausgewanderte Wörter

Wer von uns denkt bei der Verwendung von Wörtern wie T-Shirt, Friseur oder Konto noch daran, dass sie ursprünglich aus anderen Sprachen stammen? Sie gehören seit Langem ganz selbstverständlich zu unserem Sprachgebrauch im Alltag. Auch andere Sprachen „leihen“ sich selbstverständlich Wörter „aus“.

Mehr als 10 000 Wörter könnte man dabei auflisten, die aus dem Deutschen irgendwie in andere Sprachen gelangt sind. Deutsche Wörter sind wohl unter anderem beliebt, weil sie eine Besonderheit haben: Im Deutschen kann man mehrere Wörter zu einem neuen Begriff zusammensetzen, wie zum Beispiel die berühmte „Donaudampfschifffahrtskapitänsmütze“. So was geht in vielen anderen Sprachen nicht. Deshalb werden Worte wie „Schadenfreude“ oder „buterbrod“ besonders gern übernommen.
In einem Wettbewerb unter dem Titel „Ausgewanderte Wörter“ hat der Deutsche Sprachrat Menschen in aller Welt aufgefordert, deutsche oder deutschstämmige Wörter in ihrer Sprache zu benennen und auch zu erzählen, was sie in ihrer neuen sprachlichen Heimat bedeuten. Denn häufig haben die Wörter sich verändert und es ist eine neue Bedeutung entstanden. Hier einige Beispiele:

le vasistdas – *Französisch für Guckfenster in der Tür*
Das Wort, das bereits im 17. Jahrhundert in Frankreich auftaucht, ist zurückzuführen auf die jenseits des Rheins üblichen kleinen Guckfenster, die man öffnete, um zu fragen: „Was ist das?“ (= Wer ist da?). Man wollte wissen, wer eintreten wollte, bevor man die Tür öffnete.
(Monique Landes, Lyon, Frankreich)

Kaffepaussi – *Finnisch für Pause, derzeit außer Betrieb*
Das habe ich so gesehen bei einem Linienbus in Turku in der automatisierten Anzeige, in der sonst das Fahrtziel des Busses steht. Der Busfahrer macht Pause.
(Susanne Bätjer, Glückstadt, Deutschland)

Schadenfreude – *Englisch für: das Gefühl, das man empfindet, wenn jemand leidet, den man selbst nicht mag*
Der Sprachwissenschaftler Edward Sapir behauptet, dass man nur das empfinden kann, was man in Worten ausdrücken kann. Da wir Engländer nicht zugeben wollen, dass wir solche unwürdigen Gefühle empfinden wie Schadenfreude, mussten wir den Deutschen die Schuld in die Schuhe schieben. Ganz schön geschickt von uns, nicht?
(Colin Hall, Dundee, Großbritannien)

nusu kaput – *Kiswahili für: Narkose*
In der ehemals deutschen Kolonie, im heutigen Tansania, sind einige deutsche Begriffe eingewandert, die auch heute in der Landessprache noch gebräuchlich sind. Ein recht witziges Beispiel heißt „nusu kaput“. „Nusu“ bedeutet „halb“, ein Mensch in Narkose ist also „halb kaputt“.
(Thomas Smolarczyk, Auenwald, Deutschland)

wihajster – *Polnisch für: ein kleines Werkzeug oder Ding, dessen Namen man nicht weiß*
Mein Vater hat oft dieses Wort benutzt, z. B. als wir zusammen gebastelt haben. Dann hat er gesagt: „Gib mal diesen wihajster.“ anstatt „Gib mal diesen Sechskant-Schraubenschlüssel“. Es war so eine Bezeichnung für alles. Erst als ich nach Deutschland ausgewandert bin, sind mir die Wurzel und die Bedeutung dieses Wortes klar geworden.
(Markus Thomalla, Berlin, Deutschland)

zu Wortschatz, KB 160, Aufgabe 1

13 Wörter, die gewandert sind

SCHREIBEN

Schreiben Sie einer Freundin / einem Freund in Ihrem Heimatland. Berichten Sie ihr / ihm, welche Entdeckungen Sie beim Erlernen der deutschen Sprache oder einer anderen Fremdsprache in Bezug auf ein- und ausgewanderte Wörter gemacht haben.

„Inzwischen lerne ich seit ... intensiv Deutsch.
Dabei stoße ich manchmal auf Wörter, die ... kenne.
... ist vielen Leuten gar nicht bewusst.
Zum Beispiel heißt es: ...
Das kommt von dem ... Wort ...
Umgekehrt gibt es natürlich auch Wörter, ...
Hast Du auch schon ...?
... Bücher oder Artikel zu dem Thema?“

Lieber Tim,
inzwischen lerne ich seit einem Jahr intensiv Deutsch. Dabei stoße ich manchmal auf Wörter, die ich aus dem Englischen kenne. Dass Wörter wie „T-Shirt“ oder „chillen“ aus dem Englischen kommen, ist vielen Leuten gar nicht bewusst ...

zu *Wussten Sie schon?*, KB 161

12

14 Schwyzerdütsch – leicht gemacht ÜBUNG 11

LANDESKUNDE / HÖREN

AB 66

Hören Sie einen Radiobeitrag zum Thema: „Schwyzerdütsch verstehen und lernen“. Korrigieren Sie die falschen Aussagen.

1 ~~Ein Modemagazin~~ Das Reisemagazin „Globo“ hat versucht, einfache Grundsätze zum Erlernen von Schwyzerdütsch zusammenzustellen.

2 Dabei muss man jede Woche eine neue Regel lernen.

3 Erster Tag: Ein typisches Schweizer Füllwort ist „wieder“.

4 Zweiter Tag: Das *K* wird häufig wie *ch* in *echt* ausgesprochen. Das Wort *Küche* wird so zur *Chuchi*.

5 Dritter Tag: Die Endung „li“ ist eine Verkleinerungsform, die immer den Artikel „die“ hat.

6 Vierter Tag: Zweisilbige Wörter werden grundsätzlich auf der letzten Silbe betont.

7 Fünfter Tag: Man muss eigentlich keine neuen Wörter lernen.

zu Lesen, KB 162, Aufgabe 1

15 Wörter, Wörter, Wörter ÜBUNG 12

WORTSCHATZ

Was passt nicht? Streichen Sie durch.

1 *die Norm – die Regel – der Standard – ~~der Meilenstein~~*
2 *überregional – lokal – örtlich – regional*
3 *die Verbreitung – der Kontrast – der Gegensatz – der Unterschied*
4 *existieren – da sein – bestehen – verstehen*
5 *das Beispiel – die Abbildung – das Vorbild – das Muster*
6 *erkennen – registrieren – bemerken – kennen*
7 *verbreitet – begrenzt – eingeschränkt – limitiert*

WIEDERHOLUNG GRAMMATIK

zu Lesen, KB 163, Aufgabe 3

16 Gegensätze ausdrücken: *aber, doch, sondern, trotzdem, trotz*

Was ist richtig? Markieren Sie.

Ältere Menschen in größeren deutschen Städten sprechen häufig noch Dialekt miteinander, *aber / sondern / trotz* (1) die Sprache der jüngeren Stadtbevölkerung unterscheidet sich in den verschiedenen Regionen nicht mehr sehr. Die meisten jungen Leute verstehen natürlich die Mundart ihrer Region, *trotzdem / sondern / doch* (2) durch den Einfluss der Medien und durch die Bevölkerungsmischung in den Städten benutzen sie kaum noch Dialekte. Auf dem Land wird nicht so viel Hochdeutsch gesprochen, *doch / sondern / trotzdem* (3) immer noch vermehrt die regionalen Varietäten. Dialektsprechen ist vor allem im Süden Deutschlands, in Österreich und in der Schweiz sehr ausgeprägt, im Norden Deutschlands hört man Mundarten eher selten. *Trotz / aber / doch* (4) dieses Nord-Süd-Unterschieds gibt es auch in Norddeutschland noch einige Sprecher der verschiedenen plattdeutschen Dialekte. Vereine, Dichter, Liedermacher, *aber / sondern / trotzdem* (5) auch trendige junge Bands, haben inzwischen die Sprache ihrer Heimat wiederentdeckt.

zu Lesen, KB 163, Aufgabe 3

17 Adversativsätze ÜBUNG 13, 14, 15

GRAMMATIK ENTDECKEN

a **Lesen Sie den Infotext. Ergänzen Sie die unterstrichenen Passagen in der Tabelle.**

Die Heimatsprache wiederentdecken

Während es früher als kultiviert galt, sich möglichst dialektfrei auszudrücken (1), werden heute die unterschiedlichen Dialekte als Ausdruck der kulturellen Vielfalt geschätzt. Kinder werden von ihren Eltern nicht mehr dazu aufgefordert, in der Schule „nach der Schrift" zu sprechen. Früher sollten die Schüler vor allem während des Unterrichts möglichst ihren Dialekt unterdrücken, um nicht als sprachlich ungeschickt zu gelten. Im Gegensatz dazu ist der Dialekt in den Schulen heutzutage durchaus akzeptiert. (2) Früher waren die Menschen sehr bemüht, sich ihren Dialekt abzutrainieren. Dagegen nimmt heutzutage die Sehnsucht nach Wiederbelebung der „Heimatsprachen" in ganz Deutschland wieder zu. (3) Manche Städter besuchen „Dialektkurse" an Volkshochschulen. Während sie dann Lieder in der heimatlichen Mundart hören und singen, fühlen sie sich meist mit ihrer Herkunft besonders verbunden. Oft lernen sie auch, im regionalen Dialekt zu sprechen. Das Alltagsleben und die Sprache des modernen Großstädters in Berlin, Hamburg, Frankfurt, Wien oder Zürich unterscheidet sich kaum mehr grundlegend. Dagegen spielen auf dem Land die eigenen Traditionen, Bräuche und Dialekte noch eine große Rolle. (4) Sie machen die Regionen einzigartig.

	Konnektor
Nebensatz	Während es früher ...
Hauptsatz	

b **Lesen Sie den Text noch einmal. Suchen Sie weitere Sätze mit *während*. Welcher dieser Sätze und der Sätze aus a drücken aus, ...**

1 dass ein Gegensatz vorhanden ist. (= adversativ): Während ..
2 dass etwas gleichzeitig passiert. (= temporal): Während ..

zu Lesen, KB 163, Aufgabe 3

18 Wie kann man es noch sagen?

GRAMMATIK

Ergänzen Sie die Adversativsätze mithilfe der Informationen aus Übung 17a.

1 Früher galt es als kultiviert, sich dialektfrei auszudrücken. Heutzutage dagegen ______

2 Während die Kinder früher vor allem während des Unterrichts ______

3 Früher waren die Menschen sehr bemüht, sich ihren Dialekt abzutrainieren. Im Gegensatz dazu ______

4 Während sich das Alltagsleben ______

zu Lesen, KB 163, Aufgabe 3

19 Warum sprechen wir Dialekt?

GRAMMATIK

Lesen Sie das Interview mit dem Dialektforscher Dr. Peter Volker und ergänzen Sie die Sätze unten.

Im deutschen Sprachraum gibt es eine Vielfalt an Dialekten. Sind sie in allen Regionen noch gleich lebendig oder gibt es da Unterschiede?
Von den drei Dialektbereichen Nieder-, Mittel- und Oberdeutsch werden die mittel- und oberdeutschen Mundarten noch häufig gesprochen.
5 Die niederdeutschen Dialekte haben nur noch wenige Sprecher.

Seit wann gibt es Dialekte?
Den Begriff „Dialekt" gibt es erst, seit es Hochdeutsch gibt, also seit 250 Jahren. Dialekte selbst gibt es schon viel länger.

Wird in den Medien und der Öffentlichkeit allgemein noch viel Dialekt gesprochen?
10 Insgesamt wird in den Medien weniger Dialekt gesprochen. In der Werbung, zum Beispiel bei Biermarken, und von Politikern in regionalen Wahlkämpfen wird er aber bewusst eingesetzt.

Warum wird überhaupt noch Dialekt gesprochen?
Hochdeutsch wird häufig gesprochen, um mehr Menschen zu erreichen. Der Einsatz von Dialekt hingegen soll die Zielgruppe verkleinern, eine vertraute Basis schaffen und
15 Gemeinsamkeit herstellen.

Ist am Ende Dialektsprechen sogar wieder cool?
Früher wurde manchmal behauptet, Dialekt sprechen nur die Alten, Armen und die Ungebildeten. Heute gibt es eine gewisse Renaissance des Dialekts als Kulturgut.

1 Während von den drei Dialektbereichen Nieder-, Mittel- und Oberdeutsch die mittel- und oberdeutschen Mundarten noch häufig gesprochen werden, ______

2 Den Begriff „Dialekt" gibt es erst, seit es Hochdeutsch gibt, also seit 250 Jahren. Dagegen ______

3 Während in den Medien insgesamt ______

4 Hochdeutsch wird häufig gesprochen, um mehr Menschen zu erreichen. Im Gegensatz dazu ______

5 Während man früher meinte, dass ______

zu Schreiben, KB 164, Aufgabe 2

20 Doppel-Pass? Junge Menschen berichten

HÖREN

AB 67

Hören Sie das Gespräch zwischen Jugendlichen. Welcher der Sätze a–f passt am besten zu den Meinungen 1–3? Zwei der Sätze passen nicht. Markieren Sie.

Moderatorin	a	b	c	d	e	✗
Meinung 1	a	b	c	d	e	f
Meinung 2	a	b	c	d	e	f
Meinung 3	a	b	c	d	e	f

a Bei der Arbeitssuche hat man trotz der gleichen Schulbildung als Nicht-EU-Bürger schlechtere Chancen als Deutsche oder EU-Bürger.
b Ich finde es gut, dass man sich für eine Staatsbürgerschaft entscheiden muss. Dadurch identifiziert man sich besser mit der Kultur eines Landes.
c Ich weiß noch nicht, welchen Pass ich nehme. Ich fühle mich ein bisschen mehr deutsch, deshalb behalte ich vermutlich den deutschen Pass.
d Ich muss in Deutschland einen Antrag stellen, wenn ich auch meinen zweiten Pass behalten will.
e Man hat mit der gleichen Ausbildung die gleichen Chancen auf dem Arbeitsmarkt. Dabei ist es egal, welche Staatsbürgerschaft man hat.

zu Schreiben, KB 165, Aufgabe 3

21 Doppelte Staatsbürgerschaft – ja oder nein? ÜBUNG 16

SCHREIBEN

12

Schreiben Sie einen Beitrag zum Thema Doppelte Staatsbürgerschaft.
Denken Sie an eine Einleitung und einen Schluss.
Verwenden Sie die Redemittel aus dem Kursbuch (KB 165).

Schreiben Sie,
- ob es in Ihrem Land die doppelte Staatsbürgerschaft gibt und welche Erfahrungen Sie oder andere damit gemacht haben.
- welche Vorteile es mit sich bringen kann, wenn man zwei Staatsbürgerschaften besitzt.
- welche möglichen Identitätsprobleme Menschen mit zwei Pässen haben können.
- ob ein Land mit vielen „Doppelstaatsbürgern" davon Vor- oder Nachteile hat.

zu Schreiben, KB 165, Aufgabe 4

22 Partizipien als Nomen

GRAMMATIK

Ergänzen Sie in der richtigen Form.

Abgeordnete • Angestellte • Anwesende • Eingebürgerte • ~~Studierende~~ • Vorgesetzte

1 Personen, die an der Universität Lehrveranstaltungen besuchen, nennt man *Studierende* .
2 Der Kursleiter begrüßt zu Beginn alle, die da sind, das heißt, alle ______ .
3 Personen, die am Arbeitsplatz in der Hierarchie über mir stehen, sind meine ______ .
4 ______ sind Menschen, die erst vor Kurzem die Staatsangehörigkeit erhalten haben.
5 In Regionen mit sprachlichen Minderheiten haben diese auch ______ im Parlament.
6 Beamte und ______ in zweisprachigen Regionen wie etwa in Südtirol müssen beide Amtssprachen beherrschen.

zu Schreiben, KB 165, Aufgabe 4

23 Kurzmeldungen ÜBUNG 17, 18 GRAMMATIK

a **Geben Sie den Bildern passende Titel. Verwenden Sie dazu Partizipien aus folgenden Verben.**

reisen • baden • festnehmen • ~~verliebt sein~~

1 die Verliebten 2 ______ 3 ______ 4 ______

b **Ergänzen Sie die Kurzmeldungen aus einer Zeitung. Verwenden Sie dabei die Partizipien aus 23a.**

1 **Beliebte Reiseziele.** Paare und Verliebte buchen gern Reisen in die Karibik.

2 **Flugausfälle wegen Streiks am Frankfurter Flughafen.** ______

3 **Nach Einbruch im Juweliergeschäft.** Polizei greift verdächtige Person auf. ______

4 **Wasser in den Seen im Umland besonders sauber.** ______

zu Hören 2, KB 166, Aufgabe 3

24 Alles mit *-sprache* WORTSCHATZ

Lesen Sie die Definitionen und ergänzen Sie.

1 Wichtig beim Lernen einer neuen Sprache ist die korrekte A _ _ sprache
2 In der Schule lernen Kinder heutzutage immer früher ihre erste F _ _ _ _ _ sprache
3 Teenager kommunizieren miteinander häufig in einer Ju _ _ _ _ _ sprache
4 Menschen, die mit zwei oder drei Sprachen aufwachsen, haben mehrere M _ _ _ _ _ _ _ sprachen.
5 Die meistgesprochenen Sprachen auf der Erde, wie z. B. Chinesisch, Englisch und Spanisch, nennt man W _ _ _ sprachen.
6 Eine Form der non-verbalen Kommunikation ist die Kör _ _ _ sprache.
7 In der Wissenschaft benutzt man häufig F _ _ _ sprache.

zu Hören 2, KB 166, Aufgabe 3

25 Wortbildung: Fugenelement *-s-* bei Nomen ÜBUNG 19, 20 GRAMMATIK

Ergänzen Sie ein Fugen *-s-*, wo nötig.

1 Lücken__, Lektion__, Ankündigung__, Hör__	-text
2 Einwanderung__, Nachbar__, Liebling__, Heimat__	-land
3 Liebling__, Menschheit__, Kinder__, Kunst__	-geschichte
4 Zeit__, Aktion__, Gemeinschaft__, Erholung__	-raum
5 Blick__, Wind__, Bewegung__, Mode__	-richtung
6 Stil__, Prüfung__, Detail__, Loyalität__	-frage
7 Freundschaft__, Laden__, Film__, Einheit__	-preis

zu Sehen und Hören, KB 167, Aufgabe 4

26 Kommunikation im Krankenhaus

LESEN

Lesen Sie das Interview mit der Stationsleiterin Kyu Soon Schwerdtfeger.
Ordnen Sie die Interviewfragen den Antworten von Frau Schwerdtfeger zu.

- ☐ Hat sich etwas verändert, seit Sie an Ihrem Kittel einen Button mit der Aufschrift „We snack on platt" tragen?
- ☐ Was dachten Sie, als die Klinikleitung den Vorschlag machte?
- ☐ Was ist Ihr Lieblingswort?
- ☐ Wie lange dauert so ein Kurs?
- ☐ Übersetzt dürfte das wahrscheinlich „Alte Leute" heißen, oder?
- ☐ Hilft Ihnen die neu erworbene Sprache auch außerhalb der Klinik weiter?
- [1] Frau Schwerdtfeger, wie ist es, als gebürtige Südkoreanerin Plattdeutsch zu lernen?

Mitarbeiter der Hamburger Asklepios-Kliniken können nun Kurse in Plattdeutsch belegen, um ihren älteren Patienten ein Gefühl von Heimat zu geben. Die gebürtige Südkoreanerin Kyu Soon Schwerdtfeger, 61, hat sich als Erste angemeldet. Seit 20 Jahren ist sie Stationsleiterin in der Gastroenterologie.

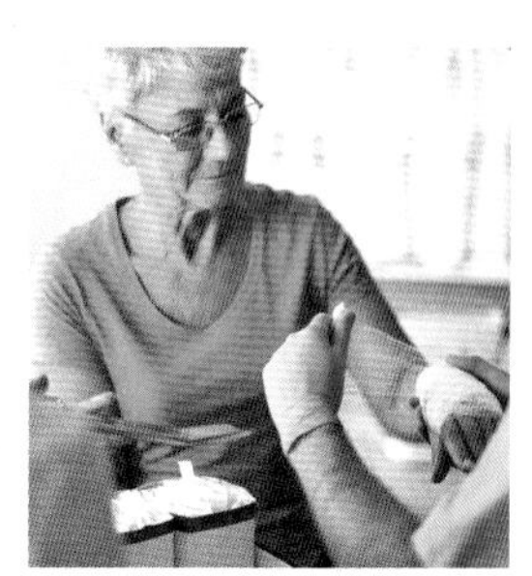

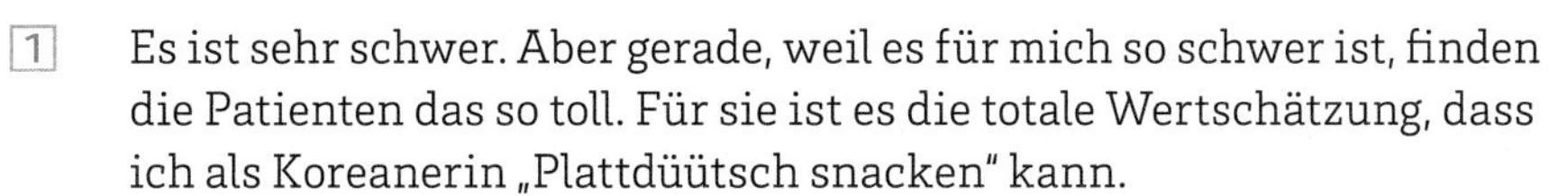

1 Es ist sehr schwer. Aber gerade, weil es für mich so schwer ist, finden die Patienten das so toll. Für sie ist es die totale Wertschätzung, dass ich als Koreanerin „Plattdüütsch snacken" kann.

2 Im ersten Moment war meine Reaktion: Oh Gott, jetzt auch das noch! Aber als Stationsleiterin wollte ich mit gutem Beispiel vorangehen und meldete mich als Erste für den Kurs an. Aus meiner Station machten noch sechs weitere Kollegen mit, insgesamt waren wir 15.

3 Eigentlich zehn Stunden, ich konnte aber leider nur an fünf teilnehmen. Mein Zertifikat habe ich trotzdem erhalten.

4 Seitdem bei uns Plattdütsch gesprochen wird, lachen wir mehr. Vor allem, wenn ich mal wieder einen Fehler mache. Aber es hilft auch dabei, Vertrauen herzustellen.

5 Olle Lütt.

6 Richtig. Ich finde, das hört sich viel weicher und netter an als „alte Leute". Auf unserer Station sind viele „olle Lütt", die meisten Patienten sind weit über 70.

7 Ja, total. Der Onkel meines Mannes spricht nur Platt, jetzt verstehe ich ihn endlich.

12

27 Mein Lieblingsspruch im Dialekt

MEIN DOSSIER

Wählen Sie einen Ausspruch oder ein Zitat in Ihrem Heimatdialekt oder einem Dialekt, den Sie verstehen. Übersetzen Sie ihn und schreiben Sie, was Ihnen an diesem Ausspruch gefällt und warum er zu den Sprechern dieses Dialektes gut passt.

Auf Kölsch sagen die Leute „Et kütt, wie et kütt." Das heißt übersetzt „Es kommt, wie es kommt" und bedeutet, dass man auf manche Dinge im Leben keinen Einfluss hat ...

AUSSPRACHE: Dialekte und Sprachvarietäten

1 Meine Sprache – meine Heimat

AB 68–72 **Hören Sie Personen aus verschiedenen deutschsprachigen Regionen. Ergänzen Sie die fehlenden Informationen in der Tabelle.**

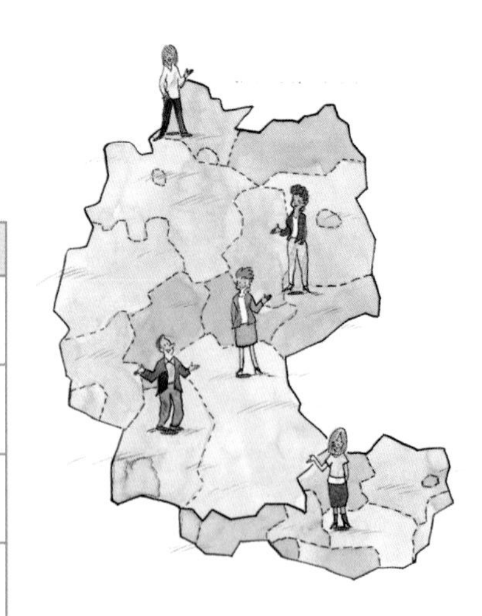

Person	Herkunftsort	Dialekt	Wann spricht sie / er Dialekt?
1			
2			
3		Steirisch	
4	Brunsbüttel / Schleswig-Holstein		mit ihren Eltern und mit älteren Leuten
5			

2 Liebeserklärungen

AB 73 a **Hören Sie nun einige Sätze zuerst auf Hochdeutsch und dann in verschiedenen Dialekten und Sprachvarietäten. Was fällt Ihnen an der Aussprache auf? Notieren Sie.**

1 Schwäbisch
Du bist mein Schatz und hast einen Platz in meinem Herzen.
Du bisch mei Schätzle und hoasch ä Plätzle in meim Herzle.
„st" wird am Ende eines Wortes „scht" gesprochen,

2 Sächsisch
Ich will es in allen Sprachen hinausrufen – mein Stern, hey du – ich habe dich gern!
Isch wills in alln schbrachen fürdsch blärrn – mei stärrn ey duh – isch habdsch gärn!

3 Österreichisch / Steirisch
Eins ist gewiss. Das darf jeder wissen, wie gern ich dich mag.
Oans is gwies. Dees dearf a jeda wissn, wia gean i di moag.

4 Plattdeutsch
Alle Leute können es hören, ich habe meinen Süßen zum Fressen gern.
All Lüüd köönt dat hörn, ick hev min Sööten ton freten geern.

5 Fränkisch
Hör mal Peter, du bist ein prima Kumpel! Würdest du nicht gern eine Zeit mit mir in Bamberg bleiben?
Horch amol, Beder, du bisd a brima Kumbl! Mächasd ned a wengla mid mia in Bambärch bleim?

AB 74 b **Hören Sie die Sätze noch einmal und versuchen Sie, sie nachzusprechen.**

12

EINSTIEGSSEITE, KB 155

das Lebensmotto, -s
das Talent, -e

HÖREN 1, KB 156–157

die Aktion, -en
die Ausrüstung, -en
das Element, -e
die Etappe, -n
der Geschäftsbericht, -e
der Konzern, -e
die Mündung, -en
das Motiv, -e
die Provokation, -en
die Quelle, -n
die Ressource, -n
der Respekt (Sg.)
das Wunder, -

abbrechen, brach ab,
hat abgebrochen
applaudieren
bezeichnen als
verschlucken

niedrig
rätoromanisch
spektakulär
ständig
wasserscheu

SPRECHEN, KB 158–159

die Anregung, -en
die Fülle (Sg.)
die Gestaltung, -en
das Kanu,-s
die Landsleute (Pl.)
der Leihwagen, ¨-
die Verpflegung (Sg.)
die Verständlichkeit (Sg.)
etwas einnehmen, nahm ein,
hat eingenommen

entspringen, entsprang,
ist entsprungen

gestellt werden
die Ausrüstung wird gestellt

abenteuerlustig
erholungsbedürftig

WORTSCHATZ, KB 160–161

der Bub, -en (A)*
die Eierspeis(e), -n (A)
die Marille, -n (A)
der Paradeiser, - (A)
der Topfen, - (A)
die Traktanden (Pl.) (CH)**
das Velo, -s (CH)
die Wurzel, -n

angreifen, griff an,
hat angegriffen (A)
entstehen, entstand,
ist enstanden
gelangen
grillieren (CH)
parkieren (CH)
zügeln (CH)

auffällig (A + CH)
bewusst
gleichnamig

LESEN, KB 162–163

der Dialekt, -e
der Gegensatz, ¨-e
im Gegensatz dazu
der Meilenstein, -e
die Mundart, -en
die Norm, -en
das Plattdeutsch (Sg.)
der Standard, -s
die Verbreitung (Sg.)
das Vorbild, -er
die Vorbildfunktion, -en

(be-)merken
bestehen bleiben, blieb,
ist geblieben

begrenzt sein

überregional

dagegen

SCHREIBEN, KB 164–165

die Auswirkung, -en
die Mehrsprachigkeit (Sg.)

aufgreifen, griff auf,
hat aufgegriffen
aufwachsen, wuchs auf,
ist aufgewachsen
ausgrenzen
beherrschen
eingehen auf, ging auf ein,
ist auf eingegangen

mehrsprachig
zweisprachig

signifikant

HÖREN 2, KB 166

die Amtssprache, -n
der Ankündigungstext, -e
der Freundschaftspreis, -e

12

* Bei den mit (A) gekennzeichneten Wörtern handelt es sich um spezifische Wörter aus Österreich.
** Bei den mit (CH) gekennzeichneten Wörtern handelt es sich um spezifische Wörter aus der Schweiz.

LEKTIONSTEST 12

1 Wortschatz

Was ist richtig? Markieren Sie.

1 Sein Experiment war für Bromeis eine große *Anregung / Gestaltung / Herausforderung.*
2 Aber er hatte das *Bedürfnis / Motiv / Vorbild,* auf den Rhein, aufmerksam zu machen.
3 Leider musste er sein Projekt schon vor dem Ende *ausgrenzen / eingehen / abbrechen.*
4 Er schaffte es nicht, von der Quelle bis *zum Ufer / zur Mündung / zur Etappe* durchzuhalten.
5 Dennoch konnte er vielen die Bedeutung des Flusses *signifikant / spektakulär / bewusst* machen.
6 Und es zeigte sich, dass sich die Natur nur schwer *beherrschen / scheitern / aufgreifen* lässt.

Je 1 Punkt **Ich habe ______ von 6 möglichen Punkten erreicht.**

2 Grammatik

a **Schreiben Sie aus dem Relativsatz ein erweitertes Partizip I oder II auf ein separates Blatt.**

1 der Fluss, der in den Schweizer Alpen entspringt = der ... Fluss
2 die Mundarten, die als schwer verständlich bezeichnet werden = die ... Mundarten
3 das Publikum, das den Sportlern applaudiert = das ... Publikum

Je 2 Punkte **Ich habe ______ von 6 möglichen Punkten erreicht.**

b **Ergänzen Sie *während* oder *dagegen / im Gegensatz dazu.***

1 Viele Schweizer können Deutsch, ________________ können nur wenige Rätoromanisch.
2 ________________ Dialekt früher als unkultiviert galt, ist er heute „in".

Je 1 Punkt **Ich habe ______ von 2 möglichen Punkten erreicht.**

c **Definitionen. Ergänzen Sie passende Nomen aus Partizipien in der richtigen Form.**

1 Jemand, der mit einem festen Arbeitsvertrag in einer Firma arbeitet, ist ein ________________.
2 Ein anderes Wort für „mein Chef" ist „mein ________________".
3 Im Kurs werden alle ________________, also alle Personen, die da sind, aufgeschrieben.

Je 2 Punkte **Ich habe ______ von 6 möglichen Punkten erreicht.**

d **Ergänzen Sie den Artikel und ein *-s-*, wo nötig.**

1 ______ Diskussion___thema 2 ______ Hör___text
3 ______ Prüfung___frage 4 ______ Mutter___sprache

Je 1 Punkt **Ich habe ______ von 4 möglichen Punkten erreicht.**

3 Kommunikation

Ordnen Sie zu.

A eine Zielgruppe charakterisieren **B** einen Reisevorschlag präsentieren **C** nachfragen

☐ *Könntet Ihr bitte noch einmal erklären, wer genau unsere Zielgruppe ist?* • ☐ *Es gibt jeden Tag eine Fülle von Aktivitäten.* • ☐ *In unserem Heimatland gibt es sehr viele Menschen, die gern einmal eine Schiffsreise unternehmen würden.* • ☐ *Einen Punkt habe ich nicht ganz verstanden. Wie sieht das Abendprogramm aus?* • ☐ *Wir reisen hauptsächlich mit dem Schiff.* • ☐ *Wir haben als Zielgruppe die Sportbegeisterten gewählt.*

Je 1 Punkt **Ich habe ______ von 6 möglichen Punkten erreicht.**

Auswertung: Vergleichen Sie mit den Lösungen (AB 210).
Ihre Erfolgspunkte tragen Sie unter jeder Aufgabe ein.

Ich habe ______ von 30 möglichen Punkten erreicht.

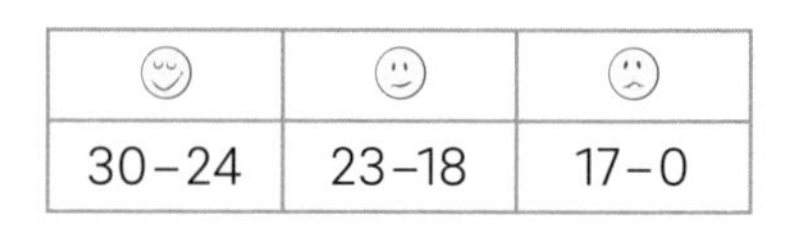

☺	😐	☹
30–24	23–18	17–0

ANHANG

ETWAS BESCHREIBEN UND ERKLÄREN — LEKTION 7, 9, 11

eine Statistik beschreiben
Die Statistik gibt Auskunft über ...
Sie informiert darüber, wie viel ...
Das Schaubild stellt dar, wie viele ...
In der Grafik / Im Schaubild wird ... mit ... verglichen.
Die Zahl der Ein- / Zwei- / Drei-Personen-Haushalte ist ...
Dagegen hat ... (deutlich) zugenommen / abgenommen.
... gab / gibt es wesentlich mehr / weniger ... als ...
Dafür gibt es doppelt / fünfmal so viele ... wie ...

über Fernsehserien sprechen
Ich denke, die Menschen brauchen Filme, die ...
Oft sind die Ärzte und Ärztinnen in den Serien ...
Man identifiziert sich vielleicht mit ...

eine Tätigkeit beschreiben
Viele arbeiten als ... / Wenige arbeiten als ...
Als ... hat man echt viel / wenig zu tun.
Die Arbeit in ... / bei ... / als ... ist sehr anstrengend / interessant / ...

Auskunft über Verdienstmöglichkeiten geben
Als ... verdient man sehr gut / schlecht.
Am besten verdient man als ...
Die Tätigkeit in... / bei ... / als ... wird (nicht) gut bezahlt.

FRAGEN STELLEN UND BEANTWORTEN — LEKTION 9, 10, 12

(kritisch) nachfragen
Wie soll das Ganze funktionieren?
Ich kann mir nicht so richtig vorstellen, ...
Ist ... auch / dabei inbegriffen?
Das klingt schon recht verlockend, aber ...
Ich bin mir nicht sicher, ob ...

Zu einem Punkt hätte ich noch eine Frage.
Könntet ihr bitte noch einmal sagen / erklären, ...
Einen Punkt habe ich nicht ganz verstanden. Warum ...? / Wie ...?

beim Gesprächspartner nachfragen
Ich bin nicht sicher, ob ich das richtig verstanden habe.
Kannst du das genauer erklären?
Was genau sind deine Vorstellungen in Bezug auf ...?

auf Fragen reagieren
... wirkt ziemlich gut bei .../-beschwerden.
... sollte man auf jeden / keinen Fall bei ... anwenden.
... kann ich persönlich nicht beurteilen, habe aber gehört, dass ...

DIE EIGENE MEINUNG / BEDENKEN ÄUSSERN — LEKTION 7, 8, 12

eine Meinung äußern
Meiner Ansicht nach ist ...
Wichtig finde ich vor allem ...
Vermutlich ist es für ... einfacher / schwieriger, ...
Eine große Chance für diese Menschen besteht darin, ...

zu einem Thema schriftlich Stellung nehmen
In Ihrer Zeitungsmeldung berichten Sie über ...
Zu ... möchte ich Stellung nehmen.
Ich persönlich halte von ... nichts / viel.
Die Bedeutung ... wird überbewertet / unterschätzt.
Meiner Meinung nach sollte / müsste man ...
... wäre keine / doch eine gute Idee.

einen Beschwerdebrief formulieren
Vor ... Tagen kaufte ich ...
Zu Hause ist mir dann aufgefallen, ...
Beim Kauf / Bei diesem Produkt hatte ich (nicht) erwartet, dass ...
Normalerweise bekommt man ... und nicht ...
Da dies nicht der Fall war, bitte ich Sie, ...
Ich gehe davon aus, dass Sie ...
Andernfalls werde ich ...

auf einen Beitrag Bezug nehmen
Ich habe Ihre Tipps mit großem Interesse gelesen.
Ich möchte gern auf einen Punkt näher eingehen.
Einen Punkt finde ich besonders wichtig.
Ich würde gern noch einen anderen Punkt ansprechen / aufgreifen / hinzufügen.

ETWAS ZUSAMMENFASSEN UND BEWERTEN — LEKTION 7, 8, 10

den Inhalt eines Ratgeber bewerten
Ein brauchbarer Tipp ist meiner Meinung nach ...
Der Tipp ... scheint mir eher unrealistisch.
Besonders hilfreich finde ich den Vorschlag, ...
Man müsste gleich von Anfang an darauf achten, ...

etwas zusammenfassen
Lasst uns also festhalten: ...
... kann also sowohl Vor- als auch Nachteile haben: ...
Wir sind uns einige, dass ...

einen Text zusammenfassen
In dem Text geht es um ...
Die Geschichte erzählt von ...
Hier erfährt man ...

EINE DISKUSSION FÜHREN — LEKTION 7, 8, 9, 12

sich über Ideen austauschen
Das klingt spannend! Du musst aber auch bedenken, dass ...
Hinsichtlich des Kostenrahmens ist wichtig, ...
Für ... solltest du auf jeden Fall weitere Helfer einplanen.

den eigenen Standpunkt darlegen und begründen

Meiner Meinung nach spricht das Argument ... für / gegen ...
Aus meiner Sicht sollte man das Argument ... besonders ernst nehmen.
Ich vertrete diese Meinung aus folgendem Grund: ...
Es gibt folgende gute Gründe für / gegen ...

Man solle / kann / darf / muss doch (nicht) ...
Es gibt gute Gründe dafür: ...
Die Konsequenzen sind doch klar: ...

auf Argumente von Gesprächspartnern positiv reagieren

Da stimme ich dir zu.
Ich bin ganz deiner Meinung.
... ist mir auch sehr wichtig, weil ...
Mir wäre ... auch am liebsten.

jemanden widersprechen

Da bin ich nicht ganz deiner Meinung. Ich finde eher, dass ...
Das sehe ich anders: Ich kenne jemanden, der ...
Was du sagst, stimmt schon, allerdings ...

Argumente zurückweisen

Das sehe ich ganz anders.
Das überzeugt mich nicht ganz.
Da kann ich Ihnen leider nicht zustimmen.

auf Argumente von Gesprächspartnern negativ reagieren

In diesem Punkt kann ich (dir) leider nicht zustimmen.
Was ... betrifft, bin ich anderer Meinung.
... ist nicht so wichtig für mich, weil ...

Einwände formulieren

Dagegen spricht, dass ...
Ich verstehe Ihre Position, aber trotzdem / dennoch ...
Das ist ein Problem, weil ...

über Chancen sprechen

Ein Vorteil dieser Familienform ist auf jeden Fall, dass ...
Das Gute ist, dass man bereits ...
Natürlich müssen die Familienmitglieder (sich) erst einmal ...

über mögliche Probleme sprechen

Möglicherweise hat man auch nicht genug Verständnis für ...
Problematisch könnte es werden, wenn ...
Nicht so einfach scheint mir ...

sich auf etwas einigen

Wir sollten auch auf jeden Fall ... vorbereiten.
Das kommt gut bei den Leuten an.
Ich schlage vor, wir ...
Was meinst du, wie lange wir brauchen, um ...

ETWAS PRÄSENTIEREN — LEKTION 8, 10, 12

eine Projektidee vorstellen
Die Idee meines Projektes ist, ...
Für die Umsetzung meines Projektes plane ich ...
Für ... hätte ich auch schon eine Idee: Ich möchte ...

einen Service anbieten
Wir können euch etwas ganz Einmaliges anbieten, nämlich ...
So etwas bekommt ihr sonst nirgendwo.
... ist eine unglaubliche Erleichterung im Alltag. Man muss nie mehr ...

eine Zielgruppe benennen und charakterisieren
Wir haben als Zielgruppe ... gewählt.
In unserem Heimatland gibt es sehr viele ..., die gern einmal ...
Für sie wäre besonders wichtig, dass sie ... können.
Folgender Reisevorschlag ist für diese Zielgruppe geeignet: ...

den Inhalt eines Reisevorschlags präsentieren
Es gibt eine Fülle von Aktivitäten: ...
Täglich bieten wir ein Programm mit vielen Angeboten zum Entspannen: ...
Die Ausrüstung bringen die Gäste mit / wird gestellt.
Wir reisen hauptsächlich / ausschließlich mit ...
Frühstück gibt es ... Das Mittagessen wird ... eingenommen.
Zum Abendessen laden wir die Gäste zu ... Spezialitäten ein.
Die Gäste übernachten in einem / einer ...

Feedback geben / etwas bewerten
Das war eine sehr interessante Präsentation.
Eure Präsentation hat mir ausgezeichnet gefallen.
Bei eurer Präsentation fand ich besonders ... interessant.
Wo ihr euch noch verbessern könntet, ist bei der / dem ...

ÜBER ETWAS BERICHTEN — LEKTION 7, 8, 9

über Familienkonstellationen sprechen
Zu meiner Familie gehören ...
Ich lebe mit meiner / meinem / meinen ... in ...
Das ist in meinem Heimatland ganz normal / etwas ungewöhnlich / ...
Aber im Haushalt meiner / meines ... zum Beispiel wohnen nicht nur ..., sondern auch ...
Außerdem kenne ich ein Paar, das ...

über ein Gericht berichten
... ist ein typisches Gericht aus ...
Es hat seinen Namen von ...
Meist wird es zu ... gekocht / zubereitet/...
Dazu passt am besten ...
Es schmeckt / riecht ein bisschen nach ...
Man schneidet / schält / vermischt / brät / kocht zuerst ... Dann ...

über Studienwünsche sprechen
Bei uns wollen auch viele, so wie Anton / Sophie/..., ... studieren.
Folglich / Infolgedessen sind / gibt es / ist es ...
Sie haben oft schon gute / schlechte Erfahrungen mit ... gemacht, sodass sie ... möchten / suchen.
Infolge guter / schlechter Erfahrungen ... suchen / wollen viele ...

ÜBER KÖRPERLICHE BESCHWERDEN UND KRANKHEITEN SPRECHEN — LEKTION 11

Fragen nach Beschwerden stellen
Wo tut es Ihnen denn weh?
Was für eine Art Schmerz ist es denn?
Wie lange haben Sie das schon?
Haben andere in Ihrer Familie das auch?

Beschwerden beschreiben
Hier habe ich einen Ausschlag / rote Flecken / mehrere Insektenstiche / ...
Ich leide an Appetitlosigkeit.
Ich habe das / Man sieht das am ganzen Körper / im Gesicht / hier oben / unten / ...
Es ist ein dumpfer / stechender / pochender / intensiver / ziehender Schmerz.
Das / Diese Schmerzen habe ich erst seit kurzer Zeit / schon lange / seit ...

nach möglichen Ursachen fragen
Woher könnten Ihre Probleme kommen?
Welchen Beruf üben Sie aus?

Fragen nach Ursachen beantworten
Ich habe mich wohl in der Schule / in den öffentlichen Verkehrsmitteln / ... angesteckt.
Meine Schwester / ... hat(te) das auch (schon).
Zurzeit habe ich viel Stress im Beruf.
Ich sitze den ganzen Tag am PC.
Wahrscheinlich habe ich beim Sport übertrieben / Ich habe mich beim Sport verletzt.

Ursachen und Therapie erklären
Das kommt vom vielen Sitzen / von der Bildschirmarbeit / ...
Das ist eine Allergie / Virus-Infektion /...
Die Ursache für diese Schmerzen ist der Knochen / der Nerv / der Muskel / ...
Sie bekommen / Ich gebe Ihnen ein/e ...Spritze / Schmerzmittel / Rezept.

Anweisungen geben
Am besten machen Sie das so: ...
Nehmen Sie die Tabletten ...
Reiben Sie die Stellen ... mit der Salbe ein.
Vermeiden Sie ... / Sorgen Sie für ...

LÖSUNGEN DER LEKTIONSTESTS

LEKTION 7

1 Wortschatz
1 Fernbeziehung
2 Single
3 Patchwork-Familie
4 Neugier
5 Alleinerziehende

2 Grammatik
a 1 hätten
2 für
3 seien
4 sei
5 von
6 zu
7 gewesen sei
8 hätten ... reagiert
9 hätten
10 zu

b 1 Wer keine Ratschläge annehmen will, dem ist nicht zu helfen.
2 Wem man die Hand gibt, dem sollte man in die Augen sehen.
3 Wen ich nicht mag, den lade ich auch nicht zu meinem Geburtstag ein.

c 1 Je jünger man ist, desto / umso öfter verliebt man sich.
2 Je besser man sich versteht, desto / umso stabiler ist die Beziehung.
3 Je älter man wird, desto / umso mehr Erfahrung hat man.

3 Kommunikation
1 gibt Auskunft über
2 hat ... zugenommen
3 doppelt so viele
4 aussagen soll
5 im Vordergrund
6 einen anderen Vorschlag

LEKTION 8

1 Wortschatz
1 Mindesthaltbarkeitsdatum
2 verzichten
3 überschritten
4 verzehren
5 Verpackung
6 vernichten

2 Grammatik
a 1 Es soll inzwischen auch vegetarische Hamburger geben.
2 Diese Hamburger sollen wirklich gut schmecken.
3 Der Boxer McTybone soll seinen Salat früher selbst angebaut haben.
4 Leonardo da Vinci, Franz Kafka und Albert Einstein sollen Vegetarier gewesen sein.

b 1 ein ... Gewürz; Auch wenn ... Kochen
2 Selbst ...; eine ... Verschwendung
3 Obwohl; Der Hersteller; dem Ablauf
4 Trotz; Apfelernte

3 Kommunikation
A Unserer Meinung nach gibt es ...
Die Idee, gesundes Gemüse ...
B Hier sehen Sie ein Beispiel, wie ...
Wir möchten Ihnen jetzt zeigen, wie ...
C Ihre Meinung zu diesem Projekt ...
Denken Sie, dass ...

LEKTION 9

1 Wortschatz
1 Studienfächer
2 Dozenten
3 Studienabschlüsse
4 Vorlesungsverzeichnis
5 Kommilitone
6 Mensa
7 Fachliteratur

2 Grammatik
a 1 Paul plant ein Auslandssemester. Folglich bewirbt er sich um ein Erasmusstipendium.
2 Manche Städte wie Freiburg, Hamburg oder München sind so beliebte Studienorte, dass es sehr schwer ist, dort eine günstige Unterkunft zu finden.
3 Der Fachbereich wird erweitert. Infolgedessen können sich mehr Studierende dafür einschreiben.
4 Für eine Seminararbeit sollte man zuerst eine Gliederung entwerfen, sodass der Aufbau der Arbeit dann logisch und übersichtlich ist.
5 Infolge des sehr hohen Arbeitsaufwands bei technischen Studiengängen geben einige Studierende das Studium nach kurzer Zeit wieder auf.

b 1 machen, absolvieren
2 zu knüpfen, herzustellen
3 erweitern, vertiefen
4 tragen, übernehmen
5 diskutieren, stellen
6 ausarbeiten, halten

3 Kommunikation
1 genau
2 weniger
3 ganz
4 leider
5 kaum
6 selbstständig
7 anstrengend

LÖSUNGEN DER LEKTIONSTESTS

LEKTION 10

1 Wortschatz

1 der Rabatt
2 die Umsetzung
3 die Enttäuschung
4 der Gutschein
5 die Investition
6 das Ehrenamt
7 der Beteiligte
8 der Betreiber

2 Grammatik

a 1 Dieses Buch ist leider nicht mehr lieferbar.
2 In der Picasso-Ausstellung lassen sich Führungen für Gruppen vereinbaren.
3 Der zugesagte Liefertermin ist unbedingt einzuhalten.
4 Bei unserem Reinigungsservice lässt sich viel sparen.
5 Theos Geschichten sind wirklich unglaublich.

b 1 Im Herbst wird mit der Apfelernte begonnen.
2 Den Apfel-Pflückern wird zu ihrem Erfolg gratuliert.
3 Am Abend wird mit Musik für Stimmung beim Fest gesorgt.

3 Kommunikation

1 verlockendes
2 klingt
3 inbegriffen
4 Einmaliges
5 anbieten
6 funktionieren

LEKTION 11

1 Wortschatz

1 der Verband
2 das Virus
3 die Nebenwirkung
4 die Vorbeugung
5 der Bluthochdruck
6 das Symptom

2 Grammatik

a 1 man
2 man
3 einem
4 nichts
5 jemand
6 man
7 irgendeiner
8 irgendwelche

b 1 Durch häufiges Üben kann man fast alles lernen.
2 Indem man regelmäßig trainiert, verbessert man seine Kondition.
3 Dadurch, dass Tom krank wurde, konnte das Projekt nicht beendet werden.
4 Statt der Behandlung von Symptomen sollte man sich mehr auf die Ursachen von Schmerzen konzentrieren.
5 Ohne dass Medikamente eingenommen werden, können manche Krankheiten nicht geheilt werden.

3 Kommunikation

1 weh
2 ziehenden
3 übertrieben
4 Nerv
5 Rezept
6 Salbe

LEKTION 12

1 Wortschatz

1 Herausforderung
2 Bedürfnis
3 abbrechen
4 zur Mündung
5 bewusst
6 beherrschen

2 Grammatik

a 1 in den Schweizer Alpen entspringende
2 als schwer verständlich bezeichneten
3 den Sportlern applaudierende

b 1 dagegen / im Gegensatz dazu
2 Während

c 1 Angestellter; 2 Vorgesetzter; 3 Anwesenden

d 1 das Diskussionsthema
2 die Muttersprache
3 die Prüfungsfrage
4 der Hörtext

3 Kommunikation

A In unserem Heimatland ...
Wir haben als Zielgruppe ...
B Es gibt jeden Tag eine Fülle ...
Wir reisen hauptsächlich ...
C Könntet ihr bitte noch einmal ...
Einen Punkt habe ich nicht ...

Lösung zu Seite KB 103:

Bier: 4161 Liter; Wasser: 32536 Liter; Butter und Margarine: 710 kg; Hühner: 720 Stück; Käse: 1226 kg; Kartoffeln: 2355 kg; Reis: 392 kg; Rinder: 8 Stück; Schokolade: 912 kg; Schweine: 33 Stück; Tomaten: 1968 kg; Milch: 3233 Liter

Lösung zum Wissensspiel auf Seite KB 109:

Antworten Team A:
1: z. B. Äpfel, Birnen, Pflaumen, Aprikosen, Orangen, Zitronen, ...
2: z. B. Bohnen, Erbsen, Aubergine, Kartoffeln, ...
3: Eiweiß, Kohlenhydrate, Fett
4: Kohlenhydrate
5: z. B. Wurst, Käse, Schweinefleisch, Butter, Nüsse, ...
6: z. B. Orangen, Zitronen, Paprika, ...

Antworten Team B:
1: z. B. Himbeeren, Johannisbeeren, Erdbeeren, Brombeeren, ...
2: z. B. Karotten, Kohlrabi, Rettich, Radieschen, ...
3: z. B. Weizen, Hafer, Reis, Roggen, Gerste, ...
4: Eiweiß
5: z. B. Käse, Butter, Joghurt, Quark, Sahne, ...
6: z. B. Salz, Pfeffer, Kräuter, Curry, ...

PRÜFUNGSFORMATE IN SICHER! AKTUELL B2

Das Lehrwerk **SICHER! aktuell B2** bereitet auf alle gängigen B2-Prüfungen vor, darunter das Goethe-Zertifikat B2 und das ÖSD-Zertifikat B2 sowie die telc-Prüfungen Deutsch B2 und Deutsch B1–B2 Beruf. Die in den beiden Tabellen (AB 211–212) aufgelisteten Aufgaben und Übungen sind an die entsprechenden Prüfungsformate angelehnt, sodass die Lernenden mit jedem Prüfungsformat mindestens einmal vertraut gemacht werden.

LEKTION 1	FREUNDE
KB 15, 5	Goethe Sprechen 1
KB 17, 3	Telc B2 Sprechen 2
KB 18, 2a	Goethe Hören 2 / Telc B1–B2 Beruf Hören 2
KB 21, 2	Telc B2 Sprechen 1
AB 20, 20b	ÖSD Schreiben 2

LEKTION 2	IN DER FIRMA
KB 25, 1	Telc B1–B2 Beruf Sprechen 1
KB 27, 3b	ÖSD Sprechen 1
KB 33, 3	Goethe Schreiben 2
KB 37, 2a	Telc B1–B2 Beruf Sprechen 2
AB 27, 7	Telc B2 Hören 2
AB 29, 12	Goethe Lesen 2
AB 31, 17	Goethe Hören 2 / Telc B1–B2 Beruf Hören 3
AB 35, 26	Telc B1–B2 Beruf Lesen 4

LEKTION 3	MEDIEN
KB 48, 1	Telc B1–B2 Beruf Hören 1
AB 45, 5	Telc B2 Schreiben 1
AB 49, 12	Goethe Lesen 3 / Telc B2 Lesen 2 / Telc B1–B2 Beruf Lesen 3 / ÖSD Lesen 1
AB 53, 17	Goethe Hören 3
AB 53, 18	Telc B2 Hören 3
AB 55, 20	ÖSD Hören 1

LEKTION 4	NACH DER SCHULE
KB 52, 1c	Goethe Lesen 1
AB 64, 13	Goethe Lesen 4
AB 70, 21	ÖSD Hören 2

LEKTION 5	KÖRPERBEWUSSTSEIN
KB 63, 1	ÖSD Sprechen 2
KB 66, 2c	Telc B2 Hören 2
AB 82, 15	Telc B1–B2 Beruf Lesen 2
AB 85, 20	Telc B1–B2 Beruf Sprachbaustein 1 / Telc B2 Sprachbaustein 2
AB 85, 21	Goethe Hören 4
AB 86, 22	Goethe Lesen 5

LEKTION 6	STÄDTE ERLEBEN
KB 76, 1c	Goethe Hören 3
KB 78, 1b	Telc B2 Lesen 3
KB 86, 2a	Telc B2 Sprechen 3
AB 91, 2	Telc B2 Lesen 1 / ÖSD Lesen 2
AB 97, 11	Goethe Hören 1 / Telc B1–B2 Beruf Hören 2
AB 102, 20	Telc B1–B2 Beruf Schreiben 1

LEKTION 7	BEZIEHUNGEN
KB 96, 2	Goethe Schreiben 1
KB 99, 2d	Telc B2 Sprechen 2
KB 100, 2b	Goethe Sprechen 2
AB 110, 9	Goethe Schreiben 2
AB 118, 25	ÖSD Lesen 3

LEKTION 8	ERNÄHRUNG
KB 106, 2	Goethe Hören 1 / Telc B1–B2 Beruf Hören 2
KB 112, 2	Goethe Lesen 3 / Telc B2 Lesen 2 / Telc B1–B2 Beruf Lesen 3 / ÖSD Lesen 1
KB 114, 2	Telc B1–B2 Beruf Sprechen 3
AB 125, 7	Telc B2 Hören 1
AB 126, 8	ÖSD Schreiben 1

LEKTION 9	AN DER UNI
KB 123, 1b	Goethe Sprechen 2
KB 126, 2	Goethe Hören 4
KB 128, 2	Goethe Sprechen 1
AB 141, 6	Telc B2 Sprachbaustein 1 / Telc B1–B2 Beruf Sprachbaustein 2
AB 150, 23	Goethe Lesen 4 / Telc B1–B2 Beruf Lesen 1

LEKTION 10	SERVICE
KB 134, 2	Goethe Hören 3
KB 139, 2	Goethe Lesen 5
AB 155, 2	Goethe Hören 2 / Telc B1–B2 Beruf Hören 3
AB 156, 3	ÖSD Lesen 2
AB 160, 11	Goethe Lesen 3 / Telc B2 Lesen 2 / Telc B1–B2 Beruf Lesen 3 / ÖSD Lesen 1
AB 165, 20	ÖSD Lesen 4
AB 166, 21	Goethe Lesen 5

LEKTION 11	GESUNDHEIT
KB 145, 2b	Goethe Hören 2 / Telc B1–B2 Beruf Hören 3
KB 148, 1b	Goethe Lesen 4
KB 149, 3b	Telc B1–B2 Beruf Schreiben 2
KB 150, 2	ÖSD Sprechen 3
KB 151, 1b	Goethe Lesen 2
AB 172, 5	Goethe Lesen 1
AB 174, 7b	Goethe Schreiben 1
AB 179, 17	Goethe Hören 3

LEKTION 12	SPRACHE UND REGIONEN
KB 165, 3	Goethe Schreiben 1
AB 191, 9	Goethe Hören 4
AB 197, 20	Telc B1–B2 Beruf Hören 4
AB 197, 21	Goethe Schreiben 1

Prüfungsformate im Teilband B2.1 in schwarzer Schrift / Prüfungsformate im Teilband B2.2 in blauer Schrift dargestellt.

PRÜFUNGSTEIL		GOETHE B2	TELC B2	TELC B1–2 BERUF	ÖSD B2
LESEN	1	KB 52, 1c AB 172, 5	AB 91, 2	AB 150, 23	KB 112, 2 AB 49, 12 AB 160, 11
	2	KB 151, 1b AB 29, 12	KB 112, 2 AB 49, 12 AB 160, 11	AB 82, 15	AB 91, 2 AB 156, 3
	3	KB 112, 2 AB 49, 12 AB 160, 11	KB 78, 1b	KB 112, 2 AB 49, 12 AB 160, 11	AB 118, 25
	4	KB 148, 1b AB 64, 13 AB 150, 23		AB 35, 26	AB 165, 20
	5	KB 139, 2a AB 86, 22 AB 166, 21			
HÖREN	1	KB 106, 2 AB 97, 11	AB 125, 7	KB 48, 1	AB 55, 20
	2	KB 18, 2a KB 145, 2b AB 31, 17 AB 155, 2	KB 66, 2c AB 27, 7	KB 106, 2 AB 97, 11	AB 70, 21
	3	KB 76, 1c KB 134, 2 AB 53, 17 AB 179, 17	AB 53, 18	KB 18, 2 KB 145, 2 AB 31, 17 AB 155, 2	
	4	KB 126, 2 AB 85, 21 AB 191, 9		AB 197, 20	
SCHREIBEN	1	KB 96, 2 KB 165, 3 AB 174, 7b AB 197, 21	KB 111, 3c AB 45, 5	AB 102, 20	AB 126, 8
	2	KB 33, 3 AB 110, 9		KB 149, 3b	AB 20, 20b
SPRECHEN	1	KB 15, 5 KB 128, 2	KB 21, 2	KB 25, 1	KB 27, 3b
	2	KB 100, 2b KB 123, 1b	KB 17, 3 KB 99, 2d	KB 37, 2a	KB 63, 1
	3		KB 86, 2a	KB 114, 2	KB 150, 2
SPRACH-BAUSTEINE	1		AB 141, 6	AB 85, 20	
	2		AB 85, 20	AB 141, 6	

Quellenverzeichnis
Cover: : © Bader-Butowski/Westend61/Corbis

Kursbuch

S. 89: © Enno Kapitza, Gräfelfing
S. 90: © Thinkstock/iStock/monkeybusinessimages
S. 92: © Thinkstock/iStock/almir1968
S. 93: d: links © Picture-Alliance/Globus Infografik; rechts © Picture-Alliance/dpa-infografik
S. 94/95: Text Das Blütenstaubzimmer aus : Zoë Jenny, Das Blütenstaubzimmer. Frankfurt am Main: Frankfurter Verlagsanstalt 1997.; Cover © Frankfurter Verlagsanstalt
S. 96: © iStockphoto/tobntno
S. 97: © Thinkstock/Wavebreak Media; Text Übung 2b: Blau oder Braun? Von Elke Naters, Berlin
S. 98: © Thinkstock/Comstock/Stockbyte
S. 98/99: Text Wenn die Liebe pendeln muss aus: Peter Wendl: Zehn zentrale Spielregeln, aus: Ders., Soldaten im Einsatz - Partnerschaft im Eisatz. Praxis- und Arbeitsbuch für Paare und Familien in Auslandseinsatz und Wochenendbeziehung © Verlag Herder GmbH, Freiburg i. Br. 2013, S. 24 ff.
S. 100: © Hueber Verlag/ Erika Wegele-Nguyen
S. 101: © Thinkstock/iStockphoto; Text Du baust einen Tisch © Nora Gomringer
S. 103: © Thinkstock/Zoonar
S. 104/5: Fleisch © fotolia/Jacek Chabraszewski; Suppe © Thinkstock/iStockphoto; Obstsalat © iStockphoto/Vitalina; Text Vom Veganer zum Flexitarier aus: Gewissensfrage Fleisch – Verzicht aus Überzeugung, 29.09.2011 von Julian Mieth© dpa
S. 106: Matthias Kraus, München
S. 107: Ü1: A © fotolia/Quade; B © fotolia/L.Giunta; C © fotolia/sterneleben
S. 108: Ü1a: Kühe © fotolia/Zakharov Evgeniy; Gemüse © fotolia/Tomo Jesenicnik; Getränkedosen © Thinkstock/iStock/Marti157900; Apfelkuchen © Thinkstock/iStock/vikif; Fertiggericht © Thinkstock/iStock/Jamesmcq24; Gebäck © Thinkstock/Zoonar
S. 112: © fotolia/TheSupe87
S. 114: Ü1: A © fotolia/Nick Hawkes; B © iStockphoto/sjlocke; C © Tanja Michelis
S. 115: alle Fotos © Leopold Schick und Volker Wagner
S. 118: Ü1: A © iStockphoto/Izabela Habur; B © iStockphoto/Kurtly; Ü2a:1 © fotolia/Robert Kneschke; 2 © Thinkstock/iStock/arekmalang; 3 © Thinkstock/Wavebreak Media
S. 120/21: Text Die Ruhr-Universität Bochum und Fotos © RUB-Pressestelle, Steffen
S. 122: Anton © Thinkstock/iStock/spfoto; Sophie © iStockphoto/RichVintage; Juhani © fotolia/Patrizia Tilly; Sara © fotolia/andreaxt
S. 123: Ü1a: Gebäude © Thinkstock/iStock/Andreas-Weber; Hörsaal © iStock/skynesher
S. 124: © iStock/Maliketh
S. 126: Lernmittel © Thinkstock/iStock/smiltena; Telefonieren © Thinkstock/iStock/Hongqi Zhang
S. 129: © Nico Gühlstorf, Berlin
S. 131: © Jupiterimages/Fotosearch
S. 133: © Thinkstock/Pixland
S. 134: Ü1c © Thinkstock/Creatas; Ü2: a © Thinkstock/iStock/Kiuikson; b © Thinkstock/iStock/monkeybusinessimages; c © Thinkstock/iStock/Wavebreakmedia
S. 136: A © iStockphoto/kruwt; B © PantherMedia/Susanne Bauernfeind
S. 136/37: Text Sonnenhut und Tuasendschön von Franz Naskrent aus WAZ Westdeutsche Allgemeine Zeitung, Essen
S. 139: © Thinkstock/iStock/anyaberkut
S. 141: Fotos: Erol Gurian, München; Herzlichen Dank dem „Internationalen Mütterforum Sendling" und seinen Kinder und der Vorleserin Jutta Mai
S. 143: © Thinkstock/Wavebreak Media
S. 144: Text Arzt – Traumberuf oder Knochenjob?: Berufe mit Prestige - Ärzte haben oft einen Knochenjob, 26.10.2009 von Tobias Schormann © dpa
S. 145: © Sophie Barlow, privat
S. 146: Ü1 © Thinkstock/iStock/VeraLubimova
S. 147: Ü1: 1 © Thinkstock/iStock/AndreyPopov; 2 © Thinkstock/iStock/s-dmit
S. 148: A © Thinkstock/moodboard; B © Thinkstock/Hemera; C © Thinkstock/Purestock
S. 149: © fotolia/ExQuisine
S. 150: A © Thinkstock/iStock/Deklofenak; B © Thinkstock/iStock/sasel77; C © Thinkstock/BananaStock
S. 151/52: Text Alternative Heilmethoden und Foto © Dr. Peter J. Fischer, Facharzt für Kinder- und Jugendmedizin, Schwäbisch Gmünd
S. 153: © Thinkstock/iStock/AlexRaths
S. 155: © Rolf Canal, mit freundlicher Genehmigung von heja, Ernst Bromeis/Davos Platz
S. 156: Karte © heja, Ernst Bromeis/Davos Platz
S. 157: © Getty Images/E+/chrispecoraro
S. 158: A © Thinkstock/Hemera; B © Thinkstock/Photodisc; C © Thinkstock/iStockphoto; D © Thinkstock/iStock/Kastelein; E © Thinkstock/iStock/LucynaKoch
S. 160: Text Wanderung von Wörtern © www.integrationsfonds.at: Illustration © Niel Mazhar, DI
S. 162: 1 © iStockphoto/Eva_Katalin; 2 © iStock/azndc; 3 © fotolia/tina7si; 4 © Thinkstock/iStock/Rauluminate

S. 164: © Thinkstock/iStock/AnnaDedukh; Text Bilingual erziehen © Dr. Rosario Carolina Then de Lammerskötter; www.bilingual-erziehen.de
S. 166: A © PantherMedia/Bernhard Schaffer; B © Thinkstock/Ingram Publishing; C © Thinkstock/iStock/interlight
S. 167: Foto © Fabian Lippke, mit freundlicher Genehmigung von Die Tüdelband, www.tuedelband.de

Arbeitsbuch
S. 107: © Enno Kapitza, Gräfelfing
S. 111: © Thinkstock/iStock/AlexZabusik
S. 116: Ü20a: A © PantherMedia/Verena Scholze; B © fotolia/Olaru Radian; C © Thinkstock/AbleStock.com; Ü21a © fotolia/Thomas Aumann
S. 119: Ü26: Text Poetry Slam: Wieder romantisch, Pierre Jarawan, Jetzt.de; Foto © Uwe Lehmann - Photographiemanufaktur, www.photographiemanufaktur; Ü27 b © Thinkstock/iStock/visuall2
S. 120: Text Mein Toaster aus: Hellmuth Opitz, Die Dunkelheit knistert wie Kandis © Pendragon Verlag, 2011
S. 123: © fotolia/ConnyKa
S. 125: © fotolia/Ivan Floriani
S. 126: © Thinkstock/iStock/Melpomenem
S. 127: Ü9b © iStock/Santje09; Ü10 © PantherMedia/Heike Rau
S. 128: © fotolia/PhotoSG
S. 129: Ü13: Grillen © fotolia/Henry Schmitt; Getränke © Thinkstock/Creatas Images; Ü14 © fotolia/Trueffelpix
S. 130: Ü16: Frau links © fotolia/Robert Kneschke; Frau rechts © PantherMedia/Manfred Rimkus
S. 131: © fotolia/Battrick
S. 132: Ü19: Packung © iStock/ferlistockphoto; Haferflocken © Thinkstock/iStock/Lecic; Ü20: 007Georg © PantherMedia; Juli-Herz © Thinkstock/iStockphoto/Arie J. Jager
S. 134: © Bundesverband Deutsche Tafel e.V.
S. 135: © fotolia/Tommaso Lizzul
S. 139: Ü3 © iStockphoto/Chris Schmidt
S. 140/41: Text Uni-Veranstaltungen mit freundlicher Genehmigung von Dr. Karl-Heinz Jäger, https://home.ph-freiburg.de/jaegerfr/Index/der_kleine_unterschied.htm
S. 143: Ü9 © Getty Images/Stockbyte/George Doyle; Ü11a © Thinkstock/iStock/mangostock
S. 144: Text Sprachhürde Ade © College Contact, www.auslandssemester.net; Karte © Thinkstock/Stockbyte; Pass © Thinkstock/iStock
S. 146: Text Starting Days und Foto © Daniel DeRoche, www.unifr.ch/startingdays; Ü15 © Thinkstock/iStock/Rawpixel
S. 148: Text Was das Studentenleben kostet © Deutsches Studentenwerk, www.internationale-studierende .de, 21. Sozialerhebung, Stand 2016; Ü20 © Thinkstock/iStockphoto/Tristan BEN MAHJOUB
S. 149: Die beliebtesten Studentenjobs © 2009 www.univativ.de, GuidoAugustin.com; Foto © Thinkstock/iStock/Kai Chiang
S. 151: © Thinkstock/iStock/Francisco Caravana
S. 155: © messenger Transport & Logistik GmbH
S. 159: © Thinkstock/Wavebreak Media
S. 162: © PantherMedia/Sven Andreas
S. 164: Ü17 © Thinkstock/Polka Dot/IT Stock Free; Ü18 © Thinkstock/iStock/fotolinchen
S. 167: Ü22: 1 © fotolia/K.- P. Adler; 2 © Thinkstock/iStock/shironosov; Ü23 © PantherMedia/Elena Elisseeva
S. 168: Text Die Dienstagsfrau von Roland Fritsch, www.rolandfritsch.de
S. 171: © iStock/lenad-photography
S. 173: A © Thinkstock/iStock/AlexZabusik; B © Getty Images/E+/Juanmonino; C © Thinkstock/iStock/digitalskillet; D © Thinkstock/iStock/monkeybusinessimages
S. 174: © fotolia/Gina Sanders
S. 175: © fotolia/VRD
S. 176: © Thinkstock/iStock/Freeartist
S. 177: © Thinkstock/iStock/monkeybusinessimages
S. 178: © Thinkstock/iStockphoto/Nastco
S. 179: Ü17: a © Thinkstock/Fuse; b © Thinkstock/Ridofranz; c © Thinkstock/iStock/m-image-photography
S. 180: MoPo3 © PantherMedia/Yuri Arcurs, wurm58© iStockphoto/J-Elgaard , hexe4 © PantherMedia, Maxi32 © fotolia/Uwe Bumann
S. 182: Ü21a © Thinkstock/iStock/TanawatPontchour; Ü22a © Thinkstock/iStock/Alexander Raths
S. 183: Ü23: mit freundlicher Genehmigung der Schramm Film Koerner & Weber; Ü24 © fotolia/Henrie
S. 187: Ü2 © PantherMedia/diego cervo
S. 188: Text „Deshalb habe ich aufgegeben" © www.blick.ch, 14.05.2012; © Andrea Badrutt, mit freundlicher Genehmigung von Ernst Bromeis
S. 189: Ü4a © fotolia/artalis; Ü5a © fotolia/Mihai Musunoi
S. 190: © Thinkstock/iStockphoto/g215
S. 193: Text Ausgewanderte Wörter aus dem Buch Ausgewanderte Wörter © Hueber Verlag; Foto © Susu Petal; http://susupetal.wordpress.com
S. 195: © PantherMedia/Gabriele Willig
S. 196: © Thinkstock/iStock/Yuri
S. 197: © Thinkstock/iStock

S. 198: Ü23: 1 © iStock/pixdeluxe, 2 © Thinkstock/Pixland/Jupiterimages, 3 © PantherMedia/Thomas Ix, 4 © Thinkstock/iStock/Irena Misevic

S. 199: Text „Kommunikation im Krankenhaus" von Lin Freitag, Süddeutsche Zeitung vom 12.07.2013, Foto © Thinkstock/iStock/gpointstudio

Arbeitsbuch-CD:

Track 24: mit freundlicher Genehmigung von Kenta Kuhne

Track 39: „Mein Toaster" aus Hellmuth Opitz, Die Dunkelheit knistert wie Kandis © Pendragon Verlag, 2011

Track 57-59: „Die Dienstagsfrau" von Roland Fritsch, www.rolandfritsch.de

Track 66: "Schweizer und ihre Sprache: Isch guat g'si?" © wissen.de

Track 67: „Doppelpass? Junge Menschen aus Rhein-Main berichten" von Pitt von Bebenburg, Frankfurter Rundschau vom 02.05.2011 (Die Namen wurden von der Redaktion geändert

Alle anderen Fotos: Florian Bachmeier, Schliersee

Zeichnungen: Jörg Saupe, Düsseldorf

Bildredaktion: Britta Sölla, Hueber Verlag, München